ALEXANDRE II

LE TSAR LIBÉRATEUR

DU MÊME AUTEUR

Nouvelles

LA CLEF DE VOÛTE (Plon)
LA FOSSE COMMUNE (Plon)
LE JUGEMENT DE DIEU (Plon)
DU PHILANTHROPE À LA ROUQUINE (Flammarion)
LE GESTE D'ÈVE (Flammarion)
LES AILES DU DIABLE (Flammarion)

Biographies

DOSTOÏEVSKI (Fayard)
POUCHKINE (Perrin)
L'ÉTRANGE DESTIN DE LERMONTOV (Perrin)
TOLSTOÏ (Fayard)
GOGOL (Flammarion)
CATHERINE LA GRANDE (Flammarion)
PIERRE LE GRAND (Flammarion)
ALEXANDRE Ier (Flammarion)
IVAN LE TERRIBLE (Flammarion)
TCHEKHOV (Flammarion)
TOURGUENIEV (Flammarion)
GORKI (Flammarion)
FLAUBERT (Flammarion)
MAUPASSANT (Flammarion)

Essais, voyages, divers

LA CASE DE L'ONCLE SAM (La Table Ronde)
DE GRATTE-CIEL EN COCOTIER (Plon)
SAINTE-RUSSIE, *réflexions et souvenirs* (Grasset)
LES PONTS DE PARIS, *illustré d'aquarelles* (Flammarion)
NAISSANCE D'UNE DAUPHINE (Gallimard)
LA VIE QUOTIDIENNE EN RUSSIE AU TEMPS DU DERNIER TSAR (Hachette)
LES VIVANTS, *théâtre* (André Bonne)
UN SI LONG CHEMIN (Stock)

HENRI TROYAT
de l'Académie française

ALEXANDRE II
LE TSAR LIBÉRATEUR

FLAMMARION

Il a été tiré de cet ouvrage :

VINGT EXEMPLAIRES SUR PUR FIL
DES PAPETERIES D'ARCHES
DONT QUINZE EXEMPLAIRES NUMÉROTÉS DE 1 A 15
ET CINQ EXEMPLAIRES, HORS COMMERCE, NUMÉROTÉS DE I A V

VINGT EXEMPLAIRES SUR VELIN ALFA
DONT DIX EXEMPLAIRES NUMÉROTÉS DE 16 A 25
ET DIX EXEMPLAIRES, HORS COMMERCE, NUMÉROTÉS DE VI A XV

Le tout constituant l'édition originale

I

SACHA

Pour le petit Sacha, ce 14 décembre 1825 est un jour comme les autres. Né le 17 avril 1818[1], il est tout juste âgé de sept ans et huit mois. Assis dans sa chambre, au palais Anitchkov, sous la surveillance de son gouverneur, le capitaine Mörder, il s'occupe à colorier une lithographie représentant le passage du Granique par Alexandre de Macédoine. La veille, il a eu une grande émotion quand, au milieu de la famille réunie, son père, l'empereur Nicolas Ier, lui a annoncé qu'à dater de cette minute il était l'héritier du trône de Russie. Il a dû jurer de n'en parler à personne avant la publication d'un certain manifeste. Devant tous ces visages graves, il a fondu en larmes sans comprendre exactement de quoi il retournait. Maintenant, penché sur ses images, il a retrouvé son calme. Il ne se doute pas qu'en cet instant même son père a pris une décision capitale. À la mort de l'empereur Alexandre Ier, survenue à Taganrog le 19 novembre 1825, la couronne aurait dû logiquement échoir à son frère Constantin. Or celui-ci a, entre-temps, renoncé à la succession

---

1. Les dates, sauf exceptions, sont données ici selon le calendrier julien qui, au XIXe siècle en Russie, était en retard de douze jours sur le calendrier grégorien en usage ailleurs.

au profit de son cadet, Nicolas. Mais le document constatant cet état de choses a été tenu secret par le défunt. En conséquence, Nicolas a fait prêter serment aux troupes de Saint-Pétersbourg à Constantin, tandis que Constantin, résidant à Varsovie et croyant que son refus était officiel, a fait acclamer par son entourage le nom de Nicolas. Ainsi la Russie s'est trouvée avec, à sa tête, deux tsars qui correspondaient par estafettes en s'adjurant l'un l'autre de régner. Cette période d'incertitude a aussitôt été utilisée par les organisations subversives pour soulever l'armée contre Nicolas, lequel vient enfin d'accepter la charge impériale.

Le 14 décembre 1825, alors que le petit Sacha s'amuse avec ses crayons de couleur, les régiments mutinés se rangent sur la place du Sénat, face aux régiments restés fidèles au nouvel empereur. Pour vaincre la résistance des rebelles, Nicolas Ier ordonne de tirer le canon. C'est le massacre, la débandade. Au-delà des murs de sa chambre, Sacha entend des détonations sourdes. Il croit à des exercices de tir comme il y en a tant à Saint-Pétersbourg. Mais voici qu'un officier d'ordonnance fait irruption dans la pièce et parle à l'oreille de Mörder. Sans explication, l'enfant est arraché à ses jouets, revêtu d'une pelisse, hissé dans une simple voiture de louage. Direction : le palais d'Hiver. On s'arrête devant le perron, face au quai de la Néva. L'instant d'après, Sacha est introduit dans le salon bleu où sa mère, l'impératrice Alexandra Fedorovna, et sa grand-mère, l'impératrice douairière Marie Fedorovna, l'accueillent, très pâles, les larmes aux yeux. On lui passe en travers de la poitrine le cordon de Saint-André. On le bénit d'un signe de croix. On lui chuchote cent recommandations qu'il écoute à peine. Et soudain la porte s'ouvre, son père paraît en grand uniforme. C'est un colosse de deux mètres de haut, à la nuque raide, à la mâchoire carrée et au regard glacial. Sacha a peur de lui comme d'une statue vivante. D'ailleurs, tout le monde dans la famille tremble devant cet homme de tradition et de volonté. Il vient de réprimer l'émeute de ceux que l'on appellera plus tard les « décembristes [1] ». La Russie est à lui. Mais le sang a coulé par la faute d'une poignée d'insensés qui voulaient lui ravir le trône et même, dit-on, instituer une sorte de république. Parmi les conjurés, les plus grands noms du pays. Un tel crime ne peut rester impuni. Nicolas rêve d'une purge exemplaire. Déjà les arrestations ont commencé.

Après avoir reçu les félicitations de ses proches, l'empereur fait habiller son fils de l'uniforme des hussards et descend avec lui dans la cour du palais où se trouve réuni un bataillon du génie de la Garde qui est resté à ses côtés depuis le début de l'affaire. Sous les acclamations, il ordonne au premier homme de chaque compagnie d'embrasser le nouvel héritier du trône. Recroquevillé dans les bras d'un officier, Sacha voit approcher de lui, à tour de rôle, des inconnus au visage rude qui sentent la sueur et la vodka. Ils lui baisent les pieds et les mains. L'enfant comprend confusément que ces gens-là aiment son père, alors que d'autres, sur la place du Sénat, avaient juré sa perte et celle de sa famille. Comment peut-on, pense-t-il, détester des êtres qui lui sont si chers ? À l'âge des jeux, il est plongé dans la malveillance, le complot, la violence, le désordre. Il n'oubliera jamais cette journée du 14 décembre 1825, avec ses coups de feu, ses messagers hors d'haleine, ses réunions de dignitaires chamarrés dans les antichambres.

L'agitation au palais d'Hiver continue toute la nuit. On amène les suspects devant le souverain qui les interroge en personne. C'est toute la noblesse de l'empire qui pue la trahison. Voilà le résultat de ces fameuses idées libérales françaises que les Russes sont allés cueillir à Paris, après la chute de Napoléon ! Mais lui, Nicolas, saura guérir son pays de la gangrène révolutionnaire. Il suffit de frapper fort et au bon endroit. Cent vingt décembristes sont incarcérés dans la forteresse Saint-Pierre-et-Saint-Paul. Une Haute Cour, constituée par les membres du Conseil d'Empire, du Sénat et du

---

1. En russe : « décabristes ».

Saint-Synode, condamne les cinq principaux responsables à la mort par pendaison et les autres aux travaux forcés en Sibérie [1]. L'ordre est rétabli. Le règne de Nicolas Ier commence dans la fermeté et la sécurité monarchiques retrouvées.

Si Sacha, dont le nom officiel est Alexandre Nicolaïevitch, redoute son père, que ses nouvelles fonctions éloignent encore de lui, il est en adoration devant sa mère. Autant l'empereur Nicolas est dur, égoïste, autoritaire, borné, suffisant, autant l'impératrice Alexandra apparaît comme exaltée, romantique et frivole. Elle est la fille de cette célèbre reine Louise de Prusse, dont Alexandre Ier a tant apprécié le charme et que Napoléon a superbement dédaignée à Tilsit. Grande, svelte, majestueuse et mélancolique tout ensemble, elle est écrasée par son impérial époux qui la traite en quantité négligeable. Elle aime les toilettes claires, les fêtes animées, les propos légers. L'éducation de son fils ne la concerne pas. Dès l'âge de six ans, on l'a confié aux soins du capitaine Mörder, ancien combattant des guerres de 1805 et de 1807 et ex-instructeur au 1er corps des Cadets. C'est un brave homme rigoureux, consciencieux, modeste et pénétré de l'importance de sa tâche. Il s'efforce d'inculquer à son jeune élève le courage et la discipline militaires, tout en préservant sa fraîcheur d'âme. Le 26 juillet 1826, il accompagne la famille impériale à Moscou pour les fêtes du couronnement. Sacha est assis auprès de sa mère, dans le carrosse qui traverse la ville parmi les ovations. À la grande revue du 30 juillet, il apparaît à cheval, passe au trot devant le régiment des hussards de la Garde et se range avec aisance aux côtés de son père. Le maréchal Marmont, duc de Raguse, ambassadeur extraordinaire du roi de France Charles X au couronnement du tsar, félicite Nicolas sur la vaillance et la dextérité de son fils, âgé de huit ans [2].

Puis ce sont les cérémonies du sacre dans la cathédrale de

1. Les cinq condamnés à mort sont Paul Pestel, Serge Mouraviev-Apostol, Michel Bestoujev-Rioumine, Conrad Ryleïev, Pierre Kakhovski.
2. *Mémoires* du duc de Raguse, VIII, p. 31.

l'Assomption, le dîner d'apparat dans l'immense salle voûtée du palais à Facettes, les illuminations de la ville en l'honneur du nouveau souverain. Sacha assiste à toutes ces festivités, ébloui, étourdi et fier. Lorsqu'il sort en calèche avec Mörder pour admirer l'éclairage des monuments publics, la foule le reconnaît et l'entoure en criant hourra. Ce tumulte l'effraie. Mörder, craignant une échauffourée, ordonne au cocher de rebrousser chemin.

Cependant Nicolas estime que l'enseignement du zélé capitaine ne peut plus suffire à orner l'esprit de son fils. Sensible pour une fois aux suggestions de sa femme, il choisit comme véritable gouverneur du prince héritier le très célèbre poète Joukovski. Cette nomination d'un homme au talent consacré et aux idées généreuses est saluée comme un bon présage par toute l'élite du pays. Âgé de quarante-trois ans à l'époque, Joukovski est le fils illégitime d'un gentilhomme russe et d'une prisonnière turque. Adopté par son parrain, il a fait de brillantes études à Moscou, s'est distingué à la direction de la revue *Le Messager de l'Europe*, est devenu le lecteur de l'impératrice Marie, puis le professeur de l'impératrice Alexandra. Mais il est surtout le fondateur de l'école romantique russe. Ses poèmes connaissent dans le public un retentissement prodigieux. À côté d'œuvres originales, il propose à ses contemporains des traductions en vers de Schiller, de Goethe, de Byron... Il rêve de donner à la langue russe, décriée dans les milieux aristocratiques, la suprématie sur les autres langues européennes. Son inspiration est nationale, sa culture étendue et son cœur tendre. Il est aimé et respecté des autres écrivains. Malgré ce succès dans la carrière des lettres, il considère ses nouvelles fonctions pédagogiques comme la principale justification de son existence. « À présent, écrit-il à l'une de ses nièces [1], je n'ai plus qu'une pensée en tête, tout le reste n'existe que par rapport à elle...

1. Mme A. P. Elaguine.

Auparavant, ma vie était *dans le vague*[1], maintenant, je sais à quoi elle mène. » Déjà, à la naissance du futur Alexandre II, il lui avait dédié une ode dans laquelle il l'adjurait en ces termes :

> *Sache toujours, dans ta mission suprême,*
> *Que la dignité la plus sacrée est l'homme...*
> *Et pour le bien de tous oublie ton propre bien.*

Il reprend ces principes dans le « plan d'études » qu'il soumet à la famille impériale pour approbation. Afin de se préparer à gouverner un jour la Russie, le petit Alexandre doit, dit-il, apprendre le russe, l'histoire, la géographie, la physique, les mathématiques, la géologie, la botanique, la zoologie, l'allemand, le français, l'anglais, le polonais, le dessin, la musique, et développer les dispositions charitables de son cœur par la lecture des auteurs chrétiens. Tout en reconnaissant la nécessité pour le prince héritier de se familiariser avec la discipline militaire, il ne craint pas de critiquer sa présence à la grande parade de Moscou, la veille du couronnement. « Cet épisode, écrit-il à l'impératrice Alexandra, est tout à fait inutile dans le magnifique poème auquel nous travaillons. J'implore le ciel pour qu'il n'y ait plus à l'avenir de scènes pareilles... C'est comme si vous appreniez à une fillette de huit ans toutes les ruses de la coquetterie... La passion de la chose militaire risque d'étouffer l'âme d'Alexandre. Il s'habituera à ne voir dans le peuple qu'un régiment et dans sa patrie qu'une caserne. » Toutefois, comme un futur empereur se doit d'être au courant des problèmes de l'armée, il suggère de créer, à l'instar de Pierre le Grand, un régiment pour rire, composé d'enfants « bien élevés », au nombre d'une centaine, qui joueront à la guerre sous la conduite d'instructeurs. Malgré l'illustre précédent de Pierre Ier, l'idée ne sera pas retenue.

Quant aux études proprement dites, elles relèveront de plusieurs professeurs, dont Joukovski se réserve le choix. Ces

---

1. En français dans le texte.

professeurs, selon lui, ne devront pas écraser l'élève sous le poids de leur science. Leur tâche ne sera nullement de former un savant, mais un homme. « Sois assuré que le pouvoir du tsar procède de Dieu, écrit le maître à l'usage du prince héritier. Mais que cette croyance soit pour toi comme celle qu'avait Marc Aurèle. Ivan le Terrible eut la même conviction, mais, chez lui, elle se transforma en une dérision meurtrière de la divinité et de l'humanité. Respecte la Loi et enseigne aux autres à la respecter par ton exemple. Si tu transgresses la Loi, ton peuple ne lui restera pas soumis. Aime et répands autour de toi la culture... Tiens compte de l'opinion publique : elle sert bien souvent à éclairer le monarque... Aime la liberté, c'est-à-dire la justice... La liberté et l'ordre sont une seule et même chose. L'amour du tsar pour la liberté renforce chez ses sujets l'amour de l'obéissance. Le vrai pouvoir d'un souverain ne réside pas dans le nombre de ses soldats mais dans la prospérité de son peuple... »

Ces sages préceptes implantant dans l'esprit du futur empereur l'idée que le pouvoir monarchique est d'essence divine, mais qu'il ne se conçoit qu'au service de la nation tout entière. Pour éviter à l'enfant une éducation « sous cloche », on invite quelques camarades de son âge à suivre les cours avec lui : Joseph Wielhorski, Alexandre de Patkull, Adlerberg, Fredericks, Chouvalov, Baranov forment le noyau de la petite classe. Joukovski leur enseigne le russe, la physique, la chimie ; un Suisse, M. Gilles, le français et la géographie ; M. Warrant l'anglais. Par la suite, d'autres personnages savantissimes se chargeront de leur inculquer des notions d'histoire, de sciences naturelles, de philosophie, tandis que l'apprentissage militaire restera confié à Mörder. L'horaire est des plus stricts. Sacha se lève à six heures du matin. Les cours commencent à sept heures et durent jusqu'à midi, avec une récréation d'une heure. À cinq heures de l'après-midi, reprise des études jusqu'à sept heures du soir, puis une heure de gymnastique et de jeux.

Le tsarévitch grandissant et devenant pour tous non plus le

petit Sacha mais le jeune et charmant Alexandre, Joukovski
n'hésite pas à prier l'illustre collaborateur de l'empereur défunt,
le très avisé Speranski, de lire à son élève un cours sur la
jurisprudence. Plus monarchiste encore que tous les autres
précepteurs, Speranski déclare devant son auditoire pétrifié de
respect : « Le mot autocratie signifie qu'aucun pouvoir sur
terre, à l'intérieur ou à l'extérieur de l'empire, ne peut imposer
de limites au pouvoir suprême du souverain russe : ces limites
lui sont dictées au-dehors par les traités, à l'intérieur par la
parole donnée, choses immuables et sacrées. »

Pour initier Alexandre à la haute politique russe, Joukovski
songe également à Capo d'Istria, autre collaborateur d'Alexandre Ier, associé jadis aux plus importantes tractations internatio-
nales. Mais Capo d'Istria, d'origine grecque, est élu président
du premier gouvernement national de son pays natal et doit
quitter la Russie pour prendre ses fonctions. On le remplace
auprès d'Alexandre par un pâle général, nommé Ouchakov.
C'est lui qui sera chargé d'apprendre à l'héritier du trône la
conduite des affaires publiques.

Et Dieu là-dedans ? Pour éclairer les rapports du tsar
terrestre et du tsar céleste, l'empereur Nicolas fait appel à un
ecclésiastique érudit, le père Pavski. Le mysticisme raisonnable
du prêtre soulève l'enthousiasme de Joukovski. Il y reconnaît le
reflet de ses propres idées sur les droits et les devoirs du
monarque et écrit à l'impératrice Alexandra : « Nous pouvons
nous féliciter de notre choix. Votre enfant, pour son destin
futur, a besoin de la religion du cœur. Le pouvoir du tsar lui
vient de Dieu. Oui, ces paroles sont une vérité profonde si elles
supposent la responsabilité du tsar devant le Juge suprême,
mais elles ne sont qu'une formule funeste pour le cœur du
monarque si elles signifient : tout m'est permis, car je ne
dépends que de Dieu. Je crois que Pavski possède toutes les
qualités requises pour inculquer ces notions à notre cher
élève. »

Cette opinion n'est pas partagée par le haut clergé. Les plus gros bonnets de l'Église orthodoxe se méfient d'un instructeur ouvert, tolérant et moderne. Quelques dévots de la cour font chorus avec les moines. Le métropolite de Saint-Pétersbourg, Philarète, vient adjurer l'empereur de renvoyer le prêtre « suspect ». À contrecœur, Nicolas cède à la pression de son entourage. Le père Pavski est remplacé par le père Bajanov, cerveau étroit, que son conformisme rend aimable à la hiérarchie ecclésiastique. En même temps, Alexandre, qui n'a pourtant pas terminé son instruction religieuse, est nommé membre du Saint-Synode.

Pour ce qui est du métier des armes, en revanche, Nicolas demeure intraitable. Ayant repoussé l'idée saugrenue du « régiment pour rire » émise par Joukovski, il exige que son fils soit initié, dès son âge le plus tendre, à la dure discipline de la caserne. En 1829, alors qu'Alexandre n'a que onze ans, il le confie à l'école des Cadets, où l'héritier du trône est instruit comme simple soldat d'abord, puis comme sous-officier. Aux parades, l'enfant fait fonction de sous-lieutenant. À treize ans, il est promu capitaine en second. Peu après, il commande une compagnie du régiment Préobrajenski. Cette présence d'un gamin en uniforme à la tête d'une troupe aguerrie inquiète jusqu'au vieux Mörder, pourtant blanchi sous le harnais. Il note dans son Journal : « Je voudrais me persuader que les fréquentes apparitions de Son Altesse aux parades ne lui donnent pas l'impression qu'il s'agit là d'une affaire d'État... Il peut très bien lui venir à l'esprit que c'est réellement cela le service de l'empire, oui, il peut le croire... »

Malgré les réticences qui s'expriment autour de lui à mi-voix, Nicolas continue de rêver pour Alexandre d'un destin de général. Il voudrait insuffler à son fils sa passion dévorante des champs de manœuvre. Pour l'encourager dans cette voie, il le nommera successivement colonel honoraire des cuirassiers de la Garde, des dragons de Moscou, des hussards de Pavlograd, chef de toutes les troupes cosaques... Il chargera même le baron de Jomini, ancien chef d'état-major du maréchal Ney, passé en

1813 au service de la Russie, de donner au prince héritier des leçons de stratégie. Alexandre ne proteste pas contre cette science martiale dont on le gave à longueur de journée. Mais, comme le redoutaient Joukovski et Mörder, il s'intéresse moins à l'étude de l'artillerie, de la fortification et de l'évolution des armées sur le terrain qu'aux mille bagatelles de la vie des soldats à la caserne et lors des revues. Le plaisir vaniteux de la parade lui fait perdre de vue le sérieux de l'art militaire. Couvert de galons et de décorations, il est plus porté à être un officier de salon qu'un chef de guerre. Son père s'en aperçoit et dit à Mörder : « J'ai remarqué qu'Alexandre montre peu de zèle pour les études militaires. Il doit être soldat dans l'âme, sinon il sera perdu dans notre siècle. Il m'a semblé qu'il n'était attiré que par les détails infimes du métier des armes. » Aussitôt Mörder l'assure que, grâce à ses efforts, le tsarévitch deviendra « un chevalier sans peur et sans reproche ».

En réalité, selon ses éducateurs mêmes, le garçon est trop nerveux, trop sensible pour commander un jour sous le feu de l'ennemi. Ils notent que, tout enfant, il passe rapidement du rire aux larmes. La moindre contrariété, le moindre échec le font pleurer d'abondance. Doté d'une mémoire excellente et d'une grande vivacité d'esprit, il manque d'énergie, tombe souvent dans une méditation apathique, répugne au travail assidu. À plusieurs reprises, il confie à Mörder qu'il déplore d'être, par sa naissance, grand-duc héritier du trône de Russie. Mais, bien entendu, il n'ose souffler mot de ce regret à son père. Quand celui-ci, ayant appris que son fils a eu de mauvaises notes dans la journée, refuse, par sanction, de le recevoir pour le baiser du soir, Alexandre est bouleversé comme s'il était exclu de la famille.

Cette famille, il l'aime tendrement. Autour de lui, s'agitent ses jeunes sœurs, Marie, Olga, Alexandra[1], des camarades de

1. L'empereur Nicolas et l'impératrice Alexandra Fedorovna eurent sept enfants : Alexandre, le futur empereur Alexandre II (1818-1881) ; Marie (1819-1876), future duchesse de Leuchtenberg ; Olga (1822-1892), future épouse du prince héritier de

son âge, des gouvernantes, des gouverneurs, toute une petite cour bruyante, affectueuse et gaie qui le console de ses rébarbatives études. Pour distraire les enfants, Joukovski imagine de fonder un journal, intitulé *La Fourmilière*, dont ils seront les uniques rédacteurs. L'impératrice organise des fêtes, des spectacles, des soirées dansantes, afin d'accoutumer le grand-duc et ses sœurs à la vie de société.

Au mois d'avril 1829, le tsar, ayant décidé de se faire couronner roi de Pologne, exige que sa femme et son fils aîné, âgé de onze ans, l'accompagnent à Varsovie. Les péripéties du voyage captivent Alexandre. Il pleure de joie en entendant chanter les alouettes dans les champs. La vue des paysans guenilleux dans leurs villages aux isbas croulantes lui serre le cœur. Mais il se console en pensant que ce sont peut-être, comme on le lui dit, des « paresseux ».

Après les fêtes du sacre, on se rend en Prusse, pays natal de l'impératrice. À la cour de Frédéric-Guillaume III, Alexandre est subjugué par l'amabilité de ses hôtes. Entouré de princes et de princesses qui tous lui témoignent un fraternel empressement, il se sent allié par la chair à cette nombreuse parenté germanique. On lui montre le fameux château de Sans-Souci, le tombeau de Frédéric le Grand, celui de sa grand-mère maternelle, la reine Louise, et il reste longtemps en contemplation devant la statue en marbre de la défunte. Mais le plus clair de son temps, il le réserve aux parades, aux jeux et aux danses. Il prend un vif plaisir à figurer dans une procession aux flambeaux, le *Fackeltanz*, et s'initie aux cartes. Sur le chemin du retour, il s'arrête, avec sa suite, au bord du Niémen, sur la hauteur d'où Napoléon a surveillé le mouvement de sa Grande Armée en marche vers les plaines russes. Sentimental à son

---

Wurtemberg, plus tard roi Charles Ier ; Alexandra (1825-1844), future épouse de Frédéric-Guillaume de Hesse-Cassel ; Constantin (1827-1892), futur grand amiral russe et président du Conseil d'Empire ; Nicolas (1831-1891), futur feld-maréchal ; Michel (1832-1909), futur inspecteur général de l'artillerie, feld-maréchal.

habitude, il cueille une branche pour commémorer ce souvenir et dit à Mörder : « Ainsi tout passe, Napoléon et sa terrible armée n'existent plus. Il ne reste que cette montagne et la légende qui s'y rattache. »

Malgré les mille divertissements du voyage, il est impatient de se retrouver à la maison. En pénétrant dans le parc de Tsarskoïe Selo, il s'écrie : « Enfin, je suis chez moi ! Mon Dieu ! Ici, chaque buisson, chaque sentier me rappelle quelque moment heureux ! » Et la vie reprend avec ses études, ses parades, ses bals, ses pique-niques et ses parties de chasse au canard.

Les cadeaux qu'Alexandre reçoit à l'occasion des fêtes sont toujours destinés à renforcer en lui le goût du pouvoir et le respect de l'armée. Ainsi, en 1831, trouve-t-il à son intention, sous l'énorme arbre de Noël dressé dans une salle du palais d'Hiver, un buste de Pierre le Grand, un fusil, un sabre, un coffre avec des pistolets, un uniforme de chevalier-garde et des assiettes de porcelaine dont le décor, variant de l'une à l'autre, représente les différentes tenues des régiments impériaux. Mais, s'il est enthousiasmé par ces présents, il l'est encore plus par un livre intitulé : *Les Peuples de la Russie, ou Description des mœurs, usages et costumes des nations diverses de l'empire de Russie.* C'est que, de cet immense pays, sur lequel il sera appelé à régner un jour, il ne connaît guère que les lambris dorés du palais d'Hiver, les jardins aux allées ratissées de Tsarskoïe Selo, le Kremlin de Moscou et le cantonnement des Cadets de Peterhof. Si l'armée n'a pas de secrets pour lui, il n'a pas rencontré le peuple. Au fait, est-ce bien nécessaire ? On se le demande en famille. Nicolas Ier envisage certes pour le grand-duc la nécessité d'un voyage d'information à travers la Russie, mais il veut attendre, pour le lancer dans cette aventure, que son fils ait atteint sa majorité, fixée à seize ans, et qu'il ait juré solennellement d'être fidèle au trône et d'accepter d'avance la succession.

Le jour de son seizième anniversaire, quand on annonce à

l'adolescent la promesse que son père exige de lui, il se trouble et s'écrie : « N'est-ce pas trop tôt ? » La cérémonie est fixée au 22 avril 1834, dans la grande église du palais d'Hiver. Après la messe, Nicolas prend son fils par la main, le conduit jusqu'à un lutrin, et Alexandre, face aux courtisans assemblés, lit d'une voix tremblante le très long texte du serment. Au bout d'un moment, il doit s'arrêter, étouffé par les larmes. Néanmoins, il se ressaisit et achève sa lecture. Nicolas, satisfait, l'embrasse, au dire des témoins, « sur la bouche, sur les yeux et sur le front ». Puis, sortant de l'église, la procession se dirige vers la salle Saint-Georges pour la prestation de serment à l'armée. Une foule d'uniformes se presse entre les colonnes corinthiennes de marbre blanc. Tous les drapeaux des régiments de la Garde s'inclinent devant le grand-duc. Un orchestre militaire joue le nouvel hymne impérial : *Dieu protège le tsar,* composé par le général Lvov, selon le désir de Nicolas Ier.

Tandis qu'Alexandre se plie, la gorge serrée d'émotion, à cette manifestation officielle, il ignore que son gouverneur bien-aimé, Mörder, vient de mourir d'une crise cardiaque, à Rome, où il s'est retiré depuis peu. Connaissant la nature fragile de son fils, l'empereur a ordonné de tenir la nouvelle secrète jusqu'au lendemain de la cérémonie. Lorsque Alexandre apprend enfin qu'il a perdu son grand ami, il s'écroule à genoux et sanglote, la tête enfouie dans les coussins d'un divan. Un témoin, Iourie-vitch, tente de le consoler. Le grand-duc, entre deux hoquets, s'écrie : « Je ne comprends pas comment vous avez pu me cacher vos sentiments et comment j'ai pu ne pas deviner le chagrin qui m'attendait ! » Et, reprenant sa respiration, il ajoute : « Cependant vous avez bien fait de ne rien me dire avant la prestation de serment. » Il sait d'instinct qu'avec cette peine dans le cœur il n'aurait pas eu la force de participer aux festivités de la cour. Décidément, il n'est pas prêt pour les grands chocs de l'existence. Joukovski a trop bien cultivé les tendres dispositions de son élève. Lors de l'office funèbre pour le repos de l'âme de Mörder, qui était luthérien, Alexandre soupire : « Je ne lui ai jamais demandé quelle était sa religion, mais je connaissais ses bonnes actions et il ne m'en fallait pas plus pour le respecter et l'aimer. »

Après ce deuil, les études reprennent, lestement menées, suivant le plan de Joukovski. Encore trois années de préparation, avec des examens, dressés de loin en loin tels des obstacles dans un manège. Et, soudain, c'est l'envol loin du nid familial. Conformément au vœu paternel, l'héritier du trône va prendre contact avec ses futurs sujets. Il est prévu que son absence de la capitale durera sept mois et qu'il visitera une trentaine de provinces, s'aventurant même au-delà de l'Oural. Une nombreuse suite l'accompagne, où figurent l'inévitable Joukovski et le général Kaveline, remplaçant de Mörder. Considérant l'ampleur de l'entreprise, Joukovski la compare à la lecture hâtive d'un livre, où le regard n'effleurerait que les titres des chapitres. « Plus tard, écrit-il, le grand-duc lira chaque chapitre du livre séparément. Ce livre, c'est la Russie. »

Quittant Saint-Pétersbourg au printemps 1837, les voyageurs dédaignent les villages et ne s'attardent que peu de temps dans les villes. Emporté par le mouvement, Alexandre ne soupçonne ni la misère des serfs, ni les injustices et les prévarications des administrateurs, ni la brutalité et la rouerie des propriétaires fonciers. À chaque étape, il est accueilli par des autorités locales radieuses. Les rues ont été balayées pour son arrivée, les maisons pavoisées et illuminées. Des foules en délire se prosternent devant ce jeune homme svelte, au long nez, à la bouche menue et au regard rêveur, qui personnifie l'espoir de la Russie. On l'acclame, on le couvre de signes de croix, on fond en larmes sur son passage. Si quelqu'un lui tend une supplique, elle est aussitôt subtilisée par un zélé secrétaire qui la transmet au bureau compétent. Il s'en amassera ainsi plus de seize mille. Ordre est donné de satisfaire aux plus pressantes. À peine le tsarévitch a-t-il entrevu quelques visages intéressants qu'il faut repartir. « Je n'attends pas de ce voyage une moisson d'informations pratiques sur l'état actuel de la Russie, écrit Joukovski à l'impératrice Alexandra Fedorovna le 6 mai 1837. Nous voyageons trop vite, nous avons trop de choses à voir, notre itinéraire est trop rigoureusement tracé. » Et de fait, dans une sorte de tourbillon fantasmagorique, Alexandre visite au pas de course Moscou, Novgorod, Iaroslavl', Kostroma, Poltava, Kiev... Les églises, les sanctuaires, les palais, les marchés en plein vent, les ateliers modèles se bousculent dans sa tête. De temps à autre, il assiste à une revue. Le soir, il danse à perdre haleine dans les bals provinciaux. Pour les jeunes filles de la noblesse locale, il est le « prince charmant ». Mais, s'il est aimable avec toutes, il ne s'intéresse à aucune. Les femmes ne l'attirent pas encore. Ses vrais plaisirs, ce sont les parades, les danses, les jeux de société. Il y est infatigable. Joukovski, épuisé, écrit le 22 juin 1837 à l'impératrice : « Je me réjouis de tout cœur du vol puissant de notre jeune aigle, et, le suivant des yeux dans les hauteurs, je lui crie d'en bas : courage, va plus loin encore dans ton ciel !... Ce ciel, dans lequel à présent il évolue, est magnifique, vaste et clair : c'est notre chère Russie. »

De ville en ville, de fête en fête, Alexandre franchit enfin l'Oural, pénètre en Sibérie occidentale et fait halte dans la petite bourgade de Kourgan. Là se trouvent regroupés, après leur sortie du bagne, quelques-uns des décembristes condamnés aux travaux forcés par Nicolas Ier. Assignés à résidence, il leur est interdit d'approcher l'héritier du trône. Mais, à la demande d'Alexandre, les autorités de police leur permettent de se montrer à un office religieux auquel il doit assister lui-même. Le souvenir des désordres du 14 décembre 1825 revit dans sa mémoire. Il songe, le cœur serré, à ces hommes qui ont payé de leur liberté la foi en un idéal, peut-être absurde, mais certaine-ment généreux. Depuis douze ans, arrachés à leurs maisons, à leurs familles, aux douceurs et aux lumières de la vie dans la capitale, ils croupissent, exilés sur une terre ingrate. Pendant la litanie liturgique : « Pour les souffrants et les prisonniers », Alexandre se tourne vers eux, fait le signe de la croix et s'incline, les larmes aux yeux. Le soir même, il écrit à son père pour solliciter sa clémence envers ces malheureux égarés.

La réponse du tsar lui parvient en cours de route, à quelques verstes de Simbirsk. Touché par la sollicitude de son fils, Nicolas autorise le transfert de certains condamnés, comme simples soldats, dans l'armée du Caucase. Autant dire qu'il les envoie vers un autre pays de punition, où ils auront à affronter les guerriers tcherkesses, les fièvres et les privations de toutes sortes. Néanmoins, Alexandre voit dans cette demi-mesure un témoignage de la mansuétude impériale. Ayant fait lire la lettre à Joukovski et à Kaveline, il descend avec eux de voiture et, au comble de l'exaltation, les embrasse en plein vent. Tous trois, levant les yeux au ciel, bénissent le nom de l'empereur. « C'est l'une des plus belles minutes de ma vie ! » s'exclame Joukovski. Parlant de l'intervention d'Alexandre auprès de son père, il écrit à l'impératrice le 24 juin 1837 : « Nul n'a incité le tsarévitch à ce mouvement de compassion. C'est de son propre chef qu'il a dit à l'empereur, avec toute sa liberté et sa confiance filiale, ce qu'il avait sur le cœur. Mon Dieu, de quel regard la Russie considérera-t-elle ce merveilleux fils de souverain ! Quel enthousiasme soulèvera chez tout le monde cette admirable entente dans la pitié entre un père, qui sut être en son temps redoutable et juste par sa sévérité, et un fils dont la jeune voix suppliante a aisément transformé la rigueur en bienveillance. »

Quelques jours après le retour d'Alexandre à Saint-Pétersbourg, dans la nuit du 17 au 18 décembre 1837, un incendie éclate au palais d'Hiver et un autre au port Galerny. Tandis que l'empereur dirige les opérations devant le palais, sur le front des flammes, Alexandre se rend au port. Mais son traîneau, emporté par la vitesse, se renverse. Sans hésiter, il arrête un gendarme, lui emprunte son cheval et continue sa route au galop. Sur place, il prend le commandement d'un bataillon du régiment de Finlande et, en quelques heures, maîtrise le sinistre. Après quoi, il revient vers son père et reçoit ses félicitations. Tout échauffé encore par l'action, il est convaincu maintenant que, malgré la douceur de son caractère, il est capable de bravoure dans les moments graves. Après avoir longtemps douté de son aptitude à gouverner la nation, il se dit qu'il saura peut-être, là aussi, triompher du feu.

Dans la nuit, la famille impériale abandonne les murs calcinés du palais d'Hiver et s'installe au palais Anitchkov. Elle y réveillonnera gaiement pour saluer la nouvelle année.

II

LES ANNÉES D'APPRENTISSAGE

Dans les premiers mois de 1838, la pâleur, la langueur, les quintes de toux d'Alexandre inquiètent son entourage. Les médecins lui conseillent une cure prolongée dans la ville d'eaux d'Ems. Excellente occasion pour le grand-duc de retourner en Allemagne où les maisons princières regorgent de jeunes filles à marier. Son père estime en effet qu'à vingt ans il doit songer à s'établir. En vérité, Alexandre ne connaît des femmes que le trouble dont il est saisi à leur vue. Au palais, où règne une étiquette austère, il n'a guère la possibilité de se livrer aux jeux frivoles de la séduction. Et la double influence de sa mère allemande, lectrice passionnée de Goethe, de Schiller, d'Uhland, et de son précepteur, le romantique et tendre Joukovski, le prédispose aux rêveries sentimentales. Faute d'avoir goûté à l'union des corps, il soupire après l'union des âmes. Prêt à s'enflammer au premier sourire, il s'éprend d'une demoiselle d'honneur de petite noblesse polonaise, Olga Kalinovski, et aussitôt songe au mariage. Tant d'inconséquence chez l'héritier du trône révolte son père et consterne sa mère. Elle note dans son Journal : « Que deviendra un jour la Russie entre les mains d'un homme qui ne sait pas se vaincre lui-même ? » Sommé de renoncer à cette prétention extravagante, Alexandre s'incline. Son épouse, il doit la chercher dans les cours allemandes, selon une tradition solidement établie. La chancellerie de Saint-Pétersbourg a dressé à son intention la liste des fiancées possibles. À lui de choisir dans le tas. D'ailleurs, même si aucune de ces demoiselles ne trouve grâce à ses yeux, son voyage ne sera pas inutile puisqu'il lui permettra de fortifier sa santé, de visiter de nombreux pays étrangers et de prendre contact avec quelques familles régnantes. L'itinéraire, très vaste, couvre toute l'Europe occidentale, à l'exclusion de la France et de la péninsule Ibérique. Il n'y a rien de bon à attendre de ces régions bouillonnantes d'idées subversives.

Les péripéties de cette longue expédition hors des frontières russes consolent vite Alexandre de son mariage manqué avec Olga Kalinovski. Après avoir visité rapidement la Suède et le Danemark, il se rend en Allemagne, s'installe à Ems et y suit ponctuellement la cure prescrite. Le marquis de Custine, mémorialiste précis et acerbe, le rencontre là et note aussitôt ses impressions : « Je me suis trouvé parmi la foule des curieux, à côté du grand-duc, au moment où il descendait de voiture... Il a vingt ans et c'est l'âge qu'on lui donnerait ; sa taille est élevée, mais il m'a paru un peu gros pour un aussi jeune homme ; ses traits seraient beaux sans la bouffissure de son visage qui en efface la physionomie ; sa figure ronde est plutôt allemande que russe ; elle fait penser à ce qu'a dû être l'empereur Alexandre au même âge, sans cependant rappeler en aucune façon le type kalmouk. Ce visage passera par bien des phases avant d'avoir pris son caractère définitif ; l'humeur habituelle qu'il dénote aujourd'hui est douce et bienveillante ; pourtant il y a entre le jeune sourire des yeux et la contraction constante de la bouche une discordance qui annonce peu de franchise, et peut-être quelque souffrance intérieure... L'expression du regard de ce jeune prince est la bonté ; sa démarche est gracieuse, légère et noble ; c'est vraiment un prince ; il a l'air modeste sans timidité, ce dont on lui sait gré... Sa présence fait, avant tout, l'impression d'un homme parfaitement bien élevé ; s'il règne jamais, c'est par l'attrait inhérent à la grâce qu'il se fera obéir, ce n'est pas par la terreur, à moins que les nécessités attachées à la charge d'empereur de Russie ne changent son naturel en changeant sa position [1]. » Et, plus loin : « J'ai revu le grand-duc héritier, je l'ai examiné plus longtemps et de fort près... À travers l'air de bonté que donnent toujours la beauté, la jeunesse et surtout le sang allemand, on ne peut s'empêcher de reconnaître ici une puissance de dissimulation qui fait peur dans un très jeune homme. Ce trait est sans doute le sceau du destin, il me fait croire que ce prince est appelé à monter sur le trône [2]. » Un autre mémorialiste, le comte de Reiset, écrit dans ses *Souvenirs* : « Le tsarévitch était studieux, très instruit, parlant parfaitement toutes les langues et discret à toute épreuve. Sa douceur, sa bienveillance extrême auraient pu faire croire qu'il manquait de fermeté ; mais ceux qui le voyaient plus intimement assuraient au contraire qu'il en avait beaucoup et que, s'il pliait facilement, c'était par respect pour son père, par obéissance et surtout pour ne pas lui faire ombrage [3]. »

Après s'être requinqué à Ems, Alexandre se rend à Weimar, puis à Berlin, où ses parents prussiens lui ouvrent les bras, à Munich, avec un arrêt sur le champ de bataille de Leipzig, et enfin, passant les Alpes, à Vérone. Là, les officiers autrichiens attachés à sa personne le traînent de monument en monument. Exténué, mais toujours affable, il visite les fortifications de la cité, les palais et les lieux où les troupes françaises et autrichiennes s'affrontèrent en 1796. À Milan, on organise en son honneur des parades militaires qui durent sept jours. Même en Russie, il n'a pas subi une telle indigestion d'uniformes, de baïonnettes, de canons, de chevaux, de drapeaux, de fanfares.

Après un passage à Venise et à Florence, il découvre enfin Rome dont il a tant rêvé. Tableaux, statues, ruines antiques, il

1. Marquis de Custine : *Lettres de Russie*. (Ems, 5 juin 1839.)
2. *Ibid*. (Ems, 6 juin 1839.)
3. Comte de Reiset : *Mes souvenirs*.

veut tout voir et son enthousiasme résiste à la fatigue. Le pape Grégoire XVI le reçoit en audience privée. Il rencontre aussi quelques jeunes peintres russes qui poursuivent leurs études dans la Ville éternelle. Mais, au milieu de ce tohu-bohu étincelant, il ne cesse de penser à la Russie. « Je suis ainsi fait, écrit-il à son aide de camp Nazimov, que je puis vivre tout entier dans les souvenirs et cela me console de mon éloignement. Quoique l'Italie soit très belle, il fait meilleur chez soi ! »

Il poursuit sa route et, traversant l'Italie du Nord, se rend, par longues étapes, à Vienne. Là, il tombe sous le charme du chancelier Metternich et de son épouse. Tous les soirs, il fréquente la chancellerie et, dans un cercle choisi de jeunes femmes et de gentilshommes, se livre à la passion des jeux de société. « Ce qui l'a surtout amusé, c'est la main chaude, écrit la princesse Mélanie de Metternich. Il a distribué ses coups à droite et à gauche avec beaucoup de dextérité. » Et, le surlendemain : « Le grand-duc est venu et l'on s'est de nouveau amusé à des jeux de société. Nous avons joué au ballon, puis à la corde, ensuite à la guerre ; en un mot, nous avons pris nos ébats comme des enfants. » En conclusion, la maîtresse de maison estime qu'Alexandre est « bon et sympathique ». Bref, selon Joukovski : « Il est aimé de tous et tous rendent hommage à son cœur pur, à son esprit raisonnable et à la dignité dont il fait preuve de la façon la plus spontanée et la plus délicate[1]. »

En revanche, côté cœur, le précepteur du grand-duc est toujours aussi perplexe. Alexandre s'adonne à des divertissements puérils mais ne paraît attiré par aucune des jeunes filles qu'on lui présente. Va-t-il rentrer bredouille en Russie ? Le voici à la cour de Bade, à la cour de Wurtemberg, à la cour de Darmstadt. Toujours en représentation. Las de ces réceptions, il est sur le point de refuser une invitation du grand-duc Louis II de Hesse-Darmstadt à se rendre au théâtre, mais finalement, à contrecœur, revêt l'uniforme de parade des

---

1. Lettre à l'impératrice Alexandra, du 12 mars 1839.

cosaques de la Garde et décide d'assister à la soirée protocolaire qu'on lui propose. Or, dans le fond de la loge grand-ducale, il remarque le visage d'une toute jeune fille, placée au dernier rang et qui le dévore des yeux. Pâle, fine, romantique, elle a l'air d'un agneau prêt pour le sacrifice. C'est la petite princesse Marie. Âgée de quinze ans à peine, elle est traitée à la cour comme une pauvresse et ne figure évidemment pas sur la liste exhaustive des fiancées allemandes. Fasciné par cette enfant timide, Alexandre demande à lui être présenté. Elle plonge devant lui en une révérence de cour, et il se sent soudain enflammé pour cette inconnue toute d'innocence et de grâce. Rentré chez lui, il déclare au comte Orlov, chef de sa suite : « Nous n'avons pas à aller plus loin. J'ai fait mon choix. Mon voyage est achevé. C'est la princesse Marie de Hesse que j'épouserai, si elle veut bien me faire l'honneur de m'accorder sa main [1]. »

Malgré cette décision, que Joukovski tient pour un coup de tête sans lendemain, Alexandre accepte de continuer sa randonnée européenne. Plantant sur place la douce Marie de Hesse, à qui il n'a même pas avoué ses sentiments, il part pour la Hollande où il est reçu avec tendresse par sa tante, la reine Anne Pavlovna, puis pour Londres où la reine Victoria, entourée de la plus stricte société britannique, lui réserve un accueil extraordinaire : dîner à Buckingham Palace, spectacle d'opéra, séjour enchanteur au château de Windsor, banquet donné en l'honneur du grand-duc à la London Tavern, revue militaire à Saint James Park, visite à la Tour de Londres, aux docks, aux champs de courses d'Epsom et d'Ascot, remise d'un diplôme de docteur en droit de l'université d'Oxford.

En dépit de toutes les séductions britanniques, Alexandre ne cesse de rêver à la Cendrillon qu'il a laissée sur le continent. Il écrit à ses parents pour solliciter leur accord. Averti des intentions de son fils, Nicolas s'étonne. Cette Marie de Hesse

1. Comte de Reiset, *op. cit.*

est mineure. Quelles que soient ses qualités morales et physi-
ques, elle n'a pas été retenue comme candidate par la chancellerie. En outre, selon certaines rumeurs, sa naissance est illégitime. De notoriété publique, elle n'est pas la fille du grand-duc
Louis II, mais celle du baron Grancy, grand maréchal, avec qui
sa mère, la grande-duchesse Wilhelmine, entretenait une liaison. Cette circonstance contrarie l'empereur. Son entourage
s'attend qu'il mette le veto à une inclination de cœur aussi
manifestement déplacée. Or, c'est mal le connaître. Dans les cas
exceptionnels, son orgueil lui tient lieu de raison d'État. Ces
fiançailles, jugées inopportunes par les diplomates, lui offrent
l'occasion d'affirmer bien haut l'indépendance de son esprit et
l'imprévu de ses choix. Considérant que le pouvoir d'un
monarque se mesure à l'ampleur du défi qu'il ose lancer au
monde, il estime qu'il se grandira en permettant à son fils
d'épouser une enfant à l'ascendance entachée de quelque
irrégularité. Après tout, d'autres souverains russes, dont Pierre
le Grand lui-même, ont eu des femmes d'extraction suspecte.
C'est l'alliance et non la naissance qui désigne une tsarine à la
vénération des foules. « Que quelqu'un ose dire en Europe que
l'héritier du trône de Russie est fiancé à une fille naturelle ! »
déclare Nicolas avec superbe. Et, balayant les insinuations
malveillantes, il conclut : « Puisque le grand-duc de Darmstadt
n'en a pas tenu compte, je ne trouve sur ce rapport rien à
objecter. »
    Cependant, le projet de mariage est de plus en plus critiqué
dans les salons. Pour les milieux aristocratiques russes, il s'agit
d'une mésalliance. Certains vont même jusqu'à considérer qu'il
y a là « une humiliation pour le pays ». Sourd à ces murmures,
Nicolas donne à son fils l'autorisation de retourner à Darmstadt
pour s'assurer des sentiments de la petite princesse. Ainsi
exaucé, Alexandre, éperdu de bonheur, quitte l'Angleterre et,
brûlant les étapes, se hâte de rejoindre l'élue. Marie n'ose croire
à sa chance. Sans transition, la voici troquant ses poupées
contre un fiancé en chair et en os. Lui s'émerveille de la sentir à

la fois enfant et femme, effrayée et confiante, coquette et naïve. Mais elle est encore trop jeune pour se marier. Des deux côtés, les parents exigent un délai d'épreuve. Ayant passé une semaine auprès de la jeune fille, Alexandre rentre à Saint-Pétersbourg. Il retournera à Darmstadt dès le mois de mars 1840 et la célébration des fiançailles aura lieu le 4 avril.

Le 8 septembre 1840, Marie fait son entrée officielle à Saint-Pétersbourg dans un carrosse doré, avec à son côté l'impératrice Alexandra. L'empereur chevauche près de l'équipage. Alexandre, radieux, commande l'escorte d'honneur. Peu après, la princesse Marie, convertie à l'orthodoxie, devient la grande-duchesse Marie Alexandrovna. Et, le 16 avril 1841, son mariage est bénit dans l'église du palais d'Hiver, en présence d'une assemblée de courtisans, d'ambassadeurs et de princes étrangers. Sur la place du palais, la foule se presse et crie son enthousiasme. À l'issue de la cérémonie religieuse, l'empereur et le grand-duc héritier, tous deux en uniforme de cosaques de la Garde, se montrent au balcon. Les hurlements de joie redoublent lorsque paraît, à son tour, la nouvelle grande-duchesse Marie. Face à cette mer de visages anonymes, Alexandre se sent envahi par un sentiment étrange où l'amour du peuple s'allie à l'ivresse du pouvoir absolu.

De l'avis unanime, le mariage d'Alexandre est une réussite. La grande-duchesse Marie est belle, modeste et aimante. Elle s'adonne aux œuvres charitables et le clergé loue la piété de cette fraîche recrue orthodoxe. Certes, les courtisans la trouvent un peu raide dans son maintien, mais cette réserve, cette distance mélancolique ajoutent à son mystère. En tout cas, son jeune époux est enchanté de l'avoir choisie de préférence à toutes les autres princesses allemandes. Pour lui, le coup de foudre se prolonge par une chaleureuse et tranquille embellie. Dès la première année, Marie est enceinte. Elle connaîtra ainsi huit grossesses successives. Son premier enfant, Alexandra, mourra à l'âge de sept ans. Mais les autres, six garçons et une fille, consoleront le couple de cette perte prématurée[1].

Pour constituer une cour à l'héritier du trône, Nicolas a désigné des demoiselles d'honneur et des aides de camp aux noms prestigieux. Par-dessus tout, l'empereur tient à préparer son fils aux rigueurs du métier d'autocrate. Il le nomme membre du Conseil d'Empire, du Comité des Finances, du Comité des Ministres, du Comité du Caucase. Il l'invite à suivre les réunions d'un comité secret chargé d'étudier le sort des paysans serfs. Devant le tsarévitch, à la table des conférences, des dignitaires chenus discutent à tort et à travers mais se gardent bien d'émettre un vœu qui pourrait déplaire au monarque. Alexandre se laisse bercer par le ronron des phrases creuses. Il ne lui viendrait pas à l'idée de s'élever contre le programme politique ou administratif de son père. Fils docile, sujet respectueux, il approuve tout ce qui émane du trône. Ainsi, malgré son cœur tendre, ne juge-t-il pas nécessaire de réformer le servage et déplore-t-il les « règles d'inventaire » introduites en Pologne contre la volonté des propriétaires fonciers.

Ombre fidèle de l'empereur, pendant une absence de Nicolas il exerce dans la capitale une sorte de régence. Il lui arrive aussi d'accompagner son père dans ses déplacements à travers la Russie. En 1849, il est envoyé à Vienne en mission officielle pour congratuler l'empereur François-Joseph sur la fin de la révolte hongroise. L'année suivante, promu commandant du corps de la Garde et directeur des écoles militaires, il part pour le Caucase où les tribus tchétchènes résistent à la poussée russe. Son voyage est marqué par des réceptions somptueuses, avec banquets, discours, illuminations, parades, salves d'artillerie et

---

1. Enfants issus du mariage d'Alexandre et de Marie : Alexandra (1842-1849); Nicolas, tsarévitch (1843-1865); Alexandre, futur tsar Alexandre III (1845-1894); Vladimir (1847-1909); Alexis (1850-1908); Marie (1853-1920); Serge (1857-1905); Paul (1860-1919).

danses indigènes. Mais il a hâte de recevoir le baptême du feu.
Au Daghestan, il assiste à une escarmouche avec les Tchétchènes et, ravi de l'occasion, galope jusqu'à l'endroit le plus
exposé. Affolé, le vieux prince Vorontzov, qui, malade, suit le
grand-duc en voiture, se fait amener un cheval et s'élance pour
rejoindre l'imprudent. Pourvu qu'une balle perdue ne frappe
pas l'héritier du trône ! Heureusement, les Tchétchènes battent
en retraite. Alexandre, sain et sauf, rayonne. Soulagé, le prince
Vorontzov le félicite de son courage et demande par lettre à
l'empereur de décorer le tsarévitch de la croix de Saint-Georges.
« Je supplie Votre Majesté impériale de ne pas refuser cette
faveur, écrit-il à Nicolas. La croix de Saint-Georges de 4e classe
ne sera pas seulement une juste récompense pour l'héritier du
trône, mais pour tout le corps des Cosaques. » Satisfait des
vaillantes dispositions de son fils devant l'ennemi, Nicolas
accède volontiers à la requête.

À plus de trente ans, Alexandre, devant son père, se sent
l'âme d'un petit garçon. Il l'admire et le craint ainsi qu'au
temps de sa première enfance. Il recherche son approbation en
toutes choses, comme si, en affirmant sa propre personnalité, il
eût commis un sacrilège. C'est un cas étrange de persistance des
inhibitions puériles dans l'âge mûr. Cependant, il n'y a aucune
ouverture de cœur entre les deux hommes. Tout en aimant
sincèrement son fils, Nicolas ne l'incite pas aux confidences, et
Alexandre n'a nulle envie de s'épancher en face de cet
interlocuteur distant et empesé.

Avec les années, Nicolas est devenu de plus en plus
ombrageux, emmuré et autoritaire. Toute velléité d'indépendance de la part du peuple lui paraît une atteinte à la dignité
sacrée de la monarchie. Après avoir écrasé dans le sang
l'insurrection de la Pologne, en 1831, il déporte au Caucase et
en Sibérie des milliers de familles polonaises et s'acharne à
combattre la religion catholique sur le territoire. Sa règle de
conduite se résume en deux mots : autocratie et orthodoxie. La
révolution de 1848, en France, lui fait monter le sang à la tête et

Alexandre partage son indignation. Un manifeste impérial, lu dans les églises, annonce que « la fureur de la subversion » se brisera à la frontière russe, car « Dieu est avec nous ». La police traque quelques pâles opposants au régime. Des intellectuels exaltés, réunis autour d'un certain Petrachevski pour lire et discuter ensemble les écrits de Fourier, Proudhon, Louis Blanc, sont dénoncés, arrêtés, traduits devant un tribunal militaire. Après une instruction qui dure plus de six mois, vingt et un « conspirateurs » sont condamnés à mort. Graciés au moment de tomber sous les balles du peloton d'exécution, ils sont envoyés aux travaux forcés en Sibérie. Parmi eux, figure un jeune écrivain nommé Dostoïevski. On saisit aux frontières les ballots de livres étrangers qui apportent la peste libérale en Russie. Un Comité supérieur de la censure contrôle les opérations des comités déjà existants. Les journaux ne distillent que de doucereuses nouvelles officielles. Le ministère de l'Instruction publique est confié à un militaire et ce sont les académies ecclésiastiques qui se voient chargées d'enseigner la philosophie. Dédaignées par la jeunesse, les universités ne comptent plus, en 1853, que deux mille neuf cents étudiants pour un empire de soixante-dix millions d'âmes. Cependant, la vénération d'Alexandre pour son père est telle qu'il approuve, une fois de plus, toutes les mesures prises en haut lieu pour protéger la Russie contre la contagion révolutionnaire. Son aide de camp, Nazimov, ayant été nommé curateur des établissements d'enseignement du district de Moscou, il lui écrit : « Le poste que vous allez occuper est des plus importants, surtout à notre époque où la jeunesse s'imagine qu'elle est plus intelligente que le reste du monde et que tout doit être fait selon sa volonté. Nous en avons, par malheur, de nombreux exemples à l'étranger... La stricte surveillance des professeurs est également nécessaire... Faites un signe de croix et mettez-vous courageusement à l'ouvrage [1]. »

_____

1. Lettre à Nazimov, du 19 octobre 1849.

Souverain militaire avant tout, Nicolas entend faire régner l'ordre à l'extérieur comme à l'intérieur. Chaque fois qu'il le peut, il intervient à l'étranger pour aider à l'étouffement des mouvements libéraux. Sous son impulsion, le drapeau russe devient, en Europe, le symbole de la réaction à outrance. Même l'élection, en 1852, de Louis Napoléon Bonaparte comme empereur des Français ne suffit pas à calmer son inquiétude. Il reconnaît la légitimité du nouveau monarque mais refuse de lui appliquer la formule habituelle : « Monsieur mon frère », qu'il avait d'ailleurs refusée à Louis-Philippe. Non content de mettre au pas la Pologne qui menace de se soulever à nouveau, il envoie en Hongrie une armée nombreuse qui aide l'empereur Fran-çois-Joseph à rétablir son autorité sur le pays. Il occupe les principautés danubiennes et conclut avec la Porte un traité qui lui donne sur elles une sorte de protectorat. Il empêche le roi de Prusse d'accepter la couronne impériale d'Allemagne qui lui est offerte par le parlement de Francfort. Enfin, enhardi par tant de succès, il se tourne contre la Turquie, objet traditionnel des convoitises russes.

Le prétexte du conflit est le malentendu survenu entre les cabinets de Saint-Pétersbourg et de Constantinople au sujet des privilèges orthodoxes dans les Lieux saints. Soutenus par la France et l'Angleterre, les Turcs refusent toute concession. Aussitôt, les armées du tsar envahissent les principautés danubiennes et assiègent Silistrie. La flotte turque est détruite à Sinope. Mais là s'arrêtent les succès de Nicolas. Sollicitées par lui de proclamer leur neutralité, l'Autriche et la Prusse se dérobent. D'autre part, la France et l'Angleterre font entrer leurs escadres dans la mer Noire pour protéger Constantinople et envoient en Orient des forces considérables. Avec stupeur, Nicolas comprend qu'il n'a plus ni amis ni alliés. La moitié de l'Europe se dresse contre lui. Silistrie résiste. Les Russes doivent évacuer les principautés que les Autrichiens occupent immédiatement pour s'opposer au retour de l'envahisseur. Bientôt, Français et Anglais débarquent en Crimée, à Eupatoria. Battus sur l'Alma, les Russes se défendent farouchement dans Sébastopol assiégé.

Alexandre éprouve profondément l'humiliation de cette guerre que bon nombre d'esprits avisés autour de lui croient perdue d'avance. L'armement est insuffisant ; les forteresses côtières sont mal approvisionnées ; le délabrement des routes, le manque de voies ferrées empêchent l'acheminement rapide des renforts. Partout, du côté russe, l'héroïsme tient lieu de préparation, l'improvisation de tactique. Derrière le clinquant des uniformes, s'affirme la détresse des individus. Les efforts des Russes pour obliger les alliés à lever le siège de Sébastopol échouent dans les journées sanglantes de Balaklava et d'Inkerman. Pressentant la faillite de ses espoirs d'hégémonie slave, Nicolas écrit à Michel Gortchakov, qui commande à présent l'armée du Sud : « Que la volonté de Dieu soit faite. Je porterai ma croix jusqu'à l'épuisement de mes forces. »

Au début de l'année 1855, il tombe malade. N'a-t-il pas volontairement recherché la mort en se rendant, par un temps glacial, au mariage de la fille d'un de ses familiers ? Vêtu de l'uniforme rouge des gardes à cheval, avec culotte de daim et bas de soie, il lutte pendant des heures contre le froid qui le transit. Le lendemain, au lieu de s'aliter, il sort, couvert d'une simple capote, pour assister à la revue d'un détachement d'infanterie de la Garde. À son retour au palais, il est terrassé par la grippe. Très vite, son état devient désespéré. Certains chuchotent qu'il ne s'agit pas d'une congestion pulmonaire mais d'un suicide. Incapable de supporter l'affront des défaites russes en Crimée, le tsar se serait empoisonné en buvant de la ciguë. Les médecins de la cour démentent ces rumeurs.

Après s'être confessé, Nicolas prie Alexandre de prendre congé pour lui de la Garde et surtout des valeureux défenseurs de Sébastopol : « Dis-leur que, dans l'autre monde, je continuerai de prier pour eux. Je me suis toujours efforcé de travailler pour leur bien. Si cela ne m'a pas réussi, ce n'est pas par manque de bonne volonté, mais par manque de connaissance et de savoir-faire. Je les prie de me pardonner. » Plus tard, comme on lui apporte des dépêches du front, il murmure, à bout de forces : « Ces choses ne me concernent plus. Qu'on remette les dépêches à mon fils. »

Le lendemain matin, l'aumônier du palais lit la prière des agonisants. Nicolas l'écoute, suffoquant de douleur, mais lucide. L'impératrice, en larmes, veille à son chevet. Alexandre est là, lui aussi, frappé de consternation. Le mourant n'a même plus la force de prononcer un mot. Soudain, il se raidit et ses lèvres remuent. Tourné vers son fils, il dit rageusement : « Tiens tout ! Tiens tout ! » En même temps, sa main se crispe comme pour serrer dans une suprême étreinte les morceaux disparates de son empire. Le 18 février 1855[1], à midi vingt, il rend le dernier soupir, et Alexandre, pénétré d'une terreur religieuse, comprend que son tour est venu de monter en première ligne.

1. Le 2 mars 1855 selon le calendrier grégorien.

III

LA FIN DE LA GUERRE
ET LE COURONNEMENT

La mort subite de Nicolas Ier plonge la Russie dans le désarroi. Il était l'âme de la guerre. Que va-t-il se passer maintenant ? Alexandre poursuivra-t-il une lutte sans espoir ou, renseigné par ses généraux, baissera-t-il les bras devant la puissance alliée ? Ce que l'on sait du nouvel empereur, sa douceur, sa pondération, sa timidité, donne à penser qu'il inclinera vers une solution raisonnable. Dans toutes les capitales d'Europe prévaut l'idée que la paix est faite. À Paris, la Bourse s'emballe et la rente à 3 % cote trois francs de plus qu'à la précédente fermeture. À Londres, dans les théâtres, la salle éclate en applaudissements à la lecture, devant le rideau baissé, de la dépêche annonçant le décès de « l'ennemi du genre humain ». Les spectateurs anglais, debout, réclament l'hymne national qui est exécuté par l'orchestre et repris en chœur par les artistes et le public. Les journaux britanniques considèrent cette disparition providentielle comme un châtiment céleste infligé au fauteur de guerre et un avertissement à son successeur.

Celui-ci, cependant, ne semble pas décidé à changer de politique. Fils respectueux, son premier mouvement, après la mort de ce père qui l'a si longtemps tenu sous sa coupe, n'est pas de s'affirmer en le contredisant, mais de lui obéir encore par-delà le tombeau. Dès le 19 février 1855, jour de son avènement, il reçoit le serment de ses troupes et déclare, dans un manifeste au peuple, que son règne se placera sous les auspices des plus hautes figures de l'histoire nationale. « Fasse la Providence, dit-il dans cette proclamation, que, guidé et protégé par elle, nous puissions affermir la Russie dans le degré suprême de puissance et de gloire, qu'à travers nous s'accomplissent les vœux et les désirs de nos illustres prédécesseurs, Pierre, Catherine, Alexandre le Bien-Aimé et notre auguste père, d'impérissable mémoire. »

Le lendemain, 20 février, devant le corps diplomatique venu lui présenter ses condoléances, il affirme, avec plus de netteté encore : « Je persévère dans la ligne des principes qui ont servi de règle à mon oncle et à mon père. Ces principes sont ceux de la Sainte-Alliance et, si cette Sainte-Alliance n'existe plus, ce n'est certes pas la faute de mon père ; ses intentions sont toujours restées droites et légales et si, en dernier lieu, elles ont été méconnues par quelques-uns, je n'ai pas de doute que Dieu et l'histoire ne lui rendent justice. La parole de mon père m'est sacrée. Comme lui, je suis prêt à tendre la main à une entente sur les conditions qu'il avait acceptées. Mais, si les pourparlers qui doivent s'ouvrir à Vienne n'aboutissent pas à un résultat acceptable pour nous, alors, messieurs, à la tête de ma fidèle Russie et de tout mon peuple, j'entrerai hardiment dans la lutte. »

Malgré ces paroles virulentes, les diplomates veulent croire qu'un arrangement est encore possible. Et, en effet, le comte von Nesselrode, chancelier d'Empire, écrit à M. de Seebach, ministre de Saxe : « La paix se fera quand l'empereur Napoléon III le voudra. À mes yeux, la situation se résume à cette vérité. » C'est méconnaître l'importance, pour Alexandre, de l'acquis ancestral. Il lui semble qu'il n'a pas le droit, lui, le successeur et le neveu d'un autre Alexandre qui incarna le patriotisme russe, de se retirer du combat, après une défaite, devant le successeur et le neveu d'un autre Napoléon. Niant l'évidence, il exige que Sébastopol résiste, malgré les coupes énormes qui creusent les rangs des défenseurs. Par crainte que le prince Michel Gortchakov, à la tête de l'armée de Crimée, ne se laisse gagner par la lassitude générale, il l'invite à se montrer « prudent et patient » jusqu'à l'arrivée de quarante bataillons de renfort.

À peine quelques troupes fraîches ont-elles rejoint la garnison assiégée que les Russes passent à l'attaque. Cet élan se solde par un échec sanglant sur la rivière Tchernaïa. Les pertes russes s'élèvent à huit mille hommes tués ou blessés. Profondément affecté par ces revers, Alexandre écrit à Michel Gortchakov : « Bien que cela soit très triste, je ne me laisse pas abattre, je conserve l'espoir qu'Il ne nous abandonnera pas et qu'à la fin nous aurons le dessus... Je vous répète que, si Sébastopol doit tomber, je considérerai cet événement comme le début d'une nouvelle et véritable campagne[1]. » Le 24 août, les alliés reprennent le bombardement de la ville fortifiée. Michel Gortchakov mande à l'empereur : « On ne peut plus tenir Sébastopol... Nos pertes quotidiennes s'élèvent à deux mille cinq cents hommes. »

La ville n'est plus qu'un amas de ruines. Les combattants encore valides sont à bout de forces et les vivres commencent à manquer. Malgré la violence de l'affrontement, une sympathie mutuelle anime Français et Russes. Pendant les suspensions d'armes, les officiers et les soldats des deux camps fraternisent sur le terrain. Puis, chacun retourne à l'action avec une détermination farouche, prêt à tuer celui qu'une heure plus tôt il traitait en camarade. C'est une boucherie à la fois chevaleresque et absurde.

Enfin, le 27 août 1855[2], après une rude préparation d'artille-

1. Lettre du 11 août 1855.
2. Autrement dit le 8 septembre 1855 selon le calendrier grégorien.

rie, les Français prennent d'assaut la redoute de Malakov. Les
Russes abandonnent Sébastopol en flammes et se replient sur la
rive septentrionale de la baie. La nouvelle de la capitulation
ébranle durement l'opinion publique, en Russie, qui déplore
tout à la fois les morts inutiles et l'affront impuni. Devant le
malheur national, Alexandre se veut aussi grand que le fut son
oncle, « le libérateur de la terre russe ». Plus que jamais, il se
sent la vocation de porte-drapeau. Le 2 septembre 1855, il écrit
à Michel Gortchakov : « Ne perdez pas courage, souvenez-vous
de 1812 et ayez confiance en Dieu. Sébastopol n'est pas
Moscou ; la Crimée n'est pas la Russie. Deux ans après
l'incendie de Moscou, nos troupes victorieuses faisaient leur
entrée à Paris. » Les héroïques défenseurs de Sébastopol
reçoivent de sa part des félicitations émues et l'assurance que
cette terre de Chersonèse, « où Vladimir a reçu le baptême », ne
sera pas abandonnée à l'ennemi. Se rendant à Moscou, il y est
accueilli par une foule enthousiaste. Chacun, ici, devine que le
tsar souffre avec le peuple et pour le peuple. Des cris s'élèvent
au passage du cortège impérial : « Notre bien-aimé ! Comme il
est pensif ! Console-le, mon Dieu ! Aide-le, réjouis-le ! Aie pitié
de nous [1] ! »

Dans l'ancienne capitale de son empire, Alexandre réunit un
conseil militaire pour élaborer les conditions de la poursuite de
la guerre : il est décidé que la totalité de l'armée du Sud, forte
de cent mille hommes, sera concentrée à Simféropol, capitale de
la Crimée, pour s'opposer à tout nouveau débarquement des
alliés. Ayant approuvé ce plan, l'empereur entreprend une
tournée d'inspection dans les provinces méridionales et descend
jusqu'en Crimée où il passe en revue les troupes qui ont
participé à la défense de Sébastopol. Des acclamations déli-
rantes saluent son apparition. Satisfait, il adresse à Michel
Gortchakov un rescrit le félicitant de la bonne tenue de ses

---

1. Souvenirs de Pogodine, publiés le 10 septembre 1855 dans *Les Nouvelles
moscovites*.

soldats : « J'ai constaté que vos hommes ont conservé un air martial et joyeux en dépit de leurs épreuves inouïes lors de la défense de Sébastopol et que la discipline dont dépend l'organisation de l'armée ne s'est modifiée en rien. » À son fils Vladimir, alors âgé de huit ans, il écrit, d'autre part : « Aujourd'hui, j'ai distribué ici, aux blessés, les croix de Saint-Georges. C'était gai de voir la joie de ces braves qui ont à peine commencé à se rétablir et qui demandent déjà à être renvoyés à leur service. Tous les jours, ils viennent me faire leurs adieux. Parmi eux, il y a beaucoup de soldats de ton régiment. » Certes, cette lettre optimiste est destinée à un enfant, mais il est incontestable que la vénération qui entoure Alexandre lui donne le sentiment fallacieux que cette guerre est malgré tout populaire et que les combattants de 1855 sont animés du même désir de revanche que ceux de 1812. D'un tempérament tendre, il souffre de voir les effets du carnage, mais ne veut pas céder. C'est son père qui, à travers lui, refuse tout abandon. Quand la compassion le saisit au spectacle des blessés dans les hôpitaux, il se raidit, comme habité par la volonté d'un autre. S'il se regardait dans une glace, à ce moment-là, il ne serait pas étonné d'y découvrir le visage marmoréen du tsar disparu.

Heureusement pour la Russie, la venue de l'hiver décourage les alliés de pousser les opérations en Crimée. Après l'affrontement, c'est la réflexion qui prévaut de part et d'autre. En France, le duc de Morny, demi-frère de Napoléon III, prend la tête du parti de la réconciliation et entre en correspondance secrète avec le prince Alexandre Gortchakov, ambassadeur de Russie à Vienne et cousin éloigné de Michel Gortchakov, le défenseur de Sébastopol. Très vite, tous deux tombent d'accord sur la nécessité d'oublier les piqûres d'amour-propre pour ne songer qu'aux bienfaits de la paix. Un rapprochement entre la France et la Russie est, pensent-ils, logique et urgent. La guerre qui les a mises aux prises n'a fait que renforcer le sentiment d'une estime réciproque, fondée sur le souvenir « d'une attaque formidable et d'une héroïque défense ». Une négociation parallèle s'engage entre le cabinet de Saint-Pétersbourg et les représentants de la Saxe, de la Bavière et du Wurtemberg. Tandis que ces tractations se poursuivent dans l'ombre, Alexandre feint de croire encore à la possibilité d'un redressement militaire. Comme pour le raffermir dans ses intentions belliqueuses, il apprend que, sur le front du Caucase, le général Nicolas Mouraviev a enlevé la forteresse de Kars. Toute la garnison turque a été capturée. Parmi les prisonniers, le général anglais Williams et son état-major. La voie est ouverte aux armées russes vers le Bosphore. Alexandre reçoit cette nouvelle comme un baume sur une plaie à vif. Mais sa satisfaction est de courte durée. Le 27 décembre 1855, le cabinet de Vienne présente à Saint-Pétersbourg un ultimatum exigeant la neutralisation de la mer Noire, où ne pourraient être entretenus ni forces navales ni arsenaux maritimes, la cession de la Moldavie et de la Bessarabie, le droit pour les puissances belligérantes d'imposer à la Russie des « conditions particulières » non précisées. En cas de refus ou de non-réponse dans les trois semaines, la dépêche menace la Russie de « graves conséquences », autrement dit de l'ouverture d'un troisième théâtre d'opérations à la frontière russo-autrichienne. Une contre-proposition russe donnant satisfaction à la demande de neutralisation de la mer Noire, mais rejetant toute concession territoriale et toute « condition particulière », est immédiatement repoussée par Vienne.

En Russie, les milieux proches du tsar sont inquiets. La majorité du peuple souhaite la paix. Cependant, quelques partisans de la guerre à outrance répètent à Alexandre qu'il doit tenir bon. Anne Tioutchev, demoiselle d'honneur de l'impératrice Marie, note dans son Journal : « Ici, tout le monde veut la paix, parce que nous sommes des poltrons. Quant à moi, j'ai une telle foi en Dieu, en nos saints, en l'empereur et en l'impératrice, que mon cœur est tranquille et que je suis convaincue que la Russie sortira de cette guerre non seulement avec honneur, mais avec gloire. » Et, un soir, elle ose demander à l'empereur : « Si l'Autriche prend les armes contre nous, est-il possible, Majesté, que vous n'appeliez pas à vous tous les peuples slaves ? » « C'est une solution, répond-il. Mais, pour conduire cette vaste politique qui pourrait sauver la Russie, il me faudrait d'autres hommes, des hommes de cœur et d'intelligence. »

Acculé à une décision rapide par l'intransigeance de Vienne, Alexandre convoque au palais d'Hiver tous les dignitaires présents dans la capitale. Le chancelier Nesselrode prend la parole. « La France, dit-il, se montrait sympathique envers nous... Un refus de votre part mettrait l'empereur Napoléon, pour toujours peut-être, dans les bras de l'Angleterre. Notre acceptation, en dégageant son amour-propre, le rendrait l'arbitre de la paix, ce qui permettrait à la Russie comme à la France, éclairées toutes deux par l'expérience de cette crise, d'imprimer à leur politique une direction nouvelle... [1]. » À l'issue de cet exposé, chacun des membres du conseil donne son avis. Tous, avec plus ou moins de conviction, se prononcent pour l'acceptation de l'ultimatum. Même le comte Bloudov, ardent défenseur de l'orgueil national, après avoir comparé la Russie à un honnête homme attaqué dans un bois par des bandits, finit par s'écrier : « Je dirai comme Choiseul : puisque nous ne savons pas faire la guerre, faisons la paix ! »

Alexandre écoute avec satisfaction les propos de son entourage. Quelques jours auparavant, au cours d'une réunion de famille chez l'impératrice mère, il a soutenu face à son frère, le grand-duc Constantin, écumant de rage, que la Russie devait céder devant la force. Pour justifier son opinion, il a invoqué l'attitude de la Prusse qui menaçait de s'unir à l'Occident, les difficultés à lever de nouvelles recrues dans le pays et l'épuisement des ressources financières. Ses conseillers d'aujourd'hui invoquent les mêmes arguments pour arriver à une conclusion identique. Le pays est donc derrière lui. Il est temps d'agir. Sur

1. Cf. François Charles-Roux : *Alexandre II, Gortchakov et Napoléon III.*

l'ordre de l'empereur, Nesselrode notifie immédiatement à Vienne l'acceptation pure et simple de la Russie.

Cette nouvelle, dès qu'elle est connue à Saint-Pétersbourg, divise l'opinion. Quel soulagement pour les uns ! Quelle gifle pour les autres ! À la date du 8 janvier 1856, Anne Tioutchev note dans son Journal : « Je suis on ne peut plus malheureuse. Hier déjà, on chuchotait en ville que nous acceptions la paix aux conditions humiliantes posées par l'Autriche… Je ne voulais pas le croire, bien qu'on en parlât au concert, chez l'impératrice. Et ce matin, un article officiel du *Journal de Saint-Pétersbourg* confirme notre déshonneur. Je ne puis répéter ce que j'ai entendu tout au long du jour. Les hommes pleuraient de honte. » Et elle rapporte qu'à la représentation de la pièce d'Ozerov, *Dimitri Donskoï*[1], lorsqu'un acteur a prononcé la phrase fameuse : « Mieux vaut mourir dans le combat plutôt que d'accepter une paix déshonorante », la salle a explosé en cris et en applaudissements. Tout émue par ces échos de la cité, Anne Tioutchev prend sur elle d'en faire part à l'impératrice Marie. « Peut-on, lui dit-elle, souscrire ainsi à l'abaissement d'une nation sans lui avoir demandé au préalable si elle n'est pas prête à supporter les derniers sacrifices pour sauver son honneur ? » L'impératrice sourit mélancoliquement. Elle a souvent discuté de cette question avec son mari. Pleine de modération, elle répond à sa fougueuse demoiselle d'honneur : « Notre malheur consiste en ceci que nous devons nous taire. Nous ne pouvons dire au pays que cette guerre a été commencée de façon inepte par l'occupation indélicate des principautés danubiennes, qu'elle a été menée en dépit du bon sens, que la nation n'était pas préparée à cet affrontement, que nous n'avions ni armes, ni obus, que toutes les branches de l'administration étaient mal organisées, que nos finances étaient à bout, que notre politique était, depuis longtemps, engagée sur

---

1. Dimitri IV, dit Donskoï, en souvenir de sa victoire sur les Tatars, aux bords du Don, en 1380.

une fausse voie et que tout cela nous a amenés à la situation où nous sommes. »

Ainsi, pour la première fois, l'impératrice condamne-t-elle ouvertement la conduite de feu son beau-père. De son côté, Anne Tioutchev voit en Nicolas Ier un homme « sans intelligence et ivre de flatteries ». Mais elle se demande, en secret, si son successeur, Alexandre, est de taille à diriger fermement le pays. « Pour tirer la Russie de cette ornière, écrit-elle dans son Journal, il faudrait un souverain d'une énergie et d'une puissance exceptionnelles, qui réunisse tous les éléments actifs de la nation, qui renverse tout, qui réorganise tout, et qui croie fermement en la vocation historique de la Russie et en son destin. L'empereur est le meilleur des hommes. Il serait un excellent monarque dans un pays bien aménagé et en temps de paix, alors qu'il n'aurait d'autre tâche que de préserver l'acquis de la patrie ; mais il n'a pas le tempérament d'un réformateur. L'impératrice, elle aussi, manque d'initiative. Elle deviendra peut-être une sainte, mais ne sera jamais une souveraine. Sa sphère, c'est le monde moral, et non le monde corrompu de la réalité terrestre. Tous deux sont trop bons, trop propres pour comprendre les gens et régner sur eux[1]. »

En France, l'acceptation de l'ultimatum autrichien par la Russie est accueillie avec enthousiasme. À Londres, en revanche, la presse juge qu'une nouvelle campagne, mettant la Russie à genoux, serait plus avantageuse que la paix. Dès le mois de février 1856, les représentants des grandes puissances se réunissent à Paris pour régler le problème. Les Russes se rendent à cette assemblée en position de faiblesse. Leur tâche est comparable à celle de Talleyrand au congrès de Vienne, en 1815. Déconsidérés aux yeux du monde, ils doivent regagner l'estime de ceux qui prétendent les traiter en quantité négligeable. Avant de partir, ils ont reçu comme instruction de s'appuyer sur les bonnes dispositions de Napoléon III, afin de

---

1. Cf. A. Tioutchev : *À la cour de deux empereurs.*

réduire au minimum les sacrifices exigés de la Russie. Pour mener à bien cette entreprise de séduction, Alexandre a choisi le comte Brunnow, diplomate de carrière, qui a été quinze ans ambassadeur à Londres, connaît bien l'Angleterre et entretient des relations familières avec lord Clarendon. À une science approfondie des traités européens, il joint une courtoisie et une souplesse fort appréciées dans les chancelleries. Chargé de la partie technique des négociations, il est dominé, pour le reste, par le prince Alexis Orlov, ancien collaborateur et confident de Nicolas Ier. Taillé en géant, la figure osseuse, la chevelure touffue, les sourcils broussailleux, la moustache drue et grisonnante, Orlov apparaît, à soixante-dix ans, comme un colosse du Nord, indestructible et auréolé de souvenirs. Vétéran de la guerre patriotique, il a campé jadis sur les hauteurs de Montmartre et est entré dans Paris en vainqueur, avec Alexandre Ier. Cette fois, il y entrera en vaincu. Mais sans baisser la tête. À peine est-il arrivé qu'il devient l'objet d'une curiosité unanime. Ses daguerréotypes sont à la devanture des magasins. Des flâneurs guettent, chaque jour, sa sortie de l'ambassade. Dans les salons, on admire sa tunique vert sombre, sur laquelle sont épinglés les portraits en miniature d'Alexandre Ier, de Nicolas Ier et d'Alexandre II. Une familière des Tuileries, la comtesse Stéphanie Tascher de La Pagerie, écrit à Thouvenel : « Vue, revue et corrigée, je trouve que la Russie est encore superbe dans le comte Orlov. C'est bien le digne représentant des restes du grand empereur Nicolas. » Courtisan accompli, Orlov témoigne une profonde déférence envers Napoléon III qui n'y est pas insensible, recherche l'amitié des officiers français vainqueurs à Sébastopol, donne l'accolade au général Canrobert, traite les Anglais avec une froide correction et ne cache pas son mépris devant les Autrichiens. Le comte de Buol, délégué du cabinet de Vienne, s'attire de sa part une réplique cinglante : « L'Autriche peut avoir pris l'habitude de traiter sur des défaites, mais la Russie n'est pas dans ce cas... Vous parlez comme si vous aviez pris Sébastopol ! »

Ainsi, à un échange d'amabilités entre Russes et Français, correspond un échange de pointes entre Russes d'une part, Anglais et Autrichiens de l'autre. À ce jeu, l'ancienne alliance se distend et une nouvelle se dessine entre les ennemis d'hier. Orlov se frotte les mains. De récriminations en protestations, le marchandage se poursuit pendant des semaines. Enfin, le 15 avril 1856[1], Orlov appose sa signature au bas d'un traité de paix sinon excellent, du moins acceptable.

Selon les termes de cet accord, la Russie récupère Sébastopol, en échange de Kars qu'elle doit restituer à la Turquie ; elle renonce, au profit de la Moldavie, à ses possessions de l'embouchure du Danube et cesse ainsi d'être la voisine de l'Empire ottoman ; elle souscrit à la neutralité de la mer Noire ; le passage du Bosphore et des Dardanelles est interdit à tout navire de guerre, quelle que soit sa nationalité ; enfin, on enlève à la Russie la sauvegarde des sujets chrétiens de la Turquie, qui sont mis sous la protection de toutes les grandes puissances.

Par-delà le texte écrit, c'est l'esprit du document qui satisfait les plénipotentiaires russes. Ils y lisent, entre les lignes, la promesse d'un rapprochement avec la France. En vérité, Napoléon III compte sur la Russie pour le soutenir dans son projet de réunification de l'Italie, auquel l'Autriche est évidemment hostile puisqu'elle contrôle, soit directement, soit par des princes de sa maison, une partie de la péninsule. Dans l'audience de congé, l'empereur des Français charge Orlov de solliciter pour lui l'amitié du tsar. Et, les larmes aux yeux, il ajoute : « Tel est le vrai désir de mon cœur. » Dans son rapport à Alexandre, Orlov écrit : « Il [Napoléon III] espère que la sympathie mutuelle existant entre les deux nations sera renforcée par l'entente entre les deux souverains. » En marge de la dépêche, Alexandre trace de sa main : « Tout cela est très bien si seulement cela est sincère ! »

Pour inaugurer une politique très différente de cette Sainte-

---

1. Le 3 avril d'après le calendrier julien en usage en Russie au XIXe siècle.

Alliance qui inspira son oncle et son père, Alexandre veut s'entourer d'hommes nouveaux. Le chancelier Nesselrode s'étant retiré des affaires quinze jours après la signature du traité de Paris, c'est le prince Alexandre Gortchakov, chaud partisan de la réconciliation franco-russe, qui le remplace.

Appartenant à l'une des plus vieilles et des plus nobles familles du pays, élevé au lycée impérial de Tsarskoïe Selo où Pouchkine a été son condisciple, nourri de littératures latine et française, citant à tout bout de champ Suétone et Voltaire, Alexandre Gortchakov est, au dire de tous ceux qui l'ont approché, un causeur infatigable et un charmant compagnon. En fait, c'est lorsqu'il bavarde avec le plus d'abandon qu'il étudie le mieux ses interlocuteurs. Il y a en lui de l'orateur et du comédien. Un diplomate anglais, sir Horace Rumbold, juge qu'il est « le plus spirituel et le plus superficiel des hommes d'État ». Talleyrand estime que ses discours sont « brillants et stériles ». Et le vicomte Melchior de Vogüé notera en lui « de la grâce légère et un imperturbable contentement de soi qui perce ». Au physique, cet homme de cinquante-huit ans a les traits fins, les joues fraîches et roses et des yeux brillants de malice derrière de petites lunettes rondes. Il s'habille à l'ancienne mode, avec une prédilection pour les redingotes trop longues, les cravates montantes et les gilets de gros velours.

Devenu ministre des Affaires étrangères, il résume ainsi son programme : « Tous ceux qui font du mal à la Russie sont mes adversaires et tous ceux qui lui font du bien sont mes amis, quel que soit leur nom. » Parmi ceux qui « font du mal à la Russie », il range évidemment l'Autriche. Il a quitté son précédent poste à Vienne avec une rancune tenace à l'égard de la monarchie des Habsbourg, qui a humilié la Russie, son alliée de naguère. En revanche, il est tout disposé à s'entendre avec la France, car, dit-il, ce qui a séparé les deux pays, « c'est un simple malentendu entre l'empereur Napoléon et l'empereur Nicolas ». Telle est désormais la version admise à la cour d'Alexandre. Gortchakov ne se permettrait pas d'avancer une idée qui n'aurait pas l'assentiment de son souverain. Diplomate de la vieille école, il a un tel respect de l'autorité monarchique qu'il changerait d'avis sur un simple froncement de sourcils du tsar. Bismarck le compare à « une éponge à laquelle la pression de la main impériale fait rendre le liquide dont elle est imprégnée ».

Pour l'instant, Alexandre laisse la nation s'habituer lentement à l'idée de cette paix peu glorieuse mais nécessaire. Les armes étant déposées, le sang ayant cessé de couler, son regard se tourne vers l'intérieur du pays. Il veut panser les plaies, calmer les esprits, gagner la confiance des milieux intellectuels. Ses premières décisions, encore timides, sont bien accueillies. Ordre est donné de ne plus limiter le nombre des étudiants dans les universités, d'expédier à l'étranger de jeunes savants pour approfondir leurs connaissances et de laisser publier les livres de certains auteurs russes bloqués par la censure. Parmi les bénéficiaires de cette dernière mesure, éclate le nom de Gogol, interdit sous le règne précédent [1]. C'est le grand-duc Constantin qui a plaidé la cause de l'auteur des *Âmes mortes*. Il écrit au ministre de l'Instruction publique : « Tout le monde connaît les qualités personnelles de Gogol, sa foi ardente, son amour de la Russie, sa dévotion au trône ; elles sont garantes des bonnes intentions qui ont inspiré tous ses écrits et permettent de le soustraire aux tracasseries pointilleuses des censeurs. »

Pendant ces longs mois de guerre et de manœuvres diplomatiques, Alexandre n'a pas eu l'occasion de songer à son couronnement. Il est tsar, mais n'a pas encore reçu la consécration de l'Église. Aussi, le 17 avril 1856, jour de son anniversaire, publie-t-il le manifeste tant attendu : « À présent qu'une paix heureuse a rendu une bienfaisante tranquillité à la Russie, nous avons résolu, à l'exemple de nos pieux ancêtres, de ceindre la

1. Gogol est mort en 1852.

couronne et de recevoir l'onction sacrée, associant à cette sainte action notre épouse bien-aimée, l'impératrice Marie Alexandrovna. »

L'époque choisie est le mois d'août 1856. Le 14 août, toute la famille impériale prend le train à Saint-Pétersbourg pour Moscou, où, selon une tradition deux fois séculaire, doit se dérouler la cérémonie du sacre. Une courte halte au château suburbain de Petrovskoïé et, le surlendemain, Alexandre fait son entrée dans l'antique capitale des tsars. Les canons tonnent, les cloches sonnent à la volée, une foule bigarrée s'écrase dans les rues. Voici venir les trompettes caracolant sur des chevaux gris pommelé, et les Tcherkesses du convoi de Sa Majesté, serrés dans leurs tuniques rouges, et les lanciers de la Garde, et les députés des peuples asiatiques, et les représentants de la noblesse de Moscou précédés de leur maréchal, et les dignitaires de la cour, et les membres du Conseil d'Empire. Soudain, les clameurs redoublent, les chapeaux volent en l'air : derrière les escadrons de chevaliers-gardes et de gardes à cheval, c'est l'empereur lui-même qui apparaît sur un cheval blanc, le cordon bleu de l'ordre de Saint-André lui barrant la poitrine. Il est suivi de ses deux fils aînés, Nicolas et Alexandre Alexandrovitch, et d'une trentaine de membres de sa famille, de princes étrangers et de généraux. Après cette cohorte chamarrée, s'avance un carrosse doré, fabriqué sous Louis XV et aux panneaux peints par Boucher. Il est attelé de huit chevaux et escorté d'écuyers et de pages. À l'intérieur, les curieux des premiers rangs devinent la silhouette légère de l'impératrice Marie, saluant d'une inclinaison de la tête, et, à côté d'elle, le grand-duc Vladimir, âgé de neuf ans. Dans d'autres carrosses, se trouvent l'impératrice douairière, les grandes-duchesses, les princesses étrangères et les dames d'atour.

Le cortège s'arrête devant la chapelle de la Vierge d'Ibérie, et l'empereur et l'impératrice s'agenouillent devant l'image miraculeuse de la Mère de Dieu. Puis on se remet en marche pour déboucher sur la place Rouge, bourrée à craquer de monde, où un orchestre et un chœur de quelques milliers d'exécutants entonnent un hymne en l'honneur des souverains. Ayant franchi l'enceinte du Kremlin, le tsar et la tsarine se rendent successivement dans les cathédrales de l'Assomption, de l'Archange et de l'Annonciation pour s'incliner devant les reliques des saints moscovites, les images sacrées et les tombes des ancêtres. À l'entrée du palais du Kremlin, le prince Serge Golitzine, grand maréchal, leur présente sur un plat d'argent l'offrande traditionnelle du pain et du sel. « J'ai été heureux de voir cela, écrit un témoin, Khomiakov. On aurait dit un songe féerique. L'or, les peuplades asiatiques, les beaux uniformes et les vieilles perruques poudrées à l'allemande. Bref, *Les Mille et Une Nuits*, mais racontées par Hoffmann. »

Après ce premier contact avec la ville, le tsar, la tsarine et leurs enfants se retirent dans la propriété toute proche du comte Chérémétiev, où ils se préparent, dans la solitude et la prière, à l'épreuve du couronnement. Trois jours durant, des hérauts, vêtus de culottes de soie bouffantes et de dalmatiques de brocart, coiffés de chapeaux de velours emplumés, chaussés de hautes bottes jaunes, lisent à tous les carrefours le programme des réjouissances.

Le 26 août, à sept heures du matin, vingt et un coups de canon annoncent le début de l'office de grâce. Les cloches sonnent, les rues s'animent, les dignitaires pénètrent dans la nef de la cathédrale de l'Assomption, lieu du sacre des souverains russes depuis Ivan le Terrible. Une heure plus tard, trente-deux généraux aides de camp dressent au-dessus de l'escalier d'honneur du palais, dit escalier Rouge, un baldaquin doré, orné de plumes et surmonté de la couronne impériale. Les souverains prennent place sous le dais. Devant eux, les premières charges de la cour portent, sur des coussins rouges, les insignes du pouvoir : les deux couronnes impériales, le sceptre, les deux manteaux du sacre, le glaive, l'étendard et le collier de l'ordre de Saint-André. La procession se met en marche aux sons de l'hymne national : *Dieu protège le tsar.*

Philarète, métropolite de Moscou, accueille le tsar et la tsarine, les conduit d'abord à l'autel, puis vers une plate-forme surélevée au centre de la cathédrale de l'Assomption, juste sous la coupole. Alexandre s'assied sur le trône d'Ivan III, son épouse sur le trône de Michel, sa mère sur le trône d'Alexis[1]. Le haut clergé, en chasubles de brocart, est massé sur deux rangs entre l'estrade impériale et l'autel. Les chantres, en caftans rouges, se tiennent à droite de l'iconostase. Dans la nef immense, où brillent mille cierges, se presse une assistance superbement parée. Les notables, les officiers, les ambassadeurs, les princes étrangers sont tous en uniforme de parade et leurs poitrines offrent un extraordinaire concours de décorations. Les dames de la cour, habillées de robes russes aux couleurs éclatantes et coiffées du diadème national, le *kokochnik*, scintillent de la tête aux pieds sous une constellation de bijoux. À leurs côtés, les femmes des diplomates arborent des toilettes claires, très décolletées, et des aigrettes tremblent au sommet de leurs coiffures. Tout ce public élégant et frivole chuchote, s'esclaffe en sourdine, se hausse sur la pointe des pieds pour mieux voir. Au dire d'Anne Tioutchev, personne ne songe à prier. Certains invités ont même apporté un en-cas pour se sustenter durant la très longue liturgie. « En les regardant, écrit Anne Tioutchev, je me demandais quel avenir attend un peuple dont les plus hautes classes sont à ce point corrompues par le luxe et la vanité qu'elles ont totalement perdu le sentiment national et la conscience religieuse qui devraient leur servir d'assises. »

Le métropolite Philarète monte sur l'estrade et demande au tsar de lire le *Credo*, conformément à la tradition ancestrale. Alexandre prononce d'une voix haute, mais qui tremble d'émotion, le symbole des apôtres. Le chœur entonne des hymnes de joie. Deux autres métropolites s'avancent vers le tsar

---

1. Ivan III, dit le Grand, grand-duc de Moscou (1440-1505); Michel III, tsar (1596-1645); Alexis Ier, dit « le tsar très paisible » (1629-1676).

qui revêt la « porphyre », ample manteau de brocart doublé
d'hermine, avec un large col d'hermine rabattu sur les épaules
et fixé par des agrafes d'or et d'émeraude. La tsarine, en robe de
brocart blanc, barrée du grand cordon rouge de l'ordre de
Sainte-Catherine, a droit, elle aussi, à un manteau de brocart
doublé d'hermine, mais d'un modèle plus léger que celui de son
époux, la poitrine et la taille étant dégagées. Ses cheveux
retombent en deux nattes de part et d'autre de son cou. Elle
porte un collier de trois rangs de grosses perles et un autre de
diamants, enrichi d'un lourd pendentif. Sa maigreur, sa pâleur,
l'infinie tristesse de son regard lui donnent l'apparence d'une
victime parée pour l'holocauste. L'instant solennel approche.
Alexandre reçoit des mains du clergé la couronne fermée, sertie
de diamants et surmontée d'une croix. D'un geste lent, il la
pose lui-même sur sa tête, tandis que Philarète lui annonce, au
nom de la Sainte Trinité : « Cet ornement visible est le symbole
du couronnement invisible qui t'est donné comme chef du
peuple de toutes les Russies par Notre-Seigneur Jésus-Christ,
roi de la Gloire, avec sa bénédiction, pour te conférer le pouvoir
souverain et suprême sur tes sujets. »

Ensuite, Philarète lui ayant tendu le sceptre et le globe,
Alexandre se rassied sur son trône et son épouse s'agenouille
devant lui. Il enlève sa couronne, en touche le front de Marie, la
remet sur sa tête, pose sur la chevelure de la jeune femme une
couronne plus petite que la sienne, la ceint du collier de l'ordre
de Saint-André, l'embrasse et reprend en main le sceptre et le
globe. Le protodiacre proclame tous les titres du monarque.
Les cloches s'ébranlent à nouveau. Les murs tremblent sous le
fracas de cent un coups de canon. À ce moment, un geste
inconsidéré de la tsarine fait choir la couronne mal fixée sur sa
tête. Confuse, elle la ramasse, s'en coiffe de nouveau et
murmure au comte Ivan Tolstoï, grand maréchal de la cour, qui
se trouve à proximité : « C'est signe que je ne la porterai pas
longtemps ! » Lorsque les salves d'honneur et les carillons se
sont tus, l'empereur, déposant le sceptre et le globe, s'age-

nouille pour appeler la bénédiction divine sur son règne. Les larmes noient ses yeux et obstruent sa gorge. Il fait un effort pour parler distinctement : « Tu m'as choisi comme tsar et juge suprême de tes hommes. Je m'incline devant toi, et je te prie, Seigneur, mon Dieu, ne m'abandonne pas dans mon entreprise, instruis-moi et dirige-moi dans mon action à ton service. Que mon cœur soit dans ta main. »

Un *Te Deum* éclate, chanté à pleine voix par le chœur. Le métropolite Philarète prononce quelques mots, « pour que le glaive du tsar soit toujours prêt à défendre le droit et que, par sa seule apparition, il réduise l'injustice et le mal ». Après quoi, le tsar reçoit l'onction sur les yeux, les narines, la bouche, les oreilles, les joues, les mains et communie selon le rite impérial. La tsarine, elle, n'est ointe que sur le front et communie d'après le rite ordinaire de l'Église orthodoxe, sous les deux espèces.

À la fin de la cérémonie, le cortège se reforme, sort de la cathédrale de l'Assomption, fait le tour de la place, se présente devant les deux autres cathédrales du Kremlin et gravit lentement l'escalier Rouge du grand palais. L'empereur et l'impératrice sont toujours surmontés de l'énorme baldaquin portatif. Alexandre, couronne en tête, tient le sceptre et le globe. Arrivé au sommet des marches, il s'incline par trois fois devant le peuple ivre de joie. Face à cette multitude, il éprouve de nouveau le sentiment complexe de la puissance et de la responsabilité. Une crainte religieuse le pénètre à l'idée du pouvoir qui lui est échu. Sera-t-il à la hauteur de la tâche ? Il est sûr de son cœur mais non de ses capacités. Il sait déjà, par expérience, qu'il ne suffit pas de vouloir le bien pour le faire. Il a peur de n'avoir pas la lucidité et l'autorité de son prédéces-seur. Mais justement, ne doit-il pas se distinguer de son père ? Oublier la filiation. S'affirmer dans sa stature originale. Conti-nuer certes, mais innover aussi. Le couronnement a fait de lui un autre homme. C'est le sens de l'onction sacrée qu'il vient de recevoir. Tout son espoir, à présent, lui vient de Dieu. Il est bouleversé. Ses jambes le soutiennent à peine. Devant ses yeux

embués, des milliers de visages flottent et se décomposent.
Le poète Fedor Tioutchev[1], qui se trouve perdu dans la
foule, décrira ainsi le passage du souverain : « Lorsque
j'aperçus, après une attente de quatre heures, notre pauvre
cher empereur avançant sous le baldaquin, l'énorme couronne
sur la tête, pâle, épuisé, s'efforçant de répondre d'une inclination du front aux cris du peuple, j'ai senti les larmes me
monter aux yeux. »

Un peu plus tard, retirée dans sa chambre pour prendre
quelque repos entre deux apparitions en public, l'impératrice
répète à sa demoiselle d'honneur préférée ce qu'elle a dit au
comte Tolstoï après avoir fait tomber sa couronne. Et,
comme Anne Tioutchev lui reproche cette mauvaise pensée,
elle soupire : « C'est ma conviction : la couronne est un
fardeau trop lourd, trop pénible pour qu'on puisse la supporter longtemps. » « Ah ! Majesté, s'écrie la jeune femme, vous
êtes trop nécessaire au pays pour que Dieu vous la retire ! »
À ces mots, elle fond en pleurs. Et la tsarine la console en
riant.

Le même jour, un banquet réunit les souverains, les
princes, le haut clergé et les dignitaires de la cour. Le tsar et
la tsarine siègent sous un dais, face à leurs invités. Les plats
et les boissons sont présentés par le grand maréchal, le grand
panetier, le grand échanson. Les toasts en l'honneur de
l'empereur, de l'impératrice, de la famille impériale et des
prélats sont accompagnés de salves d'artillerie. Le soir, les
tours et les murs du Kremlin, les principaux édifices de la
place Rouge et les autres places de Moscou sont illuminés de
mille lampions. Alexandre sort sur le balcon du grand palais.
La rivière Moskva est éclairée par des feux de Bengale et par
une fontaine lumineuse au ruissellement continu. Ces
flammes pacifiques réveillent chez certains vieux Moscovites
le souvenir de l'incendie de la cité, lors de son occupation par

1. Père de la demoiselle d'honneur de l'impératrice, Anne Tioutchev.

les troupes de Napoléon. Mais, aujourd'hui, tous les cœurs sont à l'allégresse. Tard dans la nuit, le peuple se bouscule dans les rues pour admirer le scintillement des derniers lumignons.

Une distribution de titres, de médailles et de subsides accompagne le couronnement. Les remises de peine sont nombreuses. Un large pardon est accordé aux anciens décembristes qui se sont soulevés, en 1825, contre Nicolas Ier et aux conspirateurs de Petrachevski, expédiés en Sibérie par le même empereur, en 1849. Certains d'entre eux obtiennent même le droit de s'installer où bon leur semble en Russie, exception faite des deux capitales, Saint-Pétersbourg et Moscou.

En signant cette amnistie, Alexandre se rappelle le temps lointain où, jeune tsarévitch de passage dans la bourgade sibérienne de Kourgan, il s'est incliné devant les réprouvés, les exilés réunis à l'église. Parlant de ces insensés, il dit au comte Modeste Korf : « Fasse Dieu qu'à l'avenir l'empereur de Russie n'ait ni à sanctionner ni à pardonner de tels crimes ! »

Le lendemain du couronnement, le tsar et la tsarine reçoivent les félicitations de la noblesse et des notables dans la salle Saint-André du grand palais. Les jours suivants, il y a deux bals et une mascarade au Kremlin, un spectacle de gala au théâtre Bolchoï, des bals dans les ambassades de France et d'Autriche. Le menu peuple est convié, lui aussi, à des réjouissances sur le vaste champ de la Khodynka. Nourritures et boissons y sont servies à gogo. On a même prévu un feu d'artifice. Deux cent mille personnes se pressent devant les baraques de distribution. Mais une pluie diluvienne s'abat sur le rassemblement. On se bat, dans la boue, pour arracher quelque lambeau de pain trempé d'eau. Les esprits superstitieux parlent d'un mauvais présage.

Toutes les puissances européennes ont tenu à être représentées aux fêtes du sacre. Mais, parmi la cohorte des princes et des ambassadeurs, ce sont lord Grenville, délégué de la reine Victoria, et le duc de Morny, délégué de Napoléon III, qui attirent tous les regards. Ce dernier surtout jouit d'une sympathie unanime. Ne vient-il pas de France, la nouvelle nation amie ? Il est assisté de personnages aux grands noms, tels le duc de Gramont-Caderousse, le marquis de Galliffet, le prince Joachim Murat... Le luxe de ses réceptions émerveille les Russes. Ses équipages sont jugés du meilleur goût. On se montre, dans les rues, son carrosse à roues dorées, attelé de six chevaux anglais, ses laquais et ses cochers en livrée blanc et or, perruque poudrée, tricorne et gilet rouge. Le prince Alexandre Gortchakov le traite en ami. Le tsar lui dit, dès leur première entrevue : « Je me réjouis de vous voir ici. Votre présence marque la fin d'une situation heureusement terminée et qui ne doit plus se renouveler. Je suis très reconnaissant à l'empereur Napoléon et je n'oublierai jamais l'influence bienveillante qu'il a exercée à cet égard sur l'ensemble des négociations. » Entièrement conquis, Morny écrit à Napoléon III : « Il est impossible, entre nous, d'être plus aimable que ce souverain [Alexandre II]. Tout ce que j'apprends de lui, de ses rapports de famille, de ses relations d'amitié et, je dois dire, de ses actes de gouvernement intérieur, est empreint d'un caractère de loyauté, de justice, même d'esprit chevaleresque. Il ne conserve aucune rancune, est plein de respect pour les vieux serviteurs de son père, de sa famille, même quand ceux-là l'ont médiocrement servi. Il ne blesse personne, est très fidèle à sa parole, essentiellement bon ; il est impossible de ne pas prendre de l'amitié pour lui. »

Si la France est entourée d'égards à la cour de Russie, il n'en va pas de même pour « l'ingrate Autriche ». Malgré toute sa grandeur d'âme, Alexandre ne peut oublier la trahison de François-Joseph. Trois ans plus tard, il se réjouira de voir les armées autrichiennes écrasées par les Français à Magenta et à Solférino. En revanche, il se sent toujours très proche de la Prusse. N'est-il pas un Hohenzollern par sa mère ? La cohésion des deux cours est sacrée. Ce qui les unit davantage encore, c'est leur communauté d'intérêts dans le partage de la Pologne. Cette louche complicité, qui date du temps de Catherine la

Grande, pèse sur la conscience d'Alexandre, mais il refuse d'y apporter remède. Certaines situations, inacceptables sur le moment, reçoivent de l'histoire, pense-t-il, un caractère irréversible. Pour la Pologne, le temps a scellé l'injustice. On ne peut revenir là-dessus. Quiconque se permet de soulever le problème polonais devant le tsar s'attire un regard glacé. « Il a osé me parler de la Pologne ! » dira-t-il un jour, la lèvre inférieure tremblante, en sortant d'une entrevue avec Napoléon III [1]. Et il se demande pourquoi les Européens ont tant de difficulté à comprendre que la question polonaise est une affaire de politique intérieure russe, une querelle de famille entre Slaves, et qu'il ne sied pas à des étrangers de s'en mêler à tout bout de champ.

1. En été 1857, à Stuttgart.

IV

LA LIBÉRATION DES SERFS

Depuis longtemps, Alexandre a pris conscience de l'anachronisme monstrueux que représente, dans son pays, la persistance du servage. Certes, cette institution n'a été abolie en France qu'en 1789, et plus tard encore en Europe centrale. Mais la Russie n'en a pas moins un demi-siècle de retard sur ses voisins. Ce phénomène est d'autant plus surprenant que, dans la vieille Moscovie, les laboureurs vivaient en hommes libres. C'est pour permettre un recrutement plus facile de soldats dans leurs rangs que le gouvernement leur a retiré le droit de se déplacer et les a soumis au pouvoir fiscal et policier des seigneurs. Pierre le Grand a aggravé la situation de ces malheureux en abolissant l'ancienne distinction entre les hommes attachés à la glèbe et les esclaves proprement dits. En distribuant des terres habitées à leurs favoris, la libérale Catherine II et son fils Paul Ier ont davantage encore renforcé la sujétion des paysans envers les maîtres. Un fossé s'est creusé entre possédants et possédés. À peine peut-on dire que l'humble moujik est le contemporain et le compatriote du hobereau occidentalisé. Celui-ci dispose de son cheptel humain à sa guise, décidant de la vente, du mariage, des punitions corporelles ou de l'envoi à l'armée pour vingt-cinq ans des « âmes » qui font partie de son patrimoine. Après avoir rêvé d'alléger le sort des serfs, Alexandre Ier a renoncé à ébranler les assises de son empire par une mesure qui ne pouvait que mécontenter la noblesse. Son successeur, Nicolas Ier, malgré des intentions louables, a reculé, lui aussi, devant l'intransigeance des propriétaires fonciers. Vers la fin de sa vie, il a laissé échapper cet aveu terrible : « Par trois fois, je me suis attaqué au servage, par trois fois j'ai dû m'arrêter : c'est là un signe de la Providence. » Sans doute a-t-il fait part à son fils de ses préoccupations et de son découragement. Il a même nommé Alexandre président de l'un des comités secrets chargés d'examiner la possibilité d'une émancipation progressive des serfs. Ce comité secret s'est, bien entendu, séparé sans rien décider. À présent que Nicolas Ier est mort et que la guerre de Crimée est terminée, Alexandre revient au problème du servage avec l'impression d'obéir à une volonté posthume. Ce que son père n'a pu mettre en œuvre, il doit tenter de le réussir lui-même. Cette tâche, réputée impossible, le fascine et l'effraie.

Sur une population de soixante et un millions de personnes, la Russie compte cinquante millions de paysans asservis, dont vingt-six millions appartiennent à la Couronne et vingt-quatre millions à des nobles, petits ou gros propriétaires. Autant dire qu'un individu sur six est, ici, libre de son sort. Or, certains serfs font emploi de domestiques, d'autres labourent les terres seigneuriales, d'autres enfin, moyennant une redevance à leur propriétaire, peuvent travailler comme bon leur semble, en dehors des limites du domaine et même dans les villes. Mais ils n'en sont pas moins, de tout leurs poids de chair, la chose de leur maître. Celui-ci, en échange de la soumission de ses serfs, leur doit une protection absolue. Dépendant de lui, ils n'ont pas à craindre la famine ou le renvoi. Certains sont bien traités par un seigneur riche et débonnaire. D'autres connaissent l'humeur atrabilaire, la brutalité vicieuse d'un nobliau tout-puissant ou les exactions d'un régisseur qui ne songe qu'à s'emplir les poches. « L'idée qu'il eût fallu émanciper les serfs n'était pas du tout répandue dans notre milieu vers les années 40, écrira Léon Tolstoï dans ses *Souvenirs*. La possession des serfs par héritage semblait un état de fait indispensable. »

Servie par cette population misérable, paresseuse et sournoise, l'agriculture se dégrade. L'augmentation des jours de corvée ne suffit plus à remplir les greniers. Des serfs excédés prennent la fuite. Les troubles agraires se multiplient. Des villages entiers se soulèvent contre leurs propriétaires et la troupe doit intervenir pour arrêter les mutins. On signale cent quarante révoltes paysannes entre 1850 et 1854. Le comte Benckendorff, chef de la police d'État, annonce dans un rapport à l'empereur : « D'année en année, se répand et se renforce parmi les paysans asservis aux nobles l'idée de la liberté. Il peut se produire une situation favorable pour eux, une guerre, une épidémie ; des personnes susceptibles d'utiliser ces circonstances au détriment du gouvernement peuvent apparaître. » Autour d'Alexandre, certains osent dire tout haut que le servage est devenu un fait contre nature et qu'il faut envisager les moyens de le supprimer en évitant de déchaîner une révolution sociale. On trouve des partisans de l'affranchissement dans les deux camps opposés de la société intellectuelle. Les « occidentalistes », qui veulent que la Russie s'inspire en tout des expériences européennes, et les « slavophiles », qui souhaitent pour leur pays un retour aux vieilles traditions nationales, sont d'accord, exceptionnellement, sur la nécessité d'une prompte réforme. Dans un mémoire remis à l'empereur, le slavophile Aksakov condamne les innovations de Pierre le Grand qui, en s'éloignant de la réalité russe, a créé dans le pays un climat d'oppression. Un autre slavophile célèbre, Kochelev, supplie le souverain de convoquer à Moscou, « vrai centre de la Russie », les élus de toute la terre russe pour entendre leurs suggestions au sujet de la libération des serfs. Un troisième, le professeur Pogodine, adjure le monarque d'abandonner « le malheureux système ». Les occidentalistes, eux, insistent sur la honte qu'il y a pour la Russie à être le seul État d'Europe où la dignité de l'homme soit méconnue. La très caustique Anne Tioutchev analyse ainsi les différences entre les deux clans qui se partagent l'élite du pays : « Chez nous, il y a deux sortes de gens cultivés : ceux qui lisent les journaux étrangers et les romans français, ou qui ne lisent rien du tout ; qui se rendent chaque soir à un bal ou à un *raout*, s'enthousiasment sincèrement, chaque hiver, pour une *prima donna* ou pour un ténor de l'opéra italien, s'embarquent sur le premier bateau en partance pour aller prendre les eaux quelque part en Allemagne et finissent par acquérir un centre de gravité à Paris. Une autre espèce de gens comprend ceux qui ne vont à un bal ou à un *raout* qu'en cas d'extrême nécessité, lisent des journaux russes, écrivent en russe des remarques que personne ne publiera jamais, jugent à tort et à travers de la question de l'affranchissement des serfs et de la liberté de la presse, visitent, de temps en temps, leurs propriétés et méprisent la compagnie des femmes. On appelle ces derniers des slavophiles [1]. »

Les slavophiles et les occidentalistes ne sont pas les seuls qui poussent Alexandre à agir. Certains membres de sa famille insistent dans le même sens. À la tête de ces réformistes, se trouvent son frère puîné, le grand-duc Constantin, et sa tante, la grande-duchesse Hélène, veuve de son oncle Michel. Fille du duc Paul de Wurtemberg, Hélène a reçu dans son pays une éducation raffinée sous la direction de l'illustre Cuvier. Elle aime étonner son entourage par l'étendue de sa science et la hardiesse de ses opinions. Se piquant de politique, elle recommande des collaborateurs à son neveu Alexandre qui la respecte et l'écoute. On lui doit l'organisation du corps des sœurs de charité pendant la guerre de Crimée. « Vos entreprises sont élevées et admirables, proclame l'empereur dans un rescrit qui lui est adressé. Plus d'une larme a été essuyée par vous, plus d'une blessure guérie, plus d'une famille orpheline consolée et apaisée. » Le servage est la bête noire de la grande-duchesse

---

1 Anne Tioutchev, *op. cit.*

Hélène. Et le grand-duc Constantin renchérit sur cette exécration. Les préceptes humanitaires de Joukovski l'ont marqué plus encore que son frère Alexandre. Il se proclame volontiers libéral. Nommé grand amiral, il abolit les peines corporelles sur les navires de la flotte et améliore l'ordinaire des matelots. Dans ses conversations intimes avec Alexandre, il appuie sur la nécessité d'une prompte décision. Gortchakov, lui, croit savoir qu'à l'étranger nombreux sont ceux qui, souhaitant l'abaissement de la Russie, misent sur une révolution sociale dans le pays. Alexandre est ébranlé. Au début de son règne, il a déclaré aux membres de la noblesse de Moscou : « Vous comprenez certes vous-mêmes que l'actuel système de possession des âmes serves ne saurait rester inchangé. Mieux vaut abolir le servage d'en haut, au lieu d'attendre le moment où il commencera à s'abolir d'en bas. Je vous prie de réfléchir au moyen d'accomplir cela. »

Ainsi, c'est aux nobles que le tsar s'adresse pour l'aider à les déposséder. Il sait qu'il ne peut rien entreprendre sans le concours de cette classe opulente et influente, dont les représentants occupent les premières places dans l'État. Quel que soit le pouvoir de l'autocrate, il a besoin, pour transformer ses intentions en actes, de la bonne volonté de ceux qui contrôlent l'administration jusqu'aux plus lointaines provinces. Or, les privilégiés répugnent à se dessaisir de leurs privilèges. Si certains esprits éclairés abondent spontanément dans le sens de l'émancipation, la plupart des propriétaires terriens refusent cette innovation qu'ils estiment injuste, dangereuse et même, en quelque sorte, antirusse. Comment le tsar oserait-il toucher à un ordre de choses consacré par les siècles ? disent-ils. En prônant la nécessité de libérer les serfs, il tournerait le dos à Catherine la Grande, il deviendrait un Français, un Anglais, un Allemand ! En vain Alexandre essaie-t-il d'intéresser à son projet, encore très vague, les maréchaux de la noblesse des diverses provinces qui lui rendent visite à Saint-Pétersbourg. Chaque fois, il se heurte, chez ses interlocuteurs, à une déférente surdité.

Sans se décourager, Alexandre constitue, en janvier 1857, un

« Comité secret » composé de hauts dignitaires, parmi lesquels Orlov, Dolgoroukov, Adlerberg, Gagarine, Panine et Rostov-tsev. Ce Comité secret, après de multiples délibérations, reconnaît que « le servage par lui-même est un mal dont il faut se guérir » et que « la révision de cette institution est indispensable ». Mais il s'agit là d'une simple formule de politesse. Sortant d'une conversation avec le tsar, Kisselev note dans son Journal : « Il m'a semblé que l'empereur était parfaitement décidé à poursuivre l'affaire de l'émancipation des serfs, mais on l'accable et on l'importune de tous côtés en lui représentant les obstacles et les risques de l'entreprise. » Et, en effet, la majorité des membres du Comité secret est, malgré ses affirmations, hostile à la pensée impériale. Les efforts de ces messieurs tendent à ralentir les discussions, dans l'espoir que ce projet, comme les précédents, s'enlisera dans l'épaisseur des paperasses. Furieux de ces atermoiements, l'empereur introduit dans le Comité secret son propre frère, l'impétueux Constantin. En dépit d'une légère accélération des travaux, l'assemblée bute toujours sur la même difficulté. Peut-on libérer les serfs sans leur attribuer des terres ? Si on ne leur en attribue pas, on les condamne à mourir de faim. Et, si on leur en attribue, le propriétaire foncier se trouvera injustement spolié. Porte-parole des « esclavagistes », le prince Gagarine déclare qu'une distribution de surfaces arables aux paysans condamnerait l'agriculture russe à la faillite. Tout au plus devrait-on leur laisser, selon lui, la jouissance de leur maison. Pour débloquer la situation, Alexandre use d'un subterfuge. Dans les provinces lituaniennes, où la condition agraire est particulièrement difficile, Nicolas Ier avait institué le système des « inventaires » qui définissait les rapports entre les maîtres et les serfs. Cette mesure ne satisfaisant aucune des deux parties, les propriétaires fonciers de la région viennent d'en demander la révision au tsar. Aussitôt, il se saisit de ce prétexte pour ordonner au gouverneur général Nazimov, par un rescrit du 20 novembre 1857, de créer dans les trois provinces de Kovno, Vilna et Grodno des comités spéciaux chargés d'étudier les modalités de l'affranchissement des serfs selon le principe suivant : faculté pour les serfs affranchis de racheter, dans un délai déterminé, leur maison avec la parcelle de terre attenante et de jouir temporairement, jusqu'à ce qu'ils puissent l'acquérir, d'une superficie de sol leur permettant de subvenir à leurs besoins. Le rescrit impérial est porté à la connaissance des gouverneurs et des maréchaux de la noblesse de toutes les provinces afin d'inciter les autres propriétaires fonciers à suivre l'exemple des trois provinces lituaniennes. Le 9 décembre, en recevant les nobles de Saint-Pétersbourg, le tsar leur annonce : « J'ai l'habitude de faire confiance à la noblesse. Ainsi ai-je décidé qu'il appartient à votre gouvernement d'ouvrir la voie. Je sais que cela nécessitera beaucoup de travail, mais je place mon espoir en vous et je vous confie cette tâche... Les tergiversations ne sont plus possibles. Il faut s'occuper dès maintenant de cette question. Telle est ma volonté catégorique. » Et il ordonne à la presse d'attribuer une large publicité à cette décision.

L'élite cultivée russe est enthousiasmée par la courageuse initiative du tsar. « De tout mon cœur, je vous félicite pour ce grand événement », écrit le publiciste Kolbassine à Ivan Tourgueniev. Et le critique Annenkov au même Ivan Tourgueniev : « Le jour approche où nous pourrons dire de nous en mourant : " Je crois que je suis maintenant tout à fait un honnête homme. " » Et Ivan Tourgueniev à Léon Tolstoï : « L'événement si longtemps attendu est en train de se réaliser et je suis heureux d'avoir vécu jusqu'à cet instant. » Réunis en un gigantesque banquet, à Moscou, des professeurs d'université, des hauts fonctionnaires, des gros négociants, des hommes de lettres, des artistes de toutes tendances acclament le nom du souverain. Katkov, directeur du *Messager russe*, prononce un discours vibrant : « Il est des époques où les gens, avec un battement de cœur accéléré, s'unissent dans une entreprise commune et un commun sentiment. Heureuse est la génération à qui il est donné de vivre une telle aventure. Grâce au ciel, nous sommes de ceux-là. Que Dieu bénisse notre tsar et son entreprise ! Qu'il règne longtemps et qu'il soit longtemps la source de lumière et de bienfaits pour notre patrie ! » Les convives, en larmes, lèvent leur verre sous le portrait de Sa Majesté, s'embrassent et chantent l'hymne national.

L'un après l'autre, les représentants de la noblesse des différentes régions se résignent à solliciter la création de comités semblables à ceux des gouvernements lituaniens. Ils le font parce qu'ils craignent que les paysans, mis au courant des dispositions impériales, ne se soulèvent en cas de refus. L'élaboration des conditions de l'affranchissement étant au centre de toutes les conversations, Alexandre ne juge plus utile d'occulter les travaux du Comité secret et institue au grand jour, le 8 janvier 1858, un « Comité central pour les affaires paysannes ». Ce Comité central a pour mission d'examiner les avis des comités de la noblesse provinciale. En définitive, tout dépend de ces groupements de base, disséminés sur tout le territoire de l'empire. Or, ils sont profondément divisés. Non seulement certains hobereaux s'insurgent à l'idée de laisser entamer leur patrimoine immobilier et humain, mais encore il y a diversité d'intérêts entre les nobles des provinces du Nord, peu fertiles mais fortement industrialisées, et ceux des provinces du Sud, dont l'agriculture est la principale richesse. Les premiers, qui ne tiennent qu'au travail personnel du serf en tant qu'ouvrier, veulent bien céder immédiatement leur terre pourvu qu'on la leur paie très cher. Les seconds sont prêts à libérer leurs serfs, mais veulent conserver la terre, source essentielle de leurs revenus. À côté de ces deux types de propriétaires intransigeants, se crée peu à peu une minorité convaincue des avantages de l'émancipation. « Ces gens, écrit le gouverneur de la province de Vladimir, espèrent que la réforme, dont ils reconnaissent entièrement la nécessité, calmera les esprits, établira des rapports clairs entre propriétaires et paysans et provoquera, en définitive, une hausse du prix de la terre. »

C'est sur ces hommes de bonne volonté que s'appuieront désormais l'empereur et ses collaborateurs les plus proches. Lanskoï, le vieux ministre de l'Intérieur, a pris comme adjoint un protégé de la grande-duchesse Hélène, Nicolas Milioutine. Ce personnage énergique et lucide, partisan de la justice, du progrès, de la concertation, est accusé par ses ennemis d'être un « rouge ». En fait, il a une perception quasi mystique de l'urgence de la réforme. Pour l'aider, il fait appel à des conseillers éminents : Soloviev, Samarine, le prince Tcherkasski... Avec eux et quelques autres, il constitue deux « commissions rédactionnelles [1] » qui élaborent les bases juridiques de l'affranchissement. Rostovtsev préside à ces travaux. L'empereur en personne intervient dans les discussions pour houspiller certains membres des commissions qui se font encore tirer l'oreille. En marge d'un rapport, il note qu'il a résolu d'accorder aux paysans la propriété des terres « pour ne pas les transformer en vagabonds ». Et, afin de confirmer son intention, il décide par un oukase, le 20 juin 1858, que la terre des domaines de la Couronne sera mise à la disposition des cultivateurs et qu'ils recevront l'égalité civile devant les tribunaux.

Un an plus tard, vers la fin de juillet 1859, quarante-quatre comités provinciaux ont rédigé leurs avis et les représentants de ces assemblées sont convoqués à Saint-Pétersbourg pour s'expliquer devant les commissions rédactionnelles. Aussitôt, la querelle s'envenime entre partisans et ennemis de la réforme. Le clan des « esclavagistes », dominé par Chidlovski et Bezobrazov, accuse les commissions rédactionnelles de vouloir ruiner la noblesse et instituer un socialisme précurseur de l'anarchie. Les lettres de Chidlovski et de Bezobrazov, adressées directement au souverain, sont rageusement commentées par lui dans les marges : « Voici quelles pensées trottent dans la tête de ces messieurs... Fameux sophismes ! » note-t-il. Et il

1. Elles seront plus tard réunies en une seule.

écrit à Rostovtsev, principale cible des conservateurs : « Si ces messieurs s'imaginent pouvoir m'effrayer par leurs démarches, ils se trompent. Je suis trop convaincu de la justesse de notre sainte cause pour que quiconque puisse m'arrêter. Mais la question primordiale est celle-ci : comment réussir cette opération ? En cela, comme toujours, je mets mon espoir en Dieu et en l'aide de ceux qui, comme vous, veulent sincèrement l'accomplissement de cette œuvre en laquelle ils voient le sauvetage et le bonheur futur de la Russie. Faites comme moi, ne perdez pas courage, bien que nous éprouvions tous deux beaucoup de chagrin. Prions Dieu qu'il nous éclaire et nous affermisse. »

Sur ces entrefaites, Rostovtsev, épuisé par ses travaux et par les calomnies de ses adversaires, tombe malade. Ses forces déclinent rapidement. Il déclare à l'un de ses proches : « Si je meurs aujourd'hui, je mourrai la conscience tranquille. J'ai honnêtement accompli mon devoir envers le souverain. Je crois avoir fait avancer cette sainte entreprise. J'ai confiance en la fermeté du tsar. Dieu n'abandonnera pas la Russie. » Alexandre accourt à son chevet. En le voyant, Rostovtsev dit dans un souffle : « Sire, ne vous laissez pas intimider ! » Ce sont ses dernières paroles.

Alexandre est consterné. Par qui remplacer cet homme qui a si bien compris sa pensée ? Dans son entourage, on s'attend à la nomination d'un autre grand libéral. Or, le choix d'Alexandre se porte sur le comte Victor Panine, ministre de la Justice, vieux collaborateur de Nicolas Ier. Bureaucrate desséché et pédant, dur envers ses subordonnés, méprisant à l'égard du peuple, c'est un détracteur avéré de la réforme. Mais il a une vénération religieuse pour le trône. Alexandre espère que cet homme, qui a la confiance des opposants, saura les incliner, par déférence envers la monarchie, à obéir aux désirs du tsar. Autrement dit, il compte séduire les propriétaires fonciers les plus irréductibles par la parole d'un des leurs qui, en fait, sera acquis à ses idées. Il dit à la grande-duchesse Hélène qui ne lui cache pas son inquiétude : « Vous ne connaissez pas cet homme. Ses convictions, c'est la soumission à ma volonté. » Et il déclare à Panine lui-même : « Il faut que vous conduisiez cette affaire comme elle le fut dans le passé. Je vous ai toujours tenu pour un homme d'honneur et il ne me vient pas à l'esprit que vous puissiez me tromper. » Quant à Panine, il affirme au grand-duc Constantin, sceptique : « Si je constatais directement ou indirectement que l'empereur avait, sur ce sujet, une autre vue que la mienne, je considérerais comme mon devoir de répudier mes opinions personnelles et d'agir avec une énergie redoublée dans le sens inverse de mes propres sentiments. » Sans doute est-il sincère dans cette profession de foi. Mais il y a quelque naïveté, chez Alexandre, à croire qu'une subordination mécanique à la volonté supérieure peut remplacer dans le travail d'un homme d'État l'adhésion intime, l'élan chaleureux de l'âme. Panine, à son nouveau poste, endossera l'habit sans changer de cœur. Il sera extérieurement réformateur et intérieurement rétrograde.

Dès son entrée en fonctions, il soutient devant les commissions rédactionnelles qu'on ne peut accorder la jouissance perpétuelle de la terre aux paysans sans léser le droit de propriété des seigneurs et se prononce pour le maintien du droit de police des hobereaux dans leurs domaines. Bientôt, un conflit éclate entre lui et Nicolas Milioutine. Alexandre, ennuyé, arbitre mollement cette querelle. Devant la répugnance du grand nombre à souscrire à ses exigences, il se demande si les commissions rédactionnelles ne font pas trop pencher la balance en faveur des paysans au détriment des propriétaires.

Les volumineux dossiers des commissions rédactionnelles sont soumis, au fur et à mesure de leur achèvement, à l'examen du Comité central, présidé par le prince Alexis Orlov. Mais, vers la fin de l'année 1859, ce prestigieux personnage, qui a ébloui les Français lors du congrès de Paris, tombe malade, sombre dans la décrépitude et doit renoncer aux affaires. Pour le remplacer à la tête du Comité central, le tsar nomme son frère, le grand-duc Constantin, qui vient de rentrer dans la capitale après un voyage de neuf mois à travers l'Europe, l'Orient et la Palestine. Constantin avait quitté la Russie pour échapper aux intrigues tramées contre lui à la cour. En retrouvant son pays, il retombe dans les traquenards et les clabauderies. Autour de lui se groupent, au Comité central, quatre partisans de la réforme. Mais ils ont en face d'eux cinq adversaires, dont Panine, qui s'obstine à défendre le droit de propriété absolue et le droit de police locale des seigneurs. L'empereur, impatient, presse son frère de se mettre d'accord avec les opposants. De guerre lasse, après quarante séances de chamailleries, Constantin accepte, par transaction, de réduire la dimension des parcelles attribuées aux paysans. Le 26 janvier 1861, l'empereur en personne assiste à la dernière réunion du Comité central et annonce qu'il refusera tout nouveau délai et toute nouvelle rectification. Il conclut son intervention en déclarant d'une voix ferme : « Je désire, j'exige et j'ordonne que tout soit terminé le 15 février. Vous ne devez pas oublier, messieurs, qu'en Russie c'est le pouvoir autocratique qui élabore et publie les lois. »

Trois jours plus tard, le projet du Comité central vient en dernière instance devant le Conseil d'Empire. À cette occasion, Alexandre prononce devant les conseillers un long discours en faveur de l'adoption du texte qui leur est proposé : « L'œuvre d'affranchissement des paysans est une question vitale dont dépend le développement des forces et de la puissance de la Russie... L'affaire doit être terminée avant la mi-février et annoncée au peuple avant le commencement des travaux des champs... Le but de cette mesure doit être l'amélioration du sort des paysans, non seulement en paroles ou sur le papier, mais dans les faits... Laissant de côté vos intérêts personnels, vous devez agir non comme des propriétaires, mais comme des dignitaires d'État, revêtus de ma confiance. » La haute assemblée est d'autant plus émue par cette harangue que le tsar ne lit pas un texte mais semble improviser en toute liberté, selon sa conviction profonde. L'un des assistants, Golovine, écrit : « Ce discours a placé le souverain très au-dessus de tous ses ministres et de tous les membres du Conseil. Tous ceux-là m'ont paru diminués, alors qu'il grandissait démesurément. À présent, il a acquis l'immortalité[1]. »

Enfin, le 19 février 1861[2], Alexandre appose sa signature au bas du statut des paysans libérés du servage. En accomplissant ce geste symbolique, il a le sentiment d'avoir justifié sa présence sur le trône. Certes, il n'ignore pas que cette réforme, comme toutes les réformes, est imparfaite, qu'elle est le résultat de cent compromis, qu'elle rencontrera de grandes difficultés d'application et qu'elle engendrera quelques injustices, mais il lui semble avoir, à la force de ses épaules, tiré le char de la Russie hors de la fondrière où il était embourbé. Ce que ses ancêtres n'ont su accomplir, il l'a réussi, vaille que vaille, après cinq ans de batailles ininterrompues. Dût-il disparaître demain, son règne, pense-t-il, n'aura pas été inutile. Et pourtant, il n'a pas, il le sait, la volonté brutale de son père Nicolas Ier, l'intelligence politique de son oncle Alexandre Ier. Simplement, une tendresse infinie pour son peuple et le désir de bien faire.

Un manifeste solennel, dont la rédaction a été confiée au très vénéré métropolite Philarète, porte l'événement à la connaissance de la nation. Il se termine par ces mots : « Fais ton signe de croix, peuple orthodoxe, et invoque avec Nous la bénédiction de Dieu sur ton travail personnel, gage de ta prospérité individuelle et du bien public. » Des règlements officiels précisent les modalités de l'affranchissement. Les serfs obtiennent immédiatement les droits des citoyens libres. L'autorité de police du seigneur passe à la « commune rurale », devenue autonome. Les paysans reçoivent la jouissance perpétuelle de leur maison, de l'enclos attenant et d'un lot de terre correspondant à celui qu'ils ont exploité dans le passé. Mais ils doivent racheter ces terres au seigneur. Seuls les serfs domestiques sont

1. Lettre à Boriatinski, du 15 février 1861.
2. Le 2 mars 1861 selon le calendrier grégorien.

émancipés sans terre. Pendant deux ans, les paysans resteront astreints aux anciennes corvées et redevances. Cette période transitoire permettra de conclure des accords de rachat entre les seigneurs et les « communes rurales », les tractations étant conduites et supervisées par des « arbitres de paix », choisis parmi les nobles de la région. Afin de faciliter ce transfert de biens, l'État versera la somme convenue directement au seigneur et se fera rembourser par les agriculteurs en quarante-neuf ans, à raison de six kopecks d'intérêt par rouble prêté. Il est à noter que, dans les communes rurales, la jouissance des terres cultivables sera collective, le « mir », assemblée de paysans, répartissant les lots entre tous ses membres et étant responsable de tous les impôts.

Reste à fixer la quantité de terres concédées : en principe, le paysan a droit à une parcelle égale à celle qu'il exploitait avant son émancipation. Mais cette règle est soumise à d'innombrables correctifs, pour tenir compte de la nature du sol, du climat, des coutumes locales. À cet égard, la Russie est divisée en trois zones : les terres noires ou fertiles, les terres non fertiles et les steppes, elles-mêmes subdivisées en seize catégories.

Ce système compliqué décourage vite les efforts des « arbitres de paix », tous volontaires et bénévoles, parmi lesquels, dans un élan de générosité, s'enrôlent des hommes aussi remarquables que Samarine, Tcherkasski et Léon Tolstoï. Jouant des différentes clauses de la nouvelle législation, les seigneurs s'ingénient à se débarrasser des terres sablonneuses, marécageuses ou difficiles d'accès pour conserver les plus rentables. Une disposition diabolique, introduite au dernier moment par le prince Gagarine, sert d'appât aux moujiks ignorants : selon ce texte, les paysans peuvent, s'ils le souhaitent, recevoir immédiatement et sans payer la moindre redevance le quart du lot prévu en leur faveur. Alléchés par ce don réduit mais gratuit, nombreux sont ceux qui donnent dans le panneau et se condamnent, du même coup, à la misère.

Dans l'entourage de l'empereur, on craint des troubles à

l'annonce de l'émancipation. Les réactions de la populace sont imprévisibles. Une explosion de joie peut fort bien dégénérer en émeute. Dès la veille du 19 février, des détachements de l'armée et de la police veillent aux abords des édifices publics. Les officiers sont consignés dans leurs casernes. Les rassemblements sont interdits. Quelques seigneurs jugent prudent de partir pour l'étranger. Dans les grandes maisons, on évite de parler de « la chose » devant les domestiques. Par mesure de précaution, le gouvernement retarde jusqu'au 5 mars la publication du manifeste à Saint-Pétersbourg et à Moscou.

Ces inquiétudes se révèlent, dès l'abord, excessives. À l'apparition d'Alexandre sur le Champ de Mars, le peuple l'acclame. On salue en lui « le tsar libérateur ». Pendant toute une semaine, les manifestations d'allégresse et de loyalisme se succèdent dans les deux capitales. Vingt mille ouvriers se présentent sur la place du palais pour offrir à Sa Majesté le pain et le sel. Satisfait, Alexandre fait frapper une médaille à son effigie, avec l'inscription : *Je vous remercie*, et la remet, le 17 avril, jour de son anniversaire, à tous ceux qui l'ont aidé dans sa tâche.

Mais, très vite, il constate qu'il a eu tort de se réjouir. Dans le pays profond, le manifeste, rédigé en style emphatique par le métropolite Philarète, apparaît comme une sorte de prière incompréhensible et inopérante. Rassemblés dans toutes les églises de l'empire, les moujiks entendent des prêtres lire en marmonnant dans leur barbe les conditions de la nouvelle vie du peuple. Il est question, dans ce texte obscur, du devoir des fidèles envers Dieu et des sujets envers les autorités établies. Une seule chose frappe les esprits simples : les serfs devront rester deux ans encore dans leur ancien état. Les « arbitres de paix » ont beau leur expliquer que c'est là un délai bien court pour élire des assemblées rurales, des « starostes [1] », élaborer des chartes, effectuer la mesure et le bornage des lots d'un bout

---

1. Le staroste est l'ancien du village.

à l'autre de la Russie, ils ont l'impression d'être trompés par la
clique des nobles. On chuchote, dans les villages, que le vrai
document du tsar a été volé par les seigneurs et qu'ils lui ont
substitué un manifeste truqué à leur avantage. Et ce ne sont pas
les quatre cents pages du règlement officiel distribué aux
starostes qui peuvent dissiper le malentendu. Perdus dans le
fouillis grisâtre des circulaires administratives, les futurs
hommes libres se méfient. L'indépendance et la propriété qu'on
leur offre leur paraissent de dangereuses attrapes. Ne va-t-on
pas en profiter pour leur tondre, une fois de plus, la laine sur le
dos ?

Alexandre perçoit à distance les échos de cette animosité et en
souffre. Les idées les plus généreuses se déforment en descendant sur terre. Agir, c'est trahir. Gouverner, c'est décevoir. Le
principal réconfort du tsar lui vient de son frère Constantin, de
sa tante Hélène et de quelques nobles éclairés qui ont compris
qu'en sacrifiant une partie de leurs privilèges ils travaillaient à
l'unification de la nation russe.

V

L'AFFAIRE POLONAISE

La mise en application de la grande réforme se révèle plus délicate qu'Alexandre ne le prévoyait. La plupart des notables sollicités pour être des « arbitres de paix » entre les propriétaires fonciers et les serfs se dérobent sous de mauvais prétextes. Soucieux avant tout de leur tranquillité personnelle, ils répugnent à se lancer dans des palabres et des marchandages dont personne ne leur saura gré. Trois longs mois s'écoulent avant que tous les districts ne soient pourvus de ces agents conciliateurs. Leurs explications, cent fois répétées, ne convainquent pas les paysans. Une légende circule dans les campagnes les plus reculées selon laquelle les moujiks n'auraient qu'à s'adresser directement au tsar pour obtenir toute la terre qu'ils désirent. Pourquoi le souverain leur refuserait-il cette faveur puisqu'il peut frapper autant de monnaie qu'il veut pour dédommager les propriétaires ? L'incompréhension du menu peuple prend des proportions telles que des soulèvements se produisent dans certaines provinces. Près du village de Bezdna (gouvernement de Penza), cinq mille moujiks, entraînés par un fanatique de la secte des Vieux Croyants, Antoine Petrov, s'opposent à la troupe qui veut les disperser. Le général Apraxine, qui se prépare à les haranguer, est reçu par des cris de haine. « Nous n'avons pas besoin d'un envoyé du tsar ! hurlent les insurgés. Donnez-nous le tsar en personne ! » Perdant son sang-froid, le général ordonne de faire feu. Les soldats obéissent. Bilan : cinquante et un morts et soixante-dix-sept blessés parmi les protestataires. La nouvelle de ce massacre stupide consterne les milieux intellectuels. À Kazan, le professeur Chtchajov fait dire, devant ses étudiants, une messe de *Requiem* à la mémoire des victimes. L'empereur voit dans cette manifestation une offense au pouvoir. Les moines qui ont servi la messe sont exilés au monastère de Solovki.

Aussitôt après la publication du manifeste, Alexandre Herzen, le révolutionnaire exilé à Londres, a écrit avec enthousiasme dans son journal *La Cloche* : « Alexandre II a fait beaucoup, énormément ; son nom est, dès maintenant, plus glorieux que celui de tous ses prédécesseurs. Il a combattu au nom des droits de l'homme, au nom de la pitié, la foule avide des scélérats endurcis, et il les a brisés !... De notre exil lointain, nous le saluons du nom qui se rencontre rarement dans l'histoire de l'autocratie sans provoquer des sourires amers, du nom, dis-je, de tsar libérateur. » Mais, bientôt instruit par les événements, il se rétracte : « Pourquoi cet homme [le tsar] n'est-il pas mort le jour où il fit connaître au peuple russe le manifeste d'émancipation ? » Un autre socialiste fameux, Tchernychevski, note de son côté : « J'ai honte de me rappeler ma confiance prématurée ! »

Cependant, le travail des « arbitres de paix » se poursuit. Aux quatre coins de la Russie, on calcule, on rapetasse, on discute, on triche. Paysans et seigneurs jouent au plus fin. L'empire n'est plus qu'une immense foire. Des disputes éclatent autour d'un champ, d'un boqueteau, d'un ruisseau, d'une haie. Tout le monde est mécontent. Et les plus mécontents de tous sont ceux qui n'ont rien à perdre ni rien à gagner dans l'affaire. Autrement dit, les étudiants.

Depuis l'avènement d'Alexandre, ils ont redressé la tête. Le nouveau tsar leur a ouvert largement l'accès aux universités et les a dispensés du port de l'uniforme. Ils peuvent choisir à leur guise les conférences qu'ils désirent entendre. La plupart se ruent aux cours d'histoire, d'économie politique et de droit, espérant y puiser des recettes de bonheur pour la Russie. Certains de leurs professeurs reviennent de l'étranger où ils sont allés parfaire leurs connaissances. On boit leurs paroles avec l'avidité des néophytes. Du haut de leur chaire, ces voyageurs de l'esprit prônent un socialisme à l'européenne. Le journal incendiaire de Herzen, *La Cloche*, introduit clandestinement en Russie, passe de main en main. On en commente les articles, par petits groupes chuchotants, comme les versets d'une Bible. Bientôt, tout adolescent désireux de s'instruire se sent impliqué dans une conspiration diffuse. Pour la jeunesse russe, apprendre, c'est refuser l'ordre établi. Dès 1857, de graves émeutes se produisent à Kiev, puis à Moscou, où la police blesse des étudiants en essayant de contenir une manifestation. Débonnaire, Alexandre refuse de considérer qu'il s'agit là d'une révolte contre le régime et demande qu'on prenne des sanctions à l'égard des policiers trop zélés. Mais, quelques mois plus tard, les étudiants de Kharkov se soulèvent à leur tour.

C'en est trop ! Puisque, dans ce pays, la science conduit à l'insubordination, il faut trier sévèrement ceux qui auront le droit de s'asseoir sur le banc des différentes facultés. Seuls les bons esprits recevront la manne. En 1859, première hécatombe : soixante-treize postulants sur trois cent soixante-quinze sont admis à l'université de Saint-Pétersbourg et cent cinquante-deux sur cinq cents à celle de Moscou [1]. Dans les autres universités, le barrage contre les amis du prolétariat se dresse avec la même rigueur. Alexandre regrette d'être contraint de prendre ces mesures restrictives. Mais, enclin à la tolérance par tempérament et par éducation, il doit, à chaque instant, se garder d'être débordé par la fougue d'un peuple brusquement

---

1. Cf. Constantin de Grunwald, *op. cit.*

réveillé de sa torpeur séculaire. Certains de ses conseillers le poussent à fermer purement et simplement les établissements d'enseignement supérieur en attendant la réorganisation du système. Il se contente de remplacer le ministre de l'Instruction publique, Kovalevski, jugé trop libéral, par le comte Poutiatine, vice-amiral, dont l'énergie saura, pense-t-il, rétablir la discipline parmi la jeunesse.

Une mutation plus importante s'opère au sommet du ministère de l'Intérieur. Les adversaires de la réforme ont réussi à avoir la tête du vieux comte Lanskoï et de ses adjoints, Nicolas Milioutine, Samarine et Tcherkasski. Le nouveau ministre, comte Pierre Valouev, n'a pas pris part à l'élaboration du projet d'affranchissement des serfs, mais il y est secrètement hostile. À son avis, on a dressé brutalement et inutilement l'une contre l'autre deux classes de la société russe : les propriétaires et les paysans. Il aurait fallu poser le principe de la révision du statut des moujiks et laisser les choses se développer progressivement, organiquement, au gré des circonstances. « On ne plante pas le blé en gerbes, on commence par semer le grain », écrit-il dans son Journal. Sa présence aux côtés de l'empereur est interprétée par tous comme un retour à une tendance conservatrice. Elle rassure les nobles qui craignaient un engouement excessif du tsar pour les couches les plus défavorisées de la population. Témoin de ces hésitations entre deux extrêmes, le chargé d'affaires de France, Fournier, écrit à Paris : « On sent chez les dirigeants une certaine émotion, un besoin d'essayer de nouveaux instruments pour parer à ce que la situation peut avoir d'imprévu, d'insolite et de préoccupant. Malheureusement, tous ces généraux, que l'on fait succéder à des généraux, ne passent pas pour être plus au courant que leurs devanciers des besoins de la situation nouvelle. »

Ayant eu l'occasion d'approcher le vice-amiral Poutiatine, nouveau ministre de l'Instruction publique, l'ambassadeur d'Angleterre, lord Napier, écrit de son côté : « C'est un officier de marine très distingué, il possède une éducation scientifique, l'habitude du commandement. Il a passé une grande partie de sa vie à l'étranger, où il a épousé une Française. De ce fait, il a probablement acquis une connaissance du monde, quelques idées libérales et un penchant pour des innovations utiles. Mais il est devenu presque un étranger dans son pays natal ; il ne sait rien des sentiments et des aspirations de la jeunesse russe ; il ne connaît personne parmi les hommes de lettres de son pays ; il n'a jamais étudié précédemment les problèmes dont il aura à s'occuper maintenant. Il est donc permis de se demander s'il possède les qualités requises pour son nouvel emploi et s'il n'aurait pas mieux fait d'y renoncer sur-le-champ pour éviter des échecs futurs[1]. »

Et, de fait, malgré la nomination significative de Poutiatine comme ministre de l'Instruction publique, les troubles dans les universités reprennent. À croire que les étudiants ont la « maladie prolétarienne » au ventre. À présent, ils protestent contre l'exclusion de certains de leurs camarades, contre le droit d'entrée payant pour les cours qui, jusque-là, étaient gratuits, contre l'interdiction de se rassembler pour discuter de politique. Tout leur est bon pour clamer leur indignation face aux autorités. On en arrête quelques-uns, pour l'exemple, et on les jette en prison où, loin de s'amender, ils cultivent la rage étincelante des martyrs.

Mais ce ne sont pas les remous de la jeunesse universitaire qui préoccupent le plus Alexandre. Son avènement a suscité de dangereux espoirs en Pologne. Là, on ne se passionne pas pour la libération des serfs, puisque le servage a été aboli dans le pays depuis l'introduction du code Napoléon, mais pour la libération de la nation tout entière, soumise à la tutelle russe. La charte constitutionnelle, accordée à la Pologne par Alexandre Ier en 1815, a été abrogée après l'écrasement par Nicolas Ier de l'insurrection polonaise, en 1831. Cependant les Polonais espèrent encore une résurrection et même un agrandissement

1. Cf. Constantin de Grunwald, *op. cit.*

de leur territoire. Certes, Alexandre II a déclaré, en 1856, aux députés de la noblesse réunis à Varsovie : « Point de rêveries. Soyez unis à la patrie et abandonnez ces rêves d'indépendance impossibles désormais à réaliser. » Mais, toujours enclin à la tolérance, il a octroyé une amnistie aux anciens rebelles, restitué les biens confisqués, délivré des passeports pour l'étranger et nommé vice-roi le libéral prince Michel Gortchakov, dernier défenseur de Sébastopol. Ces marques de bienveillance, au lieu d'apaiser les esprits, les incitent à demander davantage. La noblesse, le clergé, la jeunesse universitaire, les notables, tous s'entendent pour exiger la fin de la domination russe. Disséminés à l'étranger, des Polonais émigrés plaident la cause de leurs compatriotes. À Paris, ils enflamment l'opinion publique et touchent le cœur de Napoléon III. Peu à peu, l'affaire polonaise devient l'affaire de l'Europe. En Pologne même, les événements se précipitent. Une « Société agricole », officiellement réunie à Varsovie au mois de février 1861 pour examiner les rapports entre les paysans et les propriétaires fonciers, est aussitôt détournée de son but par les conspirateurs et transformée en un centre de propagande nationale.

Averti de ces troubles, Alexandre d'abord n'en prend pas ombrage. « Je n'ai pas conquis la Pologne, j'en ai hérité, et mon devoir est de la maintenir, dit-il au duc de Montebello, ambassadeur de France. J'ai la conviction d'avoir fait pour elle tout ce qui était en mon pouvoir. » Mais, le 13 février 1861, des tracts invitent la population de Varsovie à se rassembler sur la place de la Vieille Ville (Staroïé Miesto) et à marcher en procession jusqu'au palais du gouvernement pour célébrer l'anniversaire de la bataille victorieuse de Grokhovo, livrée par les insurgés en 1830. Brandissant torches et bannières, chantant des cantiques religieux et des hymnes nationaux, la foule est bientôt dispersée par les policiers du colonel Trepov. Le surlendemain, les manifestations reprennent. Les forces de l'ordre sont attaquées à coups de pierres. Elles ripostent en tirant dans le tas. La multitude se disperse en hurlant : six morts, six blessés. Aussitôt, le comte André Zamoïski, président de la Société agricole, réunit ses amis et rédige une adresse au tsar pour exiger, « au nom du pays tout entier », que soient rétablis en Pologne les droits de l'Église, de la législation et de l'instruction traditionnelles, bref qu'on rende à la nation son originalité et son autonomie. Cette adresse est portée par une délégation au prince Michel Gortchakov, lequel, perdant la tête, s'engage à transmettre la pétition à l'empereur, autorise des funérailles solennelles pour les victimes, promet de tenir la police à l'écart le jour de l'enterrement, accepte de retirer son commandement au colonel Trepov et ordonne de relâcher tous les manifestants arrêtés.

La hardiesse folle des Polonais et la faiblesse de Michel Gortchakov stupéfient Alexandre. Il enjoint au prince de se montrer plus ferme. « Faites savoir aux intéressés que vous ne pouvez me transmettre l'adresse qu'ils vous ont remise en raison de l'inconvenance et de l'inconséquence des souhaits qu'elle exprime, lui écrit-il. Si les troubles reprennent, Varsovie doit être mise en état de siège. En cas de nécessité, bombardez la ville à partir de la citadelle. »

Cet accès de fureur apparaît comme une irruption de l'ombre de Nicolas Ier dans la vie d'Alexandre. Quand on touche à l'héritage du règne précédent, il voit rouge. C'est son père et non plus lui qui donne des ordres comminatoires. Nicolas ne lui a-t-il pas dit sur son lit d'agonie : « Tiens tout » ? Le principal danger pour la Russie, ce serait l'éclatement de l'empire sous la poussée des nationalités disparates qui le composent. Il est urgent de resserrer les écrous. Puis, Alexandre se ressaisit et revient à sa modération habituelle. Sagement, il convoque ses ministres pour recueillir leurs avis sur l'affaire polonaise. La plupart d'entre eux estiment, comme lui, qu'il ne faut pas céder aux émeutiers sous peine de voir s'effriter les contours de l'État. Cependant, tous reconnaissent que bien des promesses faites aux Polonais n'ont pas été tenues. N'est-il pas temps de changer de politique ? Alexandre juge, pour sa part, qu'un gouvernement digne de ce nom peut accorder des concessions sans être pour cela taxé de mollesse. Sa colère étant retombée, il décide de faire appel, pour résoudre la crise, à un grand seigneur polonais, le marquis Wielopolski. Celui-ci rêve d'une réconciliation entre les deux nations slaves. Mais il se rend compte de l'impossibilité pour la Russie d'accepter l'existence d'une Pologne indépendante. Contre toute équité, l'histoire, la géographie, la stratégie interdisent au tsar de se séparer de cet État tampon. Tout ce que peuvent espérer les Polonais, c'est un semblant d'autonomie sous l'égide du grand protecteur russe. Tandis que ses compatriotes se grisent encore de farouches illusions, Wielopolski, plus réaliste, prépare l'empereur à des réformes raisonnables. Séduit par ses arguments, Alexandre finit par accorder à la Pologne un Conseil d'État, une Commission de l'Instruction publique et des Cultes, une réforme générale des établissements scolaires, des conseils de gouvernement et de districts.

Nommé président de la Commission de l'Instruction publique et membre d'un conseil de gouvernement, Wielopolski devient, dans le pays, un personnage plus important que Michel Gortchakov lui-même. Tout repose sur cet homme intègre qui veut prêcher la collaboration avec la puissance occupante. Mais le seul fait qu'il ait été désigné par le tsar le rend suspect aux extrémistes. Ils voient en lui non un conciliateur, mais un valet de l'ennemi. À peine est-il installé dans ses fonctions que les manifestations reprennent. À Varsovie, sur l'ordre des organisations clandestines, les hommes revêtent des costumes nationaux et les femmes des robes de deuil. On chante des hymnes révolutionnaires dans les églises ; on conspue les policiers dans les rues ; on brise les vitres des maisons habitées par les officiers russes.

Alexandre se rebiffe. Pourquoi faut-il que l'incompréhension et la haine répondent à ses initiatives les plus généreuses ? N'y a-t-il d'autre recours que la violence dans le différend russo-polonais ? Une fois de plus, après avoir tendu la main, il la retire ; après avoir été lui-même, il redevient son père. Il oscille entre les tendances aimables de son caractère et une fatalité dynastique qui le dépasse. Cette alternative lui semble un signe de son destin.

Malade, épuisé par un combat politique au-dessus de ses moyens, Michel Gortchakov meurt inopinément. Pour rétablir la situation, Alexandre dépêche à Varsovie le général Soukhoza-net, ministre de la Guerre, et, un peu plus tard, comme successeur de Michel Gortchakov au poste de vice-roi, le général Lambert. Probe, rude et zélé, le général Soukhozanet est partisan de la manière forte. Pour lui, on ne discute pas avec les rebelles, on les élimine. Il fait juger certains manifestants par des conseils de guerre, selon une procédure accélérée, et exile les autres dans des provinces éloignées sur simple décision administrative. Ces représailles ne sont pas du goût de Wielo-polski, lequel continue à croire aux effets de la persuasion. Le nouveau vice-roi, le comte Lambert, pris entre l'intransigeant Soukhozanet et le conciliant Wielopolski, donne raison tantôt à l'un, tantôt à l'autre. Dans cette équivoque, les troubles s'intensifient. Les soldats pénètrent dans les églises où les fidèles prient Dieu de les délivrer des Russes. On arrête un millier de personnes coupables de chanter des hymnes révolu-tionnaires, face à l'autel. Le prélat Bialobrejski, vicaire de l'archevêché, proteste contre ce « retour à l'époque d'Attila » et ordonne la fermeture de tous les lieux de culte. Affolé, le vice-roi Lambert accuse le général Gerstenzweig, commandant les troupes de Varsovie, d'avoir outrepassé les ordres reçus. Ne pouvant supporter ce désaveu, Gerstenzweig se tire une balle dans la tête. Ce drame ébranle définitivement la volonté de Lambert. Il supplie le tsar de le relever de ses fonctions. Alexandre le remplace par le général Luders. Mais Wielopolski, en continuelle opposition avec Soukhozanet, demande, lui aussi, à sortir du guêpier. Cette fois, le tsar refuse. Aussitôt, Soukhozanet écrit à l'empereur pour lui signaler le péril que représente le maintien à Varsovie de cet homme enclin à tout pardonner aux Polonais. « Il [Wielopolski] continue à désobéir avec extravagance, affirme Soukhozanet. J'hésite à prendre contre lui des mesures décisives, mais il serait dangereux de supporter ses agissements. » Alexandre se laisse fléchir et télégraphie au ministre de la Guerre : « Votre lettre et ses explications m'ont définitivement convaincu que Wielopolski ne peut plus être toléré à Varsovie. En conséquence, communiquez-lui mon ordre de se présenter immédiatement ici [à Saint-Pétersbourg]. S'il ose désobéir, faites-le arrêter, internez-le dans la citadelle et rendez-moi compte de votre action. »

Wielopolski demande quelques jours pour se préparer au voyage. Le temps d'acheter une bonne pelisse et une voiture confortable. En arrivant à Saint-Pétersbourg, il trouve, là aussi, les esprits divisés. Le grand-duc Constantin, la grande-duchesse Hélène sont résolument de son bord et ne voient de salut que dans la tolérance à l'égard de la nation sœur. Sous leur influence, le tsar change pour la troisième fois d'opinion et reconnaît, devant Wielopolski, qu'il faut séparer en Pologne l'autorité militaire et l'autorité civile. Allant plus loin, il décide de confier cette administration civile à son visiteur. Quant au poste de vice-roi, il le réserve à son frère, le grand-duc Constantin, dont le libéralisme bien connu saura à la longue, pense-t-il, désarmer l'hostilité des Polonais.

Or, la nomination de Constantin et le retour à Varsovie de Wielopolski, tous deux dépositaires de la confiance impériale, ne font qu'exaspérer l'audace des résistants. Le 15 juin, un inconnu décharge son pistolet sur le vice-roi intérimaire Luders, lui fracassant la mâchoire. Le 21 juin, à sa sortie du théâtre, c'est le grand-duc Constantin qui essuie un coup de feu. La balle, ayant traversé son épaulette, le blesse légèrement à l'épaule. Très calme, Constantin télégraphie à son frère : « Mon épouse n'a pas été autrement effrayée. On l'a prévenue avec ménagement. L'agresseur se nomme Iarochinski. C'est un tailleur. » Et, quelques jours plus tard, s'adressant aux notables polonais qui le félicitent d'avoir échappé à la mort, il déclare :

« C'est le deuxième attentat en une semaine. La Providence m'a protégé et je considère qu'il s'agit là d'un événement heureux, parce qu'il démontre au pays à quel point est arrivée la contagion. Je suis profondément convaincu que la noble et généreuse nation polonaise refuse son approbation à des crimes de ce genre. Mais les mots ne suffisent pas, il faut des actes. Mon frère veut votre bonheur : c'est pour cela qu'il m'a envoyé ici. Je compte sur votre concours pour pouvoir accomplir ma mission. » À ces paroles de paix répondent deux nouveaux attentats, dirigés, cette fois, contre Wielopolski. Les coupables, qui ont manqué leur coup, sont arrêtés, jugés et pendus, avec le tailleur Iarochinski, dans la citadelle.

Ces exécutions, au lieu d'intimider les Polonais, exaltent leur esprit de revanche et les manifestations antirusses se multiplient. Alors, Wielopolski imagine de lever en Pologne des recrues pour l'armée, non plus par tirage au sort mais sur listes. Ces listes comprennent tous les jeunes gens suspects de menées révolutionnaires. Or, la plupart d'entre eux sont prévenus à temps par des complices qu'ils possèdent dans l'administration militaire locale. Ils s'enfuient de Varsovie et forment, dans les forêts avoisinantes, des bandes de rebelles armés de faux, de coutelas, de sabres et de vieux fusils. Leur exemple est suivi sur toute l'étendue du territoire polonais. Quand leur nombre est jugé suffisant, le Comité secret qui les dirige ordonne un soulèvement général dans la nuit du 10 au 11 janvier 1863[1]. Les insurgés attaquent, en divers points, les garnisons de l'occupant. Une bataille rangée se déroule devant Wengrov, au cours de laquelle les Russes dispersent les assaillants. Selon Montebello, Alexandre, ayant appris cet engagement meurtrier, serait entré chez l'impératrice et, portant les deux mains à son front, aurait gémi : « Que je suis malheureux ! Je suis forcé de répandre le sang, et cela sans gloire ! » C'est le cri du cœur. Une fois de plus, le devoir du monarque contrecarre en lui les

---

1. La nuit du 22 au 23 janvier, selon le calendrier grégorien.

souhaits de l'homme. S'il n'envoie pas immédiatement un corps expéditionnaire pour exterminer les rebelles, il aura certes droit au satisfecit de l'étranger, on le félicitera même, peut-être, dans les journaux français, mais les Russes ne comprendront pas qu'il accepte un tel camouflet de la part des trublions séparatistes de Pologne. En vérité, il lui semble obéir à une malédiction historique, selon laquelle plus un souverain russe est admiré hors des frontières, plus ses sujets redoutent qu'il ne trahisse leur cause pour la vaniteuse satisfaction de plaire au monde entier. Alexandre doit choisir entre la considération internationale et la gratitude nationale. Dans le premier cas, il se grise de principes philosophiques ; dans le second, il défend l'intégrité de son bien avec la froide rage d'un thésauriseur de populations et de terres.

Bien qu'il soit très affecté par les mauvaises nouvelles qu'il vient de recevoir de Pologne, il ne peut enfreindre le protocole et assiste, le soir même, à un bal à l'Ermitage. D'après les témoins, son teint est livide et ses yeux sont chargés d'une tristesse funèbre. Il a déclaré, dans la journée, aux officiers de la Garde : « Je ne rends pas la nation polonaise responsable de ces événements dans lesquels je vois l'action de ce parti révolutionnaire qui s'efforce de détruire partout l'ordre légal. » Obéissant à son désir, le gouvernement fait savoir qu'il ne reviendra sur aucune de ses concessions après le rétablissement de la paix publique. Le prince Alexandre Gortchakov [1], ministre des Affaires étrangères, exprime la même idée en des termes plus crus lorsqu'il dit : « Il est heureux que cet abcès soit mûr ; maintenant, on pourra le percer et ensuite appliquer le régime doux et conciliant. »

Pour « percer l'abcès », des renforts de troupes sont hâtivement dirigés vers la Pologne. Ordre est donné d'intensifier la répression et d'exécuter sur-le-champ les rebelles pris les armes

---

1. Ne pas confondre avec son homonyme, le prince Michel Gortchakov, vice-roi de Pologne, décédé en 1861.

à la main. Mais, dispersées en un endroit, les bandes d'insurgés se reforment ailleurs. C'est une guerre de harcèlement, marquée par des escarmouches nocturnes, au milieu d'une population entièrement acquise aux partisans. Ni les menaces ni les promesses n'entament la volonté des patriotes. Un gouvernement fantôme est constitué sous la présidence d'abord de Mieroslawski, puis de Langlewicz. Aux offres de conciliation de Saint-Pétersbourg, les chefs de la résistance répondent : « Nous préférons cent mille fois la Sibérie, le gibet, la sublime folie de la Croix à l'ignominieuse insulte de l'amnistie. »

Bientôt, le Comité secret se transforme en « gouvernement national » et proclame que son but est l'indépendance absolue de la Pologne, de la Lituanie et de la Ruthénie, parties intégrantes du libre royaume polonais. Il place sur son sceau les armes de ces différentes contrées, comme dans les siècles révolus. Or, une telle prétention est inacceptable pour un tsar de Russie. Alexandre est ligoté par le passé de son pays. S'il lui est loisible, à la rigueur, d'accorder un semblant d'autonomie à la Pologne proprement dite, il ne peut, sans amputer le territoire que lui ont légué ses ancêtres, abandonner les provinces lituaniennes et ukrainiennes où l'élément polonais est minoritaire face à la masse des populations biélorussiennes et petit-russiennes. L'heure est donc venue, pour les Russes, de frapper un coup décisif. Deux cent mille hommes sont concentrés dans les régions menacées par la « gangrène révolutionnaire ». Rappelé à Saint-Pétersbourg, le trop tendre Constantin est remplacé à Varsovie par le comte Fedor Berg, connu pour sa vanité et son énergie. La révolte s'étant rapidement étendue aux provinces lituaniennes, Alexandre envoie comme gouverneur à Vilna un autre homme de fer, Michel Mouraviev, précédemment ministre des Domaines de la Couronne. Son collègue Valouev dit de lui : « C'est un khan, un pacha, un mandarin, tout ce que vous voulez, mais pas un ministre. » Intelligent, rude, obséquieux et cruel tout ensemble, le nouveau gouverneur de Vilna gagne vite le sobriquet de « Mouraviev le pendeur ».

En Pologne comme en Lituanie, la grande purge commence. Par milliers, les Polonais sont arrêtés, exécutés ou expédiés aux travaux forcés en Sibérie. Les directions locales des cultes, des contributions, des relations postales sont rattachées à l'administration centrale de Saint-Pétersbourg. L'emploi de la langue russe devient obligatoire pour tous les fonctionnaires. On ferme les couvents dont les religieux sont soupçonnés d'avoir aidé les partisans. Moines et nonnes sont chassés, en pleine nuit, de leurs asiles et dirigés sur des monastères plus sûrs. Le pape Pie IX proteste. En vain. Trois ans plus tard, ce sera la rupture du Concordat.

Pour la Lituanie, Michel Mouraviev perfectionne la méthode. Il ne peut tolérer qu'une faible minorité polonaise agite la province. Sur simple dénonciation, les suspects sont exilés et dépouillés de leurs biens. Interdiction est faite aux Polonais d'acquérir de nouvelles terres. Leur accès aux fonctions d'administration est sévèrement limité. On n'apprend plus le polonais dans les écoles. Quant aux couvents, la plupart sont fermés, comme en Pologne, pour éviter qu'ils ne servent de refuge aux résistants.

Au bout de quelques mois, le pays est écrasé, pacifié, et Alexandre accorde à Michel Mouraviev, en remerciement de ses efforts, l'ordre de Saint-André. De son côté, Fedor Berg peut bientôt annoncer à son souverain qu'en Pologne, où la population a été épurée, dispersée, décimée, le calme règne à nouveau. Même les femmes, par crainte des amendes, ont quitté le deuil et ressorti leurs robes de couleur. Quant aux chefs des mutins, la plupart ont fui à l'étranger.

En Russie, à de rares exceptions près, l'opinion publique approuve l'action gouvernementale. On ne peut à la fois être russe et souhaiter la partition. Autant accepter de voir arracher une livre de chair à la mère patrie. Oui, cette idée de division, d'abandon est physiquement insupportable aux sujets d'Alexandre. Les journaux l'écrivent. Les hommes de tous bords le répètent dans les salons. Alexandre est porté à bout de bras.

Il en va autrement à l'étranger, et surtout en France, où la presse traite les Russes de « barbares sanguinaires » et soutient ouvertement la cause des rebelles. Ceux-ci savent qu'ils peuvent compter sur la sympathie de Napoléon III, l'ancien carbonaro. Cependant, familier des Tuileries, Prosper Mérimée écrit à Panizzi, le 25 juin 1863 : « Tout le bruit qu'on fait au Parlement britannique, on aurait pu le faire avec autant de raisons à Saint-Pétersbourg, lors de la révolte des cipayes de l'Inde. Personne ne trouvait à redire lorsque le capitaine Hodgton tuait de sa main les deux fils du Grand Mogol, coupables d'avoir eu des sujets qui avaient violé des Anglaises, et l'on jette feu et flamme lorsque les Russes pendent des officiers qui ont quitté leurs régiments pour prendre parti parmi les insurgés. Nous faisons très justement fusiller à Puebla des Français que nous avons attrapés. »

Cette opinion, toute en nuances, n'est pas celle des différents cabinets européens. Les protestations diplomatiques pleuvent, de droite et de gauche, sur la table d'Alexandre Gortchakov, qui y répond aussitôt avec élégance et autorité. Aux remontrances de Londres, il oppose l'assurance que le système introduit par la Russie en Pologne est destiné à être remplacé, peu à peu, par une constitution de type anglo-saxon. Il affirme à Vienne que le soulèvement polonais est le résultat d'une « révolution cosmopolite ». Il remercie les États-Unis de leur refus d'intervenir dans les affaires du Vieux Continent. Il signale au Vatican « l'alliance des pasteurs de l'Église avec les fauteurs de troubles qui menacent la société ». Son habileté à se battre sur tous les fronts fait l'admiration de ses compatriotes.

Le 17 juin 1863, Paris, Londres et Vienne font tenir à Alexandre Gortchakov une dépêche résumant en six points les garanties que les trois gouvernements réclament pour la Pologne : amnistie générale, administration autonome, représentation nationale, liberté du culte catholique, usage exclusif du polonais comme langue officielle, établissement d'un système de recrutement régulier et légal. Ces prétentions se heurtent à une fin de non-recevoir catégorique. Mais si, en s'adressant à l'Angleterre et à l'Autriche, Alexandre Gortchakov se borne à expliquer les raisons de son refus, en s'adressant à la France il riposte par un reproche cinglant. Paris, dit-il, entretient une émigration polonaise qui met tout en œuvre pour enflammer l'opinion publique dans l'espoir d'une intervention armée étrangère. Le ton acerbe qu'il réservait naguère à ses rapports avec les Anglais et les Autrichiens, il l'emploie désormais envers les Français qui l'ont déçu. Pressé par Paris de signer une convention d'après laquelle l'Angleterre, l'Autriche et la France s'engageraient à unir leurs efforts pour pacifier la Pologne, le gouvernement de la reine Victoria se dérobe. En réalité, les Anglais ont atteint leur but : brouiller la France et la Russie. À présent, ils n'aspirent plus qu'à tirer leur épingle du jeu. L'Autriche manifeste la même tiédeur. La France se trouve isolée dans sa colère. En recevant Montebello pour son audience de congé, Alexandre lui expose tranquillement son point de vue : « Je n'ai rien retiré des institutions que j'avais données [à la Pologne], mais comment veut-on que je les fasse fonctionner au milieu de l'anarchie et de la terreur ?... J'accepte les six points en principe. Mais peut-on attendre de moi que je les mette immédiatement en pratique ? Je veux arriver à donner à la Pologne une administration autonome. Les faits sont là pour prouver avec quelle sincérité et quelle persévérance je l'ai voulu. C'est pour réaliser ce vœu que j'ai envoyé mon frère à Varsovie, que j'ai confié le gouvernement civil à un Polonais, le marquis Wielopolski. Toute l'administration est devenue polonaise, et qu'en est-il advenu ? J'ai été trahi de tous côtés. Aujourd'hui, l'administration civile est entièrement désorganisée... Peut-on exiger de moi que je recommence cette déplorable épreuve, que je recompose de toutes pièces un personnel administratif dans un pays où, il faut bien le dire, on ne sert que le gouvernement occulte, parce que c'est le seul que l'on craigne ? Avant tout, il faut que je rétablisse en Pologne mon autorité... Si je pouvais, je rendrais au royaume son indépendance, mais je ne le puis. Si cela avait été possible, mon père l'aurait fait... L'indépendance est une question pratiquement impossible. La Pologne ne peut vivre dans ses limites... Les Polonais, d'ailleurs, n'en font pas mystère. Ce qu'ils veulent, c'est leurs frontières de 1772, c'est-à-dire le démembrement de la Russie. »

Le remplaçant de Montebello à Saint-Pétersbourg, le baron Charles-Angélique de Talleyrand-Périgord, est accueilli froidement à la cour. Comme il essaie de plaider auprès d'Alexandre Gortchakov la cause de trois Français déportés en Sibérie pour avoir participé à l'insurrection de la Pologne, celui-ci réplique sèchement : « Les étrangers pris les armes à la main sont plus coupables que les Polonais eux-mêmes. » Et, alors que le diplomate insiste pour obtenir de l'empereur la grâce des trois imprudents, le ministre irrité s'écrie : « Vous n'avez pas affaire à un Néron ! »

En détruisant l'entente franco-russe, Napoléon III a précipité le rapprochement de la Russie et de la Prusse[1]. Après que les remous diplomatiques se sont apaisés, Alexandre juge la situation avec lucidité. Il éprouve envers l'Autriche une défiance et une rancune datant de la guerre de Crimée. Il se sent éloigné de l'Angleterre par un antagonisme persistant. Et la France, en qui il avait mis tant d'espoir, l'a blessé et humilié dans l'affaire polonaise. La Prusse est donc la seule grande puissance dont l'amitié lui soit acquise. Du reste, les intérêts russes et prussiens coïncident en Pologne. Ayant participé jadis au partage de ce pays, les deux gouvernements sont liés par la crainte d'une révolte populaire. Le maintien du statu quo polonais exige que Saint-Pétersbourg et Berlin accordent leur politique. Le nouveau président du Conseil prussien, Bis-

---

1. Ce rapprochement coûtera cher à la France, en 1870.

marck, l'a très bien compris dès son entrée en fonctions. Le
27 janvier 1863, une convention russo-prussienne stipule que
la Prusse secondera la Russie dans sa lutte pour le maintien
de l'ordre en Pologne et que les troupes russes auront le droit
de franchir la frontière prussienne pour poursuivre les
insurgés. En vérité, les derniers succès russes dans l'étouffement de la rébellion rendent ces dispositions inutiles. Mais la
compréhension réciproque dont elles témoignent marqueront
pour longtemps la politique d'Alexandre. Inquiet de voir la
Pologne soutenue par Paris dans chaque révolte, il juge
nécessaire d'augmenter la puissance de l'Allemagne pour
contrebalancer l'influence française. Il le fait sans haine, avec
tristesse et presque à contrecœur. Dans ce revirement diplomatique, il se sent épaulé par le sentiment de tout un peuple.
L'indignation des masses devant l'ingérence occidentale s'exa-
cerbe autour de lui. Les émigrés russes de Londres, qui ont
appuyé au début les aspirations polonaises, sont discrédités
dans le public. Même les intellectuels à tendance libérale de
Saint-Pétersbourg et de Moscou n'osent plus protester. La
vague nationaliste les recouvre. Le plus influent des publicistes russes, Michel Katkov, donne le ton dans son journal,
Les Nouvelles moscovites : « C'est la fin de l'attente, la fin des
inquiétudes, écrit-il. Les réponses de notre gouvernement
sont sous les yeux de chacun et chacun, en les lisant,
respirera plus profondément et plus librement ; chacun
éprouvera dans son âme le sentiment de l'honneur national
satisfait et, en même temps, un élan de gratitude envers la
main puissante qui conduit les destinées de la Russie... Avec
une résolution tranquille et ferme, la Russie a écarté les
prétentions humiliantes des trois puissances qui voulaient se
mêler de ses affaires intérieures... En prenant connaissance
des dépêches de notre gouvernement, l'homme russe doit, à
chaque mot, honorer et louer celui qui les a rédigées. Tout y
est mûrement pensé et exprimé, tout y est conforme aux
grands intérêts dont le prince Gortchakov a été l'interprète.

La netteté du refus y est un témoignage à la fois d'énergie, d'honneur et de bon sens. »

Ainsi la grave crise polonaise renforce-t-elle dans le pays la prépondérance des éléments réactionnaires. Esclave de ce regain de popularité, Alexandre comprend que, de plus en plus, il devra compter avec ceux qui, en Russie, mettent la tradition patriotique au-dessus de tout. Il n'en aura que plus de mérite à se montrer, de temps à autre, audacieux dans ses réformes.

VI

L'ÈRE DES GRANDES RÉFORMES

Certains familiers d'Alexandre lui reprochent, en secret, une flexibilité de caractère qui l'incite à changer d'avis selon les circonstances. C'est peut-être vrai lorsqu'il s'agit de questions secondaires. Mais, quand il a un grand dessein en tête, cet homme sensible et réfléchi ne se laisse pas facilement détourner de sa tâche. Il remplace la volonté autocratique par un doux entêtement, les décisions brutales par une lente persévérance. Ainsi, ni le soulèvement de la Pologne, ni les difficultés diplomatiques avec la France, ni les troubles universitaires, ni les malentendus suscités par l'affranchissement des serfs ne l'empêchent de poursuivre son œuvre de libéralisation. D'abord, il a remplacé au ministère de l'Instruction publique le vice-amiral Poutiatine par un homme plus habile et moins réactionnaire, Alexandre Golovnine. Ce dernier fait partie du cercle de personnages éclairés qui entourent le grand-duc Constantin et bénéficient de son entière confiance. Avec l'approbation du tsar, il rouvre les facultés de l'université de Saint-Pétersbourg, autorise les étudiants exclus à passer leurs examens et, ayant ramené le calme dans les esprits, s'attelle à la réforme générale de l'enseignement. Dans cet effort de modernisation, il s'inspire à la fois des exemples allemands et français. De plus, rompant avec la tradition, il exige qu'une large publicité soit donnée à l'élaboration de son projet. La presse est invitée à en discuter les moindres détails, les professeurs émettent leur avis. Toute la cuisine préparatoire se fait au grand jour. Après cinq transformations, le nouveau statut, lentement et prudemment mijoté, est approuvé par le tsar, le 18 juin 1863, en pleine crise polonaise. Il assure aux universités la totale autonomie. Chacune est dirigée par un recteur élu pour quatre ans par les professeurs titulaires, et administrée par un conseil formé de tous les professeurs ordinaires et extraordinaires. Un tribunal universitaire de trois membres, choisis par le conseil des professeurs, juge les affaires disciplinaires. Pour parer à l'insuffisance de maîtres et créer de nouveaux cadres de jeunes savants, on attache aux universités, comme boursiers, les étudiants les plus remarquables qui, après leurs examens, peuvent poursuivre leurs travaux sur place.

Lorsqu'il s'agit de réorganiser l'enseignement primaire et secondaire, le Saint-Synode exige que la direction lui en soit confiée. Golovnine s'oppose à cette prétention et ne laisse à la hiérarchie ecclésiastique que le contrôle des écoles fondées par le clergé, toutes les autres étant rattachées au ministère de l'Instruction publique. À côté de quatre-vingts lycées classiques, où l'enseignement du grec et du latin est obligatoire, il institue vingt lycées modernes, dits « réels », où une place prépondérante est réservée aux mathématiques et aux sciences naturelles [1]. Il crée également des lycées pour les jeunes filles de toutes conditions et des cours féminins pédagogiques pour le recrutement des professeurs. Les crédits sont doublés, des bourses sont distribuées sur la cassette impériale.

En même temps que la réforme de l'enseignement, la réforme agraire est étendue à tout l'empire et notamment à la Pologne.

---

1. En Russie, les lycées sont appelés « gymnases ». Ils comprennent huit classes, à commencer par la première et à finir par la huitième.

Devenu citoyen libre, le serf est un homme nouveau, appelant une législation nouvelle. Il paraît notamment difficile de lui infliger des châtiments corporels comme par le passé. Si l'impératrice Élisabeth a supprimé la peine de mort, elle a laissé subsister la chère vieille bastonnade. Certes, on n'applique plus le knout[1], mais la baguette et les verges sont les vrais symboles de la justice russe. Elles figurent en bonne place dans tous les livres de droit, leur utilisation est codifiée, acceptée comme une manifestation de la paternelle rigueur des autorités. On fouette à tour de bras les cancres dans les écoles, les paysans insoumis dans les écuries, les ivrognes et les voleurs dans les postes de police, les soldats récalcitrants dans les casernes. Pourquoi la peau ne souffrirait-elle pas quand l'âme souffre ? D'ailleurs le moujik, l'homme du peuple n'est-il pas, par la rudesse et la simplicité de sa constitution, mieux préparé qu'un seigneur délicat à recevoir des coups ? Il y a là comme une disposition physique voulue par Dieu, dès la naissance. Telle est l'argumentation des tenants de la tradition punitive. Lorsqu'il est question, au Conseil des ministres, sous la présidence d'Alexandre, de supprimer les châtiments corporels, quelques voix se font entendre pour protester contre cette dangereuse indulgence. Le vieux réactionnaire Victor Panine explique, en chevrotant, que le fouet est indispensable pour l'éducation des enfants, « parce qu'il y a beaucoup de petits chapardeurs dans les villages », et des femmes, « parce qu'elles refusent trop souvent d'accomplir les devoirs conjugaux ». Quant au vénérable métropolite Philarète, élevant le débat, il affirme que l'Église n'est nullement hostile à une juste correction sur la chair des coupables.

Devant ces défenseurs de l'obscurantisme, Alexandre se sent résolument moderne et européen. Éduqué par Joukovski, il ne peut supporter l'idée que la Russie, *sa* Russie, soit assimilée à

---

1. Bâton terminé par une lanière de cuir dont les cinglades entamaient les chairs. Le knout fut interdit au début du xixᵉ siècle.

un pays barbare où la justice est synonyme de violence. La plupart des conseillers le soutiennent dans cet élan novateur. Le 7 avril 1863, il signe un décret qui abolit la bastonnade, les marques au fer rouge et tout châtiment corporel. Néanmoins, pour tenir compte des objections de quelques esprits attardés, il maintient l'usage des verges parmi les sanctions que peuvent prononcer les tribunaux communaux à l'égard des villageois. Il est vrai que, dans ce cas, le paysan n'est pas condamné à la flagellation par le seigneur, mais par d'autres paysans, ses pairs. De même, la peine du fouet reste autorisée dans les compagnies disciplinaires de l'armée et dans les prisons pour fautes graves. Tel quel, ce décret ôte un poids considérable de la conscience nationale. La Russie n'a plus à rougir de ses mœurs devant les visiteurs étrangers.

Mais une réforme du code ne va pas sans une réforme des tribunaux. Immédiatement, Alexandre et ses collaborateurs s'attaquent à l'appareil judiciaire russe. Chacun, dans le pays, se plaint des lenteurs et des complications de la procédure. Les prévenus restent en prison pendant de longues années en attendant la décision. L'instruction et le procès lui-même se font par écrit et en secret. La sentence tombe sans qu'on sache ni pourquoi ni comment. La règle du débat contradictoire est inconnue. Les accusés n'ont pas de défenseur. L'ordre des avocats n'existe pas. Aucun diplôme n'est exigé des juges. La vénalité est telle que c'est le plus offrant qui obtient toujours gain de cause.

Devant cet édifice pourri par les ans, Alexandre ne voit qu'un remède : renverser le tout et reconstruire un autre organisme avec des matériaux importés. Le secrétaire d'État Boutkov reçoit l'ordre d'élaborer de nouvelles institutions judiciaires. Son premier projet est rendu public afin de susciter, comme lors de la réforme universitaire, le plus de commentaires possible. La mise au point du statut par Boutkov et son collaborateur, le juriste Zaroudny, dure près de deux ans. Enfin, le 20 novembre 1864, l'empereur appose sa signature au bas du document. « Après avoir examiné ce projet, proclame-t-il dans son manifeste, nous le trouvons entièrement conforme à notre désir d'instaurer en Russie une justice rapide, équitable, clémente, égale pour tous nos sujets, d'élever le pouvoir judiciaire et, en général, de raffermir dans le peuple le respect de la loi. »

Le nouveau système assure d'abord l'indépendance et la publicité de la justice, empêche les interventions de l'administration dans le prétoire, permet, grâce à l'introduction de la procédure orale, le contact du juge avec les témoins, l'accusé, les parties, et admet le rôle essentiel des avocats qui forment désormais une corporation active. L'égalité de tous devant la loi est reconnue officiellement, sans distinction de naissance ou de grade. Les tribunaux de classe sont supprimés et remplacés par trois instances : les tribunaux d'arrondissement, les cours d'appel et le département de cassation du Sénat. Les juges de ces trois instances sont nommés par le gouvernement. Ils sont, en principe, inamovibles. Les affaires de moindre importance sont confiées à des juges de paix qui, eux, ne sont pas nommés mais élus localement et qui doivent avoir des rapports étroits avec la population, dont l'estime leur est acquise. Dans les procès criminels, la décision du magistrat s'appuie sur le verdict du jury où le noble et l'ancien serf siègent côte à côte. Toutefois, pour figurer sur la liste des jurés, il faut savoir lire et écrire, avoir entre vingt-cinq et soixante-dix ans et remplir certaines conditions de cens. En dépit de ces restrictions, l'innovation du jury indigne les milieux bien pensants. On ne manque pas d'y souligner que les moujiks ignares seront incapables de comprendre les plaidoiries des avocats, qu'ils trembleront d'offenser l'Église et que, tout compte fait, ils se montreront plus indulgents pour les crimes des miséreux ou les astuces des fraudeurs que pour un meurtre passionnel commis dans le grand monde.

Or, dès ses débuts, la réforme, malgré quelques à-coups de fonctionnement, se révèle excellente. Afin de pourvoir les différents postes judiciaires, y compris ceux de juges d'instruction et de sénateurs du département de cassation, l'énergique ministre de la Justice Zamiatnine fait appel à toutes les bonnes volontés, à toutes les compétences. Il s'agit pour lui de trouver au plus vite quatre cents titulaires. Il les choisit fort heureusement parmi les jeunes fonctionnaires des anciens tribunaux et les étudiants frais émoulus de la faculté de droit. Ces nouveaux venus sont pleins de foi en l'avenir. Grâce à leur enthousiasme, la procédure s'accélère, la prévarication disparaît, le peuple reprend confiance en la justice du tsar. Là encore, Alexandre semble avoir gagné la partie.

Cette réussite l'encourage à porter ses coups dans d'autres directions. Il se sent l'âme d'un bûcheron dans la forêt russe. Abattre, élaguer, éclaircir. Dès 1859, il a constitué une commission spéciale auprès du ministère de l'Intérieur pour réorganiser l'administration et assurer une plus grande participation de la population à la gestion des affaires locales. Quatre ans plus tard, en 1863, le ministre Valouev lui soumet un projet instituant, à côté des anciennes assemblées de la noblesse provinciale, des assemblées nommées « zemstvos » et composées de représentants de toutes les classes, élus pour trois ans. Les « zemstvos » tiennent des sessions ordinaires et extraordinaires au chef-lieu du district. Ils sont toujours présidés par le maréchal de la noblesse du district, ce qui les met sous sa tutelle. Le nombre total de leurs membres est fixé par la loi. Pour la Russie, sur 13 024 délégués, 6 204 sont élus par les propriétaires fonciers, 1 649 par les citadins et 5 171 par les paysans. Si les propriétaires fonciers disposent de la majorité relative, ils ne peuvent imposer leur volonté qu'en s'alliant à l'un des deux autres groupes. À l'échelon au-dessus, se trouvent les « zemstvos » de gouvernement, dont les représentants sont élus par les « zemstvos » de district parmi leurs membres. Le maréchal de la noblesse du gouvernement les préside. La compétence de ces assemblées ne se borne pas à l'administration proprement dite. Elle s'étend à l'assistance publique, à

l'instruction primaire, à l'agriculture, au commerce, au ravitaillement de la population, à la nomination des juges de paix, à la
gestion des prisons, aux redevances locales. Sur tous ces
problèmes, pour la première fois dans l'histoire de la Russie,
des nobles et des paysans réfléchissent côte à côte et échangent
leurs opinions. Plus largement encore que dans les jurys, cette
confrontation d'hommes si différents, par leur origine, leur
éducation, leur culture, préfigure un rapprochement social qui
inquiète les uns et exalte les autres. Gentilshommes, officiers en
retraite, instituteurs et moujiks apprennent à se connaître. Ils
forment une remarquable confrérie civique, un centre de
dialogue, un creuset de civilisation comme il n'en a jamais existé
en Russie. Certes, il leur est interdit de s'occuper de politique
et, s'ils émettent un avis sur les affaires de l'État, ils sont
sévèrement sanctionnés. Mais, dans le domaine de la vie
quotidienne des régions, ils accomplissent une œuvre considérable. Puisant dans les modiques ressources mises à leur disposition par le gouvernement, ils dotent la campagne d'écoles
primaires gratuites, lui fournissent des médecins dévoués, des
ingénieurs, des agronomes qui s'appliquent à améliorer l'existence de la masse rurale. Ces intellectuels lancés en pleine
nature se heurtent, au début, à la méfiance et aux superstitions
de ceux qu'ils entendent servir. Mais, peu à peu, ils sont
acceptés par la multitude inculte, qui s'habitue à leur présence
sur le terrain et sollicite même, avec timidité, leur aide. Ainsi,
par la volonté d'Alexandre et de ses conseillers, le tissu humain
de la Russie se resserre imperceptiblement.

Il s'agit maintenant de transformer le pays en un État
capitaliste moderne, ouvert aux progrès de l'Occident. Les
recettes publiques ne suffisant plus à couvrir les dépenses, on
recourt à des emprunts, tant extérieurs qu'intérieurs, et à
l'émission de billets en quantité croissante.

Avec ses étendues immenses, la Russie a un besoin urgent de
chemins de fer. En 1858, elle n'en comptait que 20 kilomètres
par million d'habitants, contre 208 en France, 273 en Prusse et

536 en Grande-Bretagne [1]. Créée en hâte, la « Grande Société de chemins de fer » entreprend d'élargir le réseau dans toutes les directions, en partant de Moscou et de Saint-Pétersbourg. Si le conseil d'administration est formé d'importants seigneurs russes, les fonds, eux, viennent des principaux établissements financiers de l'Occident. Les compagnies privées prolifèrent, les travaux avancent, les villes se rapprochent, la population s'habitue à prendre le train pour voyager. Des paysans, libérés de leurs maîtres, affluent par milliers à Moscou, à Saint-Pétersbourg, dans les grands centres provinciaux et cherchent à se faire embaucher dans les usines. La production industrielle s'accroît en même temps qu'augmente le nombre de ces ouvriers misérables, mal payés, mal logés, mal nourris, qui composent le prolétariat citadin. Pour développer leur rende-ment, les gros fabricants n'ont qu'un recours : la Banque d'État. C'est insuffisant et anachronique. Alexandre autorise la fondation de banques privées, sous forme de sociétés ano-nymes. Importations et exportations décuplent en quelques années. Les ateliers se multiplient. La Russie commence à perdre son caractère de pays patriarcalement agricole.

Devant le développement rapide des agglomérations urbaines, le tsar décide de les doter d'institutions municipales, les « doumas », analogues aux « zemstvos » des campagnes. Les « doumas » municipales sont élues pour quatre ans par tous les citadins, pourvu qu'ils possèdent soit des biens immobiliers, soit une entreprise industrielle ou commerciale, soit une patente d'industriel, de commerçant ou d'employé de commerce de première classe. Elles choisissent librement les membres de leur organe exécutif, le bureau, que préside le maire. Par exception, à Saint-Pétersbourg et à Moscou, le maire, au lieu d'être élu directement par la « douma », est nommé par l'empereur. La compétence des « doumas » englobe la gestion des finances locales, l'aménagement et l'embellissement de la ville, le

---

1. Cf. Constantin de Grunwald, *op. cit.*

ravitaillement, la santé, l'assistance aux indigents, la protection contre l'incendie, l'instruction publique, l'entretien des théâtres...

Sollicités de donner leur avis sur tant de questions, les membres des « doumas » et des « zemstvos » souffrent de ne pouvoir faire entendre leur voix sur le reste. Durant tout son règne, Nicolas Ier avait bâillonné la presse et coupé ses sujets du monde extérieur. La Russie n'était plus en Europe. Elle constituait une planète à part. Alexandre, lui, veut faire confiance à la sagesse de son peuple. Sur ses instances, le ministre de l'Intérieur Valouev rédige un projet, approuvé par Sa Majesté le 6 avril 1865, selon lequel il est désormais permis de discuter dans la presse les décisions gouvernementales. Par la même occasion, les livres et les périodiques publiés à Saint-Pétersbourg et à Moscou sont dispensés de la censure préalable. Toutefois, des poursuites peuvent être engagées contre les journaux manifestant des « tendances nuisibles ».

La même bienveillance, tempérée de sévérité, se manifeste dans la réorganisation de l'armée. Le général Dimitri Milioutine, frère de Nicolas Milioutine, commence par réduire la durée du service militaire de vingt-cinq à seize ans et par moderniser les écoles d'élèves officiers. Quelques années plus tard[1], le principe du service militaire obligatoire sera décrété, avec le correctif de trois catégories d'exemptions[2]. Tous les conscrits seront appelés sous les drapeaux dans l'ordre fixé par le tirage au sort, à concurrence du contingent demandé à chaque secteur. Les recrues désignées par le sort feront six ans dans l'armée active ; elles passeront dans la réserve pour neuf ans, puis dans la milice territoriale jusqu'à l'âge de quarante ans. Là encore, le souci du pouvoir est d'égaliser au maximum les chances des citoyens de différentes origines.

Ces innovations, plaquées sur un ordre ancien, constituent

1. Statut du 1er janvier 1874.
2. Sont exemptés les fils uniques, les soutiens de famille, les jeunes gens ayant déjà un frère sous les drapeaux.

un ensemble hybride, un habit d'Arlequin dont le bariolage
déroute le regard de l'observateur. Partout, la vieille Russie
côtoie la jeune Europe, les mœurs d'autrefois se heurtent à des
principes d'acclimatation récente, le passé contredit le présent.
Pour harmoniser la tradition d'hier et la loi d'aujourd'hui, il
faudrait une « douma » supérieure, coiffant l'édifice, un organe
législatif élu par le peuple tout entier et travaillant en accord
avec son souverain. Alexandre y songe sérieusement et son
ministre Valouev élabore même un projet dans ce sens. Il
s'agirait d'adjoindre au Conseil d'Empire un « Congrès spé-
cial », formé de cent cinquante à cent soixante-dix-sept délégués d'État élus et de trente à trente-cinq nommés par
l'empereur, qui se réunirait chaque année pour délibérer sur les
affaires les plus importantes et enverrait quatorze de ses
membres et deux de ses vice-présidents à l'assemblée plénière
dudit Conseil d'Empire, lequel trancherait en définitive.
« Dans tous les pays européens, dit Valouev à l'empereur, les
citoyens participent à la gestion des affaires publiques. Puisqu'il en est ainsi partout, il en adviendra ainsi chez nous. » Il
est appuyé par le grand-duc Constantin, qui se réjouit de toute
mesure libérale. Mais Alexandre hésite à sauter le pas. Le
12 avril 1863, Valouev, excédé, lui offre sa démission. Souriant, Alexandre la refuse. Il invite même le ministre à
présenter ses considérations sur la réforme des plus hautes
institutions de l'empire à un conseil restreint, sous sa présidence.

Trois jours plus tard, le 15 avril 1863, Valouev fait son exposé
face à un aréopage glacial. Dès l'abord, le débat tourne à son
désavantage. Le comte Victor Panine, ministre de la Justice,
dénonce le caractère antimonarchique de ces élucubrations. Le
prince Paul Gagarine, président du Comité des Ministres, lève
les bras au ciel dans un geste d'imploration pathétique. Le
comte Michel Reutern, ministre des Finances, se demande
pourquoi on veut changer un ordre de choses qui satisfait tous
les Russes. Les comtes Modeste Korf et Dimitri Bloudov, chefs

de la Chancellerie impériale, déclarent que le problème n'est pas d'actualité. « Ce qu'on nous propose, s'écrie Alexandre Gortchakov, ministre des Affaires étrangères, est une constitution et deux chambres : les élections sont contraires aux mœurs et aux traditions de la Russie ! » Seul le prince Basile Dolgoroukov admet la nécessité de la réforme. Quant à Dimitri Milioutine, il essaie de calmer ses collègues en disant : « Ce ne serait pas pour tout de suite ! » Outré par tant d'incompréhension, Valouev riposte : « Lorsqu'on demande aux Russes des sacrifices, on reconnaît leur maturité, mais, lorsqu'il s'agit d'autre chose, on les considère comme des mineurs ou comme des gens contre lesquels il faut prendre des précautions[1]. » Sa fougue n'émeut personne. Alexandre se range à l'avis de la majorité : « On verra plus tard. » Sans doute n'a-t-il pas abandonné le rêve d'une réforme au sommet. Toutefois, il craint que le pays, secoué par tant de transformations en si peu d'années, ne soit pas mûr pour accepter cette ultime métamorphose. Il faut laisser au peuple le temps de digérer les idées libérales, de les intégrer dans son sang, de s'habituer à respirer l'air de la Russie nouvelle. En allant trop vite et trop loin, on risque l'explosion. Au bout de quelques mois, Alexandre rend au ministre son mémoire sans même l'avoir annoté. « Il n'a rien dit de déplaisant, écrit Valouev, mais on voyait que mon exposé lui était désagréable. Il a oublié ce qu'il me disait en avril, concernant la réforme du Conseil ; il m'a dit qu'il avait répudié l'idée dès le début. Les Bourbons n'ont rien appris et rien oublié[2]. »

Jugement sévère à l'égard d'un souverain qui a déjà tant fait pour le bonheur de ses sujets et qui, dans ses aspirations les plus généreuses, doit tenir compte du poids des réalités ancestrales. Monarque absolu en apparence, Alexandre n'est pourtant pas libre de ses mouvements. Dans son dos, s'étire une longue

---

1. Valouev : *Journal.*
2. *Ibid.*

chaîne de tsars et de tsarines qui le surveillent. À chaque pas, il traîne derrière lui le fardeau du passé dynastique. Il lui est de plus en plus difficile de vénérer la mémoire de son père, Nicolas Ier, tout en souhaitant la régénération politique de la nation russe.

VII

LES DÉBUTS DU NIHILISME

.

Quand il songe aux conséquences de ses principales réformes, Alexandre est étonné par son audace dans la conduite du changement. L'affranchissement des serfs a radicalement transformé la structure de la société russe. Auparavant, tout reposait sur la noblesse qui, aussi bien en province que dans la capitale, détenait les postes de commande. Maintenant, les petites gens s'enhardissent, prennent la parole dans les « zemstvos », commencent à acquérir des biens fonciers, sortent de l'isolement où les cantonnait la séparation des classes. À l'affaiblissement d'une aristocratie minoritaire correspond la démocratisation de la grande masse de la nation. Déjà, dans les universités, on signale l'arrivée en force de fils de petits employés, d'humbles fonctionnaires, d'artisans obscurs et même de paysans. Tous sont animés du même esprit de revendication progressiste. N'est-ce pas là ce que souhaitaient les décembristes de 1825, impitoyablement châtiés par Nicolas Ier ? Chaque fois que la Russie s'agite, Alexandre se reporte, par la pensée, à ce jour de violence et de confusion où, tout enfant, il a vu l'autorité de son père menacée par des régiments rebelles. À l'occasion de son sacre, il a rappelé d'exil les survivants de cette folle entreprise.

Il lui semble aujourd'hui que leur relève est largement assurée. Le premier en date, dans la nouvelle contestation, est Alexandre Herzen. Fils illégitime d'un gentilhomme moscovite, il appartient à l'élite intellectuelle russe. Formé très jeune à l'école de Schelling et de Hegel, ennemi féroce de l'hypocrisie gouvernementale, il a quitté la Russie en 1847, a assisté, l'année suivante, à la révolution de Paris, puis s'est fixé à Londres, d'où il juge son pays avec une amoureuse sévérité. Son journal *La Cloche (Kolokol)*, interdit par la censure, passe d'Angleterre en Russie par des voies mystérieuses. Secrètement renseigné par des collaborateurs anonymes, il révèle dans son périodique tous les abus du régime, désigne nommément les fonctionnaires coupables de violence ou de prévarication, appelle les jeunes générations au combat et s'adresse même directement à l'empereur pour lui donner des conseils de hardiesse. Car, au début du moins, il ne désespère pas d'être entendu d'Alexandre et d'obtenir de lui l'instauration d'une monarchie constitutionnelle. « Notre voie est tracée, écrit-il, nous allons avec celui qui libère et tant qu'il libère. » Et, de fait, Alexandre lit régulièrement cette feuille subversive et tient compte même parfois de ses dénonciations.

Un autre exilé, le révolutionnaire Michel Bakounine, rejoint Herzen dans sa vision romantique du peuple russe en marche vers la lumière. Lui aussi est convaincu que le souverain écoutera la voix des nouveaux prophètes. Le tsar et le peuple s'entendront, pense-t-il, pour abaisser la noblesse et la dépouiller de ses derniers privilèges. Cet espoir est vite déçu. À partir de l'émancipation des paysans, jugée imparfaite par les extrémistes, Herzen se ravise et attaque le pouvoir à outrance. Mais, en même temps, son audience diminue. Les jeunes se cherchent d'autres mentors, moins chimériques, plus réalistes, plus durs. Herzen les accuse de renier leurs prédécesseurs et même d'être « grossiers » par système. Sur ce point, Bakounine prend la défense de la génération montante. « Ne vieillis pas, Herzen, lui écrit-il, et ne maudis point les jeunes. Gronde-les lorsqu'ils ont tort, mais incline-toi devant leur honnête labeur, leurs exploits et leurs sacrifices. »

Les étudiants qui, jadis, rêvaient d'un socialisme radieux sont devenus maintenant des conspirateurs efficaces. Ils se constituent en cercles illégaux, installent des imprimeries clandestines dans les caves, rédigent des proclamations. Leurs nouveaux maîtres sont Tchernychevski, Dobrolioubov et Pissarev. Les deux premiers ont pour pères d'obscurs popes provinciaux. Fiers de leurs origines plébéiennes, ils affichent un froid mépris pour les hommes « du temps de Herzen », pour leur culture inutile, pour leurs délicatesses esthétiques, et prêchent la destruction totale. Fils d'un propriétaire ruiné, Pissarev est plus âpre encore dans ses attaques contre la société actuelle. « Il faut briser ce qui peut être brisé, dit-il. Seul ce qui résistera aux coups est bon ; le reste, cassé en mille morceaux, n'est que vieillerie inutile. En tout cas, frappe à droite et à gauche. » Cet antagonisme entre l'ancienne et la nouvelle génération révolutionnaires, le romancier Ivan Tourgueniev, au faîte de sa gloire, l'évoque magistralement dans son roman *Pères et enfants* [1]. Le jeune héros du livre, Bazarov, symbolise la victoire de la démocratie sur l'aristocratie, des activistes sur les rêveurs. Pour désigner les champions du renversement des valeurs ancestrales, Tourgueniev leur donne le nom de « nihilistes ». Le mot fait fortune.

Avec l'enthousiasme des néophytes, les « nihilistes », s'inspirant de Feuerbach, entreprennent « la réhabilitation de la chair ». Cela les conduit à nier l'utilité de l'art s'il n'est pas appliqué à des fins sociales et à condamner les structures surannées de la famille, de la société et de l'État. Quand tout ce fatras hérité du passé sera jeté à terre, le peuple russe, animé d'une foi messianique, s'organisera selon le système des communes rurales. Ce sera l'âge d'or du matérialisme républicain. Personne ne gouvernera et tout le monde.

---

1. Ce titre est parfois traduit à tort par *Pères et fils*.

Tchernychevski est le publiciste le plus lu par la jeunesse progressiste. Dans sa revue *Le Contemporain* (*Sovremennik*), dont il est le fondateur et le directeur, apparaissent des signatures célèbres, comme celles de Tourgueniev, du dramaturge Ostrovski et de Léon Tolstoï. Dobrolioubov, qui lui succède comme critique littéraire au *Contemporain*, adjure ses concitoyens de remplacer les mots par des actes. « Mieux vaut, écrit-il, essuyer un naufrage que de s'embourber dans la vase. » Sans relâche, il dénonce la survivance du despotisme dans les mœurs patriarcales après l'abolition du servage. Il fustige les hobereaux paresseux, les fonctionnaires corrompus, les marchands cupides qui entravent l'élan du peuple vers le progrès. Miné par la tuberculose, épuisé par un travail acharné, il meurt, veillé par Tchernychevski.

Son œuvre de révolte est poursuivie par Pissarev, critique littéraire de *La Parole russe* (*Rousskoïé Slovo*). Lui aussi est pour l'action directe. Il estime que la science est la seule source de vérité, que la peinture et la poésie n'ont qu'un intérêt éducatif et que, les masses ouvrières et paysannes n'étant encore qu'un « matériel passif », le devoir des intellectuels est de travailler les esprits jusqu'à l'explosion finale. À cet égard, il fait confiance aux groupements d'étudiants. « Les destinées du peuple se décident non pas dans les écoles primaires, dit-il, mais dans les universités. » Le nouveau mot d'ordre pour la jeunesse est de transporter la propagande révolutionnaire des milieux évolués dans les couches laborieuses. Les tracts foisonnent, imprimés en cachette, envoyés par la poste, disséminés dans les rues, distribués aux portes des usines. Leurs rédacteurs, allant plus loin dans l'exigence, refusent à présent le projet de monarchie constitutionnelle qui transformerait la Russie en une sorte d'Angleterre : « Nous n'avons pas besoin d'un tsar, d'un empereur, écrivent les agitateurs Mikhaïlov, Kostomarov et Chelgounov, nous n'avons pas besoin d'une pourpre qui recouvre l'incapacité héréditaire. Nous voulons avoir à notre tête un simple mortel, un homme de la terre, un homme choisi par le peuple et capable de comprendre les besoins de ce peuple. » Cette « solution russe » ravit les plus excités parmi les révolutionnaires. Pour eux, les Européens sont paralysés par une tradition vieillotte. Seuls les Slaves auront le courage de rejeter les chaînes historiques. Barbares inspirés, ils secoueront le monde et instaureront un ordre nouveau.

À la rédaction des tracts, succède bientôt la création, à Saint-Pétersbourg, d'une organisation activiste qui prend le nom de « Terre et Liberté » (*Zemlia i Volia*). Les fondateurs en sont les frères Zerno-Solovievitch, issus d'une famille de fonctionnaires. Les adhérents de ce mouvement se recrutent aussi bien dans la basse administration que dans les universités, les fabriques, les ateliers artisanaux et les casernes. Son comité se réunit dans une librairie de prêt, sur la perspective Nevski. Il essaime des filiales dans quatorze villes de province et prend contact avec les autonomistes ukrainiens. Le programme de « Terre et Liberté » prévoit le remplacement de la monarchie par une république démocratique, le démantèlement de l'administration, dont tous les postes seraient confiés à des hommes élus, l'abolition de la propriété privée et l'égalité des droits pour les femmes.

La force d'attraction de « Terre et Liberté » est telle que de nombreux groupuscules viennent grossir ses rangs. D'autres, conservant leur indépendance, militent néanmoins dans la même direction. Lancé par l'un d'entre eux, un tract intitulé *À la jeune Russie* proclame : « Nous voulons mettre à la place du régime despotique une union républicaine fédérative. Le pouvoir doit passer dans les mains d'assemblées nationales et régionales... Le jour est proche où nous déploierons la grande bannière de l'avenir, la bannière rouge, et où nous nous dirigerons en criant : " Vive la République russe, sociale et démocratique ! " contre le palais d'Hiver pour abattre ceux qui y résident. »

Alexandre prend connaissance avec étonnement, avec tristesse de ces feuilles volantes. En conscience, il n'a pas mérité tant de haine. Est-ce parce qu'il a eu la faiblesse d'accorder quelques concessions à ses sujets les plus déshérités que les révolutionnaires le pressent de se démettre ? Lui en veulent-ils d'améliorer pacifiquement, progressivement le sort de ceux dont ils se prétendent les uniques défenseurs ? Ont-ils le sentiment qu'il les frustre de la révolution en allant, pas à pas, au-devant de leurs vœux ? Ce qu'ils n'auraient pas osé tenter contre un autocrate intransigeant, ils le tentent contre lui, dont tous les efforts sont marqués de compréhension et de bienveillance. De nouveau, son père se réveille en lui et le secoue.

Le 27 avril 1862, le prince Basile Dolgoroukov, ministre de la Guerre et chef des gendarmes, remet au tsar un rapport sur l'encouragement que représente pour les révolutionnaires la mansuétude libérale du gouvernement. Les « socialistes » ne peuvent se contenter de demi-mesures. Plus on leur en donne, plus il leur en faut. C'est un engrenage infernal d'où la monarchie sortira broyée. Il est temps de dire non. Pour assainir le terrain, Dolgoroukov réclame l'arrestation d'une cinquantaine de suspects, dont Tchernychevski. Le tsar hésite. Comment Nicolas Ier aurait-il réagi à sa place ? Les souvenirs du 14 décembre 1825 le harcèlent. Vers la fin du mois de mai, comme pour répondre à l'appel du tract *À la jeune Russie,* des incendies se produisent dans différents quartiers de Saint-Pétersbourg. Des centaines de bicoques en bois, où logent des ouvriers, flambent dans la banlieue. Puis, c'est au tour des immenses halles marchandes Chtchoukine d'être la proie des flammes. Le feu se déclare également au marché Apraxine et dans les dépôts avoisinants. En quelques heures, des milliers de boutiques s'effondrent dans un crépitement d'étincelles. On craint que le sinistre ne s'étende aux édifices officiels proches des brasiers : le ministère de l'Intérieur, le ministère de l'Instruction publique, la Banque d'État, la Bibliothèque, le bâtiment du corps des Pages, les théâtres... Un vent violent souffle sur la fournaise. La fumée est si dense que l'air déchire les poumons. Les autorités, débordées, ne savent qu'entreprendre. Manquant de matériel, les pompiers en sont réduits à trimbaler des seaux d'eau. Dans la population affolée, des rumeurs tragiques circulent. Certes, ce n'est pas la première fois que le feu s'attaque aux constructions en bois de Saint-Pétersbourg. Mais aujourd'hui l'ampleur du désastre fait irrésistiblement penser à un acte de malveillance. Les étudiants aux longs cheveux n'ont-ils pas, dans leurs tracts, prêché la subversion, la mort de la famille, la destruction de la propriété et la suppression pure et simple du trône ? Ils mettent leur menace à exécution. Le tsar est trop bon pour cette racaille universitaire. L'indignation est telle qu'Ivan Tourgueniev, qui vient de rentrer de l'étranger, s'entend dire de tous côtés : « Voici l'œuvre de vos amis nihilistes. Ils ont voulu brûler notre capitale ! »

Poussé par l'opinion publique, Alexandre institue une commission d'enquête qui se met rapidement au travail. Mais, malgré toutes les perquisitions opérées dans les cercles de l'opposition, la police ne peut identifier aucun incendiaire. Elle se rattrape en pourchassant les instigateurs probables de cette « monstrueuse provocation ». Par ordre du gouvernement, on ferme les « écoles du dimanche », où, sous prétexte d'instruire bénévolement les illettrés, des professeurs improvisés leur inculquent la haine du régime. On interdit la publication des journaux de tendance pernicieuse, et notamment du *Contemporain*. On procède à de nombreuses arrestations dans les milieux progressistes. Une dénonciation permet de saisir les principaux membres de l'organisation « Terre et Liberté ». Tchernychevski est enfermé dans la forteresse Saint-Pierre-et-Saint-Paul, où il restera pendant toute la durée de l'enquête. Il profite de son incarcération pour écrire son fameux roman : *Que faire ?* évoquant l'application du nihilisme à la vie pratique. Condamné à sept ans de travaux forcés en Sibérie, il doit entendre la lecture de la sentence sur la place publique. Un cordon de gendarmes maintient la foule à distance. La plupart des badauds voient en cet homme dégradé le responsable de l'incendie qui a ravagé la ville et des malheurs qui menacent encore le pays. Mais quelques sympathisants lui jettent des fleurs par-dessus les fusils du service d'ordre.

Pour la jeunesse impétueuse, ces condamnations ne frappent pas des coupables, mais des héros. Quant à la partie « raisonnable » de la société, elle applaudit le tsar d'avoir enfin balayé devant sa porte. Le directeur des *Nouvelles moscovites*, Michel Katkov, réveillé de ses mirages naïfs, devient le porte-parole des milieux conservateurs et patriotiques. Il accuse rudement Herzen d'avoir, par ses écrits de Londres, précipité dans le nihilisme et la violence des esprits neufs, mal préparés aux chocs de la réalité. L'exilé ne va-t-il pas jusqu'à soutenir dans sa revue la cause polonaise et à inviter les officiers russes à ne pas tirer sur les insurgés ? Bakounine, plus aventureux encore, aide à organiser l'expédition aux Polonais d'armes qui serviront contre la Russie. Ces menées antinationales, dénoncées par Michel Katkov, desservent les révolutionnaires dans l'opinion publique. Même ceux qui approuvaient leurs aspirations démocratiques ne peuvent leur pardonner de prendre le parti de la Pologne contre la mère patrie. Le tirage de *La Cloche* tombe à cinq cents exemplaires.

Cependant, dès 1863, *Le Contemporain* est autorisé à reparaître sous la direction du poète Nicolas Nekrassov. Plus prudent, ce *Contemporain* deuxième manière n'en revient pas moins avec insistance sur le problème des classes populaires. Il ose même analyser les propositions d'un des fondateurs du socialisme allemand, Ferdinand Lassalle, sur le système des associations ouvrières établies avec l'aide de l'État. Un instant démoralisés par la répression, les étudiants repartent au combat avec une énergie retrempée. Dans leurs réunions, on discute à perdre haleine de la meilleure façon d'ébranler l'architecture monarchique. Ils ignorent encore Karl Marx, mais Schelling, Proudhon, Louis Blanc et Étienne Cabet font leurs délices. Les plus excités parlent d'expropriations individuelles et même d'assassinats. Averti de ces menées souterraines, Alexandre veut croire qu'elles sont le fait de quelques hurluberlus qui n'oseront jamais passer aux actes.

Le 4 avril 1866[1], à quatre heures de l'après-midi, l'empereur quitte le jardin d'Été où il fait sa promenade habituelle et se dirige vers la calèche qui l'attend à la grille. Il est accompagné de son neveu, le duc Nicolas de Leuchtenberg, et de sa nièce, la princesse Marie de Bade. Quelques badauds se sont assemblés, comme d'habitude, pour assister à sa sortie. Au moment où il va monter en voiture, un individu se détache du groupe et brandit un pistolet dans sa direction. Placé à côté de lui, un paysan hurle : « Que fais-tu là ? » et, d'un geste rapide, détourne l'arme. Le coup part, mais la balle, déviée, siffle aux oreilles d'Alexandre sans l'atteindre. Alors que le forcené s'apprête à tirer une seconde fois, des témoins se ruent sur lui et le maîtrisent. Tout en se débattant, il proteste : « Pourquoi m'arrêtez-vous ? Je suis un paysan ! L'empereur vous a trompés ! Il ne vous a pas donné assez de terre ! » La foule grossit. On veut assommer le misérable. L'empereur, très calme, s'y oppose et fait emmener l'homme par les policiers de sa suite. Après quoi, il se rend à la cathédrale de Kazan pour remercier Dieu de lui avoir gardé la vie sauve. De retour au palais d'Hiver, il embrasse son épouse, ses enfants atterrés par l'événement. Son sang-froid contraste avec l'émotion de ses proches. Au grand-duc héritier, Alexandre Alexandrovitch, il dit avec un sourire : « Ton tour n'est pas encore venu ! » Et, à ses ministres accourus pour le féliciter : « Eh bien, messieurs, il paraît que je suis encore bon à quelque chose, puisqu'on s'attaque à moi ! »

Entre-temps, le peuple s'est réuni sur la grande place. Imparfaitement renseignés sur les suites de ce crime insensé, des gens en larmes demandent à voir le souverain. Quand il paraît au balcon, un immense « hourra ! » le salue. Ému, il descend, s'assied dans une voiture et fait le tour du palais au

---

1. Le 16 avril 1866 selon le calendrier grégorien.

milieu d'une cohue dense et vociférante, les chevaux pouvant à peine avancer. Puis il se rend de nouveau, cette fois avec toute sa famille, à la cathédrale de Kazan, où un office d'actions de grâces est célébré devant l'icône miraculeuse de la Vierge. Le soir, il note laconiquement dans son Journal : « Je me promenais au jardin d'Été avec Kolia et Maroussia [1] lorsqu'on tira sur moi un coup de pistolet. Coup manqué... L'assassin est pris... Sympathie générale... »

Tout Saint-Pétersbourg, ce soir-là, a la fièvre. On se bouscule dans les rues, on chante *Dieu protège le tsar*. Un contemporain, P. I. Wemberg, raconte comment, tandis qu'il se trouvait en visite chez le poète Maïkov, il vit entrer Fedor Mikhaïlovitch Dostoïevski [2], livide, tremblant, bouleversé : « " On a tiré sur le tsar ! " cria Dostoïevski sans nous saluer, d'une voix entrecoupée par l'émotion. Nous bondîmes. " On l'a tué ? " interrogea Maïkov d'un ton dont je me souviens bien, sauvage et qui n'avait rien d'humain. " Non, on l'a sauvé, heureusement... Mais on a tiré..., on a tiré... " »

La stupéfaction de Dostoïevski est celle de tout un peuple. Ce coup de feu est le premier tiré contre un tsar en Russie. Puisqu'un insensé a pu perpétrer ce sacrilège, c'est que désormais tout est permis. Au moment de l'arrestation du terroriste, Alexandre lui a demandé s'il était polonais et celui-ci a répondu : « Non, je suis russe. » Cette circonstance ajoute à l'étonnement de l'empereur. Il aurait compris, à la rigueur, qu'un Polonais veuille le tuer pour se venger des souffrances infligées à ses compatriotes. Mais qu'un Russe par le sang, par la religion, par la tradition ose lever la main sur l'oint du Seigneur, il y a là une monstruosité de la nature qu'il se refuse à admettre. Dans son esprit, même ceux qui critiquaient sa

1. Diminutifs de Nicolas et de Marie.
2. Fedor Mikhaïlovitch Dostoïevski, expédié en Sibérie après la découverte du « complot de Petrachevski », avait été autorisé à rentrer à Saint-Pétersbourg en novembre 1859. Transformé par son exil, il avait renoncé à ses aspirations démocratiques et était devenu farouchement conservateur, nationaliste et mystique.

politique ne perdaient pas de vue la majesté quasi mystique de sa fonction. Le voici descendu de son piédestal et placé au niveau du commun des mortels. Le coup de feu qui l'a manqué a brisé, derrière lui, le symbole de la monarchie.

Au comble de la perplexité, il exige de voir l'inconnu qui lui a sauvé la vie. On le lui amène au palais. Il se nomme Komissarov. C'est un garçon falot, d'une vingtaine d'années, à demi illettré, simple ouvrier chapelier, qui végète dans le dénuement. Un homme du peuple. Un vrai Russe, lui aussi. Pour le récompenser, Alexandre l'anoblit séance tenante et lui fait don d'une importante somme d'argent. De tous côtés, des souscriptions s'ouvrent pour remercier le héros national, qui courbe la tête sous une pluie de roubles. On l'habille, on le coiffe, on le traîne dans des théâtres, dans des banquets, on l'étourdit de discours patriotiques [1].

Quant à l'auteur de l'attentat, l'enquête révèle bientôt qu'il s'agit d'un certain Dimitri Karakozov, étudiant, renvoyé de l'université de Kazan, puis de celle de Moscou et réintégré, en 1863, dans cette dernière. Là, il se lie avec un autre étudiant, Ichoutine, qui a formé un groupe clandestin sous le vocable « Organisation » et créé une petite école populaire où il enseigne à des enfants pauvres les principes de la révolution sans merci. Dans ce milieu bouillonnant, Karakozov se persuade vite que le vrai responsable de la misère du peuple, c'est le tsar. Celui qui l'abattra ouvrira aux indigents les portes du paradis social. En février 1866, il annonce à Ichoutine et à quatre de ses compagnons qu'il a l'intention de tuer l'empereur. Ses confidents cherchent vainement à l'en dissuader. Possédé par une idée fixe, il se rend à Saint-Pétersbourg, observe les allées et venues de l'empereur et se poste, le 4 avril, à la sortie du jardin d'Été.

Aussitôt après l'attentat, Alexandre accepte la démission du

---

1. Komissarov sombrera dans l'ivrognerie et les autorités, par un souci de décence, l'enverront finir ses jours en province.

chef des gendarmes, le vieux prince Basile Dolgoroukov, et le remplace par un homme jeune et énergique, le comte Pierre Chouvalov. Le poste de gouverneur général de la capitale, occupé jusque-là par le débonnaire prince Alexandre Souvorov, est purement et simplement supprimé. Le général Trepov, qui a dirigé les représailles à Varsovie, est nommé préfet de police de Saint-Pétersbourg. L'enquête sur les origines du complot est confiée au féroce Michel Mouraviev, surnommé « le bourreau de la Lituanie ». Interrogé sans relâche, Karakozov se refuse à livrer des noms. Néanmoins, les membres de « l'Organisation » sont découverts et arrêtés. Les comparses sont condamnés aux travaux forcés, Karakozov et Ichoutine à mort. On croit généralement dans le public que le tsar, qui a toujours commué les peines capitales, épargnera les deux révolutionnaires. Et, de fait, il accepte qu'Ichoutine ne soit pas exécuté mais envoyé au bagne, en Sibérie. Encore cette nouvelle ne sera-t-elle annoncée au coupable que sur le lieu du supplice, alors qu'on s'apprêtera à lui passer la corde au cou. Pour Karakozov, en revanche, Alexandre hésite à se prononcer. Le caractère tolérant du tsar, son éducation religieuse, le souvenir de Joukovski[1] le poussent à épargner ce fou qui a voulu l'abattre. En tant qu'homme, en tant que chrétien, il répugne à rendre le mal pour le mal. Mais il ne s'appartient pas. Il appartient à la Russie. Ce n'est pas contre lui que Karakozov a dirigé son arme criminelle, mais contre tous ses ancêtres, d'Ivan le Terrible à Nicolas Ier. Trois siècles d'histoire russe viennent d'être ainsi menacés, insultés. Il faut un exemple. Agir autrement serait encourager la récidive. À regret, Alexandre refuse la grâce. Dans son enfance, Joukovski disait de lui qu'il était « un mouton féroce ». Serait-ce vrai ?

Le gibet a été dressé sur le glacis de la forteresse Saint-Pierre-et-Saint-Paul. Une foule immense se presse devant la plate-forme. Aucune exécution n'ayant eu lieu à Saint-Pétersbourg

---

1. Joukovski était mort en 1852, à Baden-Baden.

depuis longtemps, on a fait venir le bourreau de Vilna pour conseiller celui de la capitale, qui n'a plus la manière. Karakozov monte sur l'échafaud, écoute la sentence, s'agenouille, fait sa prière et, très calme, se livre aux mains des aides qui le préparent pour la pendaison. Bientôt, son corps sans vie se balance au bout d'une corde.

Mais, pour Alexandre, l'affaire n'est pas terminée. Ayant châtié les coupables, il veut à présent découvrir les racines du mal. Son nouvel homme de confiance, Michel Mouraviev, est convaincu que tous les troubles dont souffre le pays viennent des milieux intellectuels. Le grand responsable, à ses yeux, est le ministre de l'Instruction publique Alexandre Golovnine, qui n'a pas su mettre au pas les universités. À sa demande, le tsar remplace Alexandre Golovnine par le comte Dimitri Tolstoï, dont l'action rigoureuse doit faire rentrer les étudiants dans le rang. Par souci de sévérité, il congédiera aussi les ministres Valouev et Zamiatnine, trop libéraux, et nommera à leurs postes le général Timachev et le comte Pahlen, d'un caractère mieux trempé. Plus que jamais, il éprouve le besoin d'être entouré d'une garde de fer. Dans un rescrit adressé, le 13 mai 1866, au prince Paul Gagarine, président du Comité des Ministres, il définit ainsi les lignes de sa nouvelle politique : « La Providence a voulu découvrir devant les yeux de la Russie les conséquences qu'on peut attendre de l'élan insensé de certains contre tout ce qui est pour elle sacré : la foi en Dieu, les fondements de la vie familiale, le droit de propriété, la soumission à la loi et le respect des autorités établies. Mon attention se porte particulièrement sur l'éducation de la jeunesse... Les désordres ne peuvent plus être tolérés. Tous les chefs des grandes administrations de l'État doivent veiller sur l'attitude de leurs subordonnés et exiger d'eux l'exécution directe et immédiate des ordres qui leur sont donnés. Pour assurer le succès définitif des mesures prises contre les funestes doctrines qui se sont développées dans la société et qui tendent à ébranler les bases fondamentales de la religion, de la morale, de l'ordre public, tous les chefs des grandes administrations de l'État doivent avoir en vue le concours de ces éléments conservateurs, de ces forces vives et saines dont la Russie a été et est encore, grâce à Dieu, abondamment pourvue. Ces éléments se trouvent dans toutes les classes de la société auxquelles sont chers les droits de la propriété, de la possession foncière garantie et consacrée par la loi, les principes d'ordre et de sécurité publics, les principes de l'unité et de la solidité de l'État, les principes de la morale et de la vérité sacrée de la religion. »

Ainsi, le coup de feu de Karakozov a arraché Alexandre à son rêve libéral. L'ère des grandes réformes est close. On serre la vis aux « zemstvos » qui voudraient outrepasser leurs droits, on perquisitionne dans les milieux progressistes, on surveille de près les étudiants qui n'osent plus piper mot, on interdit les revues *Le Contemporain* et *La Parole russe*, jugées favorables aux négativistes. Même Katkov, champion du conservatisme et de la religion, a des démêlés avec le ministère de l'Intérieur. Il menace d'interrompre la publication de sa feuille : *Les Nouvelles moscovites,* et sollicite une audience du tsar. Elle lui est accordée. Alexandre le reçoit avec bienveillance et lui dit : « Je te connais ; j'ai confiance en toi ; je te considère comme un homme de mon bord... » Ému, Katkov ne peut retenir ses larmes. « Garde en toi la flamme sacrée qui t'anime, poursuit l'empereur. Je tends la main à tous ceux dont je sais la fidélité et que j'aime. Tu n'as à t'inquiéter de rien. Je lis attentivement *Les Nouvelles moscovites.* Je crois en toi, comprends-tu bien la portée de ce que je te dis là ? » Finalement, l'affaire entre *Les Nouvelles moscovites* et le ministère de l'Intérieur est arrangée et Katkov repart en guerre, dans son journal, contre les ennemis de l'ordre monarchique et ortho-doxe.

À lire la presse, il semble que le « nihilisme » n'ait plus de partisans. Cependant, déjà, dans l'ombre, de nouveaux groupes révolutionnaires se forment. Leurs effectifs sont réduits, leurs lieux de réunion changent d'un jour à l'autre. Plus petits, plus mobiles que leurs prédécesseurs, ils échappent plus facilement aux mailles du filet policier. Ils ne font pas parler d'eux encore. Mais Alexandre devine leur présence dans son dos. Cela trouble son esprit et guinde son attitude.

VIII

L'HOMME ET LE SOUVERAIN

Incontestablement, Alexandre a beaucoup changé en quelque dix ans de règne. Les visiteurs étrangers admirent encore sa haute taille, sa prestance, son visage aux traits fermes, encadré par de lourds favoris et barré d'une moustache touffue, l'éclat fixe et céruléen de ses prunelles. Mais il s'est épaissi, l'expression de sa physionomie est devenue austère, ombrageuse, il a le souffle court et sourit plus rarement. La demoiselle d'honneur de l'impératrice, Anne Tioutchev, trace de lui, dans son Journal, le portrait suivant : « Arrivé à maturité, il porte beau, malgré sa silhouette un peu lourde. Ses traits sont réguliers, mais ses grands yeux bleus sont peu expressifs lorsqu'il cherche à forcer la note en prenant une attitude solennelle et majestueuse. Ce qui était inné chez son père devient chez lui un masque. Pourtant, dans l'intimité, lorsqu'il consent à être lui-même, son visage s'éclaire d'un sourire tendre, bon, affable, qui le rend fort sympathique. Quand il était héritier, cette expression était prédominante, mais, par la suite, il a voulu se donner un air sévère, imposant, et n'a réussi qu'à faire une mauvaise copie de son père. »

Cette tendance à se gourmer, au physique comme au moral,

s'accentue après l'attentat de Karakozov. Alexandre a montré
son courage en maintes circonstances. Devant l'homme qui a
voulu l'abattre, il a gardé le contrôle de ses nerfs. Aussitôt
après, il a traversé la foule qui l'acclamait devant le palais, alors
qu'un autre terroriste pouvait se cacher parmi elle. Au cours
d'une chasse à l'ours, il s'est avancé vers la bête féroce qui
menaçait l'un des participants et l'a tuée d'une balle à bout
portant. Ses proches citent cent exemples de son mépris de la
mort. Mais, s'il conserve son calme devant un danger réel, il
souffre parfois de prémonitions et d'angoisses. Depuis la
découverte des complots nihilistes, il n'a plus l'impression
d'être tout à fait chez lui en Russie. Il respire mal, comme si
l'air de la patrie avait imperceptiblement changé. Lui le
réformiste, il éprouve le besoin de s'adosser aux piliers de
l'empire : l'Église, la noblesse, l'armée, la tradition. Il obéit
scrupuleusement aux rites de la religion nationale et nourrit un
profond respect pour ses représentants qui, en servant Dieu,
servent le tsar. Mais il n'a pas la tête mystique. Sa foi est
paisible, droite, quotidienne. Par-dessus tout, il se veut tolérant. Ainsi, il admet fort bien qu'on puisse être un honnête
homme tout en n'étant pas de confession orthodoxe. Parmi ses
généraux, ses aides de camp, ses collaborateurs, on trouve des
catholiques, des luthériens, des fils de juifs convertis. Lorsque
les troupes russes chargées de pacifier le Caucase s'emparent de
Chamyl, le terrible chef circassien, il exige que le vaincu soit
traité avec honneur, le reçoit à sa table, le comble de cadeaux et
admet le fils de ce prisonnier de marque à servir dans l'armée
russe. Même compréhension, au début du règne, à l'égard des
adversaires de sa politique. C'est avec un plaisir philosophique
qu'il adoucit les peines prononcées par les tribunaux envers les
premiers nihilistes. Il faudra l'acharnement des révolutionnaires pour le raidir dans l'intransigeance.

Par atavisme et par fonction, il aime l'ordre. Et cet ordre,
rien ne le symbolise mieux en Russie que l'armée. Dès son plus
jeune âge, il a été friand de parades militaires. Son cœur se

repose à la vue d'un régiment qui marche au pas. Il est capable de discuter pendant des heures avec son ministre de la Guerre sur la nouvelle teinte gris foncé du tissu des capotes, sur les avantages et les inconvénients du sac au dos, sur le remplacement des baïonnettes russes par les sabres-baïonnettes prussiens ou sur l'introduction du casque à pointe dans certaines unités. Sans doute est-ce de son grand-père, Paul Ier, qu'il tient cette « soldatomanie ». En vérité, il a fort peu de sang russe dans les veines. Tous ses ancêtres se sont mariés avec des princesses allemandes. Sa mère est la fille du roi Frédéric-Guillaume III de Prusse, sa grand-mère est une princesse Sophie de Wurtemberg, son arrière-grand-mère, Catherine II, était une princesse d'Anhalt-Zerbst. Mais, comme tous ses prédécesseurs, à commencer par Catherine la Grande, il se sent plus russe que si ses aïeux, depuis des siècles, étaient nés sur ce même sol. Il y a, dans l'atmosphère de la Russie, un pouvoir d'absorption, d'assimilation qui tient de la magie. La religion, les chants populaires, les traditions locales, la ligne simple de l'horizon, la cuisine, le ciel, tout concourt à russifier celui qui vit sur cette terre. Sans ignorer son hérédité germanique, Alexandre est entièrement dévoué au pays dont il a la charge. Il a une haute idée de son devoir envers la nation. Même quand elle le déçoit, il se reconnaît solidaire de ses couches les plus profondes.

Travailleur acharné, il se plonge, dès l'aube, dans l'étude de ses dossiers. Innombrables sont les commissions, les conseils, les comités qu'il préside en personne. Ses collaborateurs s'étonnent de sa mémoire. Il enregistre tout ce qu'il lit, tout ce qu'il entend, tout ce qu'il voit avec une précision automatique. Quand il évoque un souvenir, il produit, selon son ministre Dimitri Milioutine, l'effet d'une « chronique vivante ». Cependant, subissant la fatigue du pouvoir, il est devenu irritable, méfiant. Son sourire est de commande. Derrière chaque compliment, il soupçonne un mensonge. À un gouverneur de province qui lui parle de la gratitude populaire, il rétorque : « Inutile d'insister, je ne crois à la gratitude de personne. » En

face de lui, ses proches mêmes se sentent en porte à faux. Un de
ses compagnons de jeunesse, le prince Nicolas Orlov, dit de lui :
« Tout le monde tremblait devant son père, Nicolas Iᵉʳ, mais je
sais par expérience qu'on pouvait lui parler à cœur ouvert. Avec
Alexandre, c'est tout différent... Nous avons été élevés ensemble, mais il m'arrive de perdre le don de la parole lorsqu'il fixe sur
moi son regard vague, comme s'il n'entendait pas ce que je lui
dis [1]. » Il ne tolère pas que quelqu'un évoque en sa présence le
soulèvement de la Pologne. Le seul nom de Varsovie provoque
chez lui un froncement de sourcils et une crispation de la bouche
sous l'épaisse moustache. Toujours sur le qui-vive, il ne se livre
jamais et, en conséquence, ne sait pas capter la sympathie de son
entourage. Quand il s'adresse à des gens du peuple, il leur tient le
même langage qu'à des enfants. Recevant des délégués villageois
au Kremlin, il leur dit d'un ton faussement paternel : « Bonjour,
mes petits gars ! Je suis content de vous voir. Je vous ai accordé la
liberté, mais, souvenez-vous-en, c'est une liberté légale, et non
arbitraire. C'est pourquoi j'exige de vous avant tout l'obéissance
aux autorités que j'ai établies. » Ce discours simplet résume son
catéchisme politique. Il veut bien aller de l'avant, à condition que
la nation le suive dans l'ordre. Anne Tioutchev écrit de lui dans
son Journal : « Son intelligence manque d'envergure. L'absence
d'une vraie culture le rend incapable de saisir la valeur immense
de ses propres réformes. Son cœur a l'instinct du progrès, son
cerveau le craint. Son cœur a souffert du servage, de l'injustice,
de la prévarication. Mais, lorsque le courant d'une vie nouvelle se
déverse à travers le barrage qu'il a détruit de ses mains, avec
l'écume et la boue, entraînant dans ses flots les débris du passé, il
s'effraie de sa propre hardiesse, se met à renier ses actes et à
s'ériger en défenseur de l'ordre qu'il a ébranlé... C'est pourquoi,
malgré sa bonté, il est plus craint qu'aimé... Par son caractère et
son intelligence, il est au-dessous des œuvres qu'il a accomplies. »

1. Feoksitov : *Derrière les coulisses de la politique et de la littérature.*

Au vrai, entre Alexandre et son peuple, le courant ne passe plus. Démocrate par la volonté, il est conservateur par les entrailles. Alors que son père mourant lui avait recommandé de tout « tenir » dans sa poigne, n'a-t-il pas déjà lâché une partie de ce qu'il aurait dû conserver comme un dépôt sacré ? Cette libération des serfs, ces assemblées provinciales élues... Voici maintenant que les milieux intellectuels rêvent de constitution. Tout cela est très séduisant en paroles ou sur le papier, mais, dans la réalité, quel gâchis en perspective ! D'ailleurs, si le tsar se transformait en monarque constitutionnel, il trahirait le serment qu'il a fait, en accédant à sa majorité, de « ne pas épargner [sa] dernière goutte de sang pour défendre l'autocratie ». La plupart de ses proches sont de cet avis. Et ce n'est pas la hargne des révolutionnaires qui l'inciterait à mettre les pouces. Recevant un membre de l'assemblée de la noblesse du gouvernement de Moscou, Golokhvastov, il déclare à cet homme qui se dit partisan d'un régime plus souple : « Que voulez-vous, en somme ? Un régime constitutionnel ? Et vous croyez probablement que je ne veux pas renoncer à mes droits en me laissant guider par une vanité mesquine ! Je te donne ma parole que je serais prêt à signer sur-le-champ, ici même, n'importe quelle constitution si j'étais convaincu de son utilité pour la Russie. Mais je sais que, si je le faisais aujourd'hui, demain la Russie tomberait en morceaux. Est-ce cela que vous voulez[1] ? »

La leçon est claire. Golokhvastov s'incline. Avec ses ministres, Alexandre use de la même autorité. Il les considère moins comme des représentants de l'opinion publique que comme des reflets de sa propre pensée. Il se contemple en eux dans la complexité de ses options, tantôt libérales, tantôt autocratiques. Leurs diverses tendances, en s'opposant, se neutralisent pour laisser le champ libre à sa décision. En sa présence, leur rôle se borne à discuter faiblement et à approuver bruyamment.

---

1. Tatichtchev : *L'Empereur Alexandre II, sa vie et son règne.*

Lorsque l'un d'eux, par extraordinaire, se rebiffe, Alexandre le prend dans ses bras et, les paupières humides (il a encore, à son âge, la larme facile), lui explique son erreur et refuse sa démission. Et il y a, à ces moments-là, une telle douceur dans son regard, dans ses paroles que même ceux qui le critiquent reconnaissent sa bonne foi, sa gentillesse et son ascendant. Aux yeux de ses principaux collaborateurs, quels que soient ses bévues, ses retournements, ses caprices, il représente la seule force morale capable d'unifier le pays. Irremplaçable par définition, il doit être accepté en bloc par le peuple, avec ses qualités et ses défauts.

Dans la sphère supérieure où il trône, Alexandre entend d'autres voix et subit d'autres pressions que celles de ses conseillers. Sa famille — grands-ducs, grandes-duchesses, parents plus éloignés — forme autour de lui un essaim brillant et futile. Tous ces princes sont pourvus d'un palais, d'une petite cour et d'un poste honorifique dans l'armée ou dans l'administration. La plupart sont la vanité et la vacuité personnifiées. De ce lot mondain se détache la tante d'Alexandre, la grande-duchesse Hélène, qui l'a soutenu de ses avis au moment de l'affranchissement des serfs. Depuis, son influence politique a baissé. Amie d'Alexandre Gortchakov, elle se contente de l'approuver en tout. Son salon est le plus animé de la capitale. Elle reçoit l'été dans son palais de Kamenny Ostrov ou dans son château suburbain d'Oranienbaum, l'hiver au palais Michel, à Saint-Pétersbourg, dont les dimensions et le luxe éblouissent les visiteurs. Chaleureuse et cultivée, elle n'a pas son pareil pour diriger une conversation et mettre en valeur les invités les plus timides. Le sévère Bismarck avoue qu'il la trouve « belle, aimable, pleine de dignité souveraine, capable d'une vraie compréhension des choses humaines ». Chez elle se pressent les diplomates, les savants, les artistes. Elle donne des spectacles en français ou en allemand, organise de somptueuses mascarades, invente des jeux de société. Mais ce sont ses soirées musicales qui sont le plus courues. Les meilleurs virtuoses du monde se

Nicolas Ier entre son fils,
le futur Alexandre II,
et sa femme, l'impératrice
Alexandra Fedorovna.
Gravure. Photo : Roger-Viollet.

Alexandre II jeune.
Musée de Peterhof.
Photo : Hubert Josse.

La tsarine
Marie Alexandrovna,
née princesse de Hesse,
vers 1860.
Photo : Roger-Viollet.

Alexandre II vers 1860.
Photo : Roger-Viollet

Le couronnement d'Alexandre II, le 26 août 1856, dans la cathédrale de l'Assomption à Moscou.
Photo : Viking Press.

Alexandre II. Carte postal

ci-contre :
Alexandre II pendant la guerre de Crimée.
Lithographie de V. Adam. Photo : Giraudon.

ci-dessous :
Au quartier général de Kichenev pendant la guerre
des Balkans : départ du grand-duc Nicolas
pour le front
Dessin de Ferdinandus. Photo : Roger-Viollet

Portrait de
Alexandre II
à gauche.
le futur Alexa
est le deuxième pe
debout en partant de l
Devant lui, sa
Marie Fedorovna
sur ses genoux
le grand-duc
qui devait
le tsar N
Ph

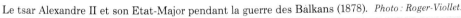

Le tsar Alexandre II et son Etat-Major pendant la guerre des Balkans (1878). *Photo : Roger-Viollet.*

Le grand-duc Cons
frère d'Alexa
Dessin de F
Photo : Roger

Le peuple acclamant Alexandre II à l'occasion de la libération des serfs
en 1861.
Bibliothèque Nationale. Photo : Hubert Josse.

Alexandre II traverse un village sous la neige, 1864. *Peinture de Zitchi. Musée de Peterhof.*
Photo : Hubert Josse.

Le prince Alexandre Gortchakov,
ministre des Affaires étrangères du tsar.
Photos : Roger-Viollet.

Rencontre, en 1872, de Bismarck, du comte Andrassy, ministre des Affaires étrangères
d'Autriche-Hongrie et d'Alexandre Gortchakov, au cours de laquelle fut mise sur pied
la triple Alliance.
Gravure de H. Lüders. Photo : Roger-Viollet.

page de gauche : Alexandre II dans son cabinet de travail. *Photo : Jacques Ferrand.*

Tentative d'attentat contre Alexandre II lors d'une visite officielle en France
pour l'Exposition de 1867.
Imagerie d'Epinal. Musée de Compiègne. Photo : Giraudon.

Le révolutionnaire russe Berezowski
qui perpétra cet attentat.
Photo : Roger-Viollet.

En décembre 1879, explosion
du train portant les bagages
de la suite impériale.
Dessin de H. Meyer.
Photo : Roger-Viollet.

En avril 1879, tentative
d'assassinat du tsar par
Soloviev.
Dessin de H. Meyer.
Photo : Roger-Viollet.

La tsarine Marie Alexandrovna
à la fin de sa vie.
Photo : Roger-Viollet.

Catherine Dolgorouki, "Katia",
épouse morganatique d'Alexandre II.
Photo : Jacques Ferrand.

Alexandre II. *Aquarelle d'Alfred Mouillard. Photo : Giraudon.*

Attentat contre le tsar et sa famille au palais d'Hiver, à Saint-Petersbourg, en 1880.
Photo : Roger-Viollet.

Assassinat du tsar Alexandre II, le 1er mars 1881. *Photo : Roger-Viollet.*

La révolutionnaire Sophie
Perovski. *Photo : Roger-Viollet.*

Le procès des assassins
de l'empereur Alexandre II.
De gauche à droite en haut :
Mikhaïlov, Jessy Helfmann.
Au centre : Ryssakov, Jeliabov
plaidant sa propre cause
et Kibaltchitch. En bas :
le sénateur Fuchs, président
de la Haute-Cour, et les pièces
à conviction.
Photo : Roger-Viollet.

Exécution des assasins du tsar. *Photo : Snark-Bibliothèque Nationale.*

L'ILLUSTRATION
JOURNAL UNIVERSEL

PRIX DU NUMÉRO : 75 CENTIMES — 39ᵉ ANNÉE — VOL. LXXVII — Nᵒ 1986 — PRIX D'ABONNEMENT :

SAMEDI 19 MARS 1881

BUREAUX, 13, RUE SAINT-GEORGES, PARIS

Couverture de *L'illustration*
du 19 mars 1881.
Photo : Roger-Viollet.

Funérailles d'Alexandre II
à Saint-Petersbourg.
Le corbillard monumental
quittant l'église
de la forteresse
Saint-Pierre-et-Saint-Paul.
Photo : Roger-Viollet.

produisent chez elle, devant un public choisi. Elle crée le premier conservatoire russe, sous la direction d'Antoine Rubinstein.

Un autre salon artistique est celui du grand-duc Constantin, au palais de Marbre. Il aime la musique, lui aussi, et joue même du violoncelle dans des quatuors. Mais il s'intéresse également au magnétisme. On se réunit chez lui, sous la conduite du spirite Hume, pour faire tourner les tables. Présente à l'une de ces séances, Anne Tioutchev est partagée entre le scepticisme et l'inquiétude. « Il y a là, écrit-elle, un étrange mélange de sottise et de surnaturel... Pourquoi les esprits se manifestent-ils par de stupides attouchements et tapotements ?... On voudrait imaginer le monde de l'au-delà plus sérieux, plus profond. » L'échec de la mission pacificatrice de Constantin à Varsovie l'a rendu amer. Pour ses détracteurs à la cour, il est toujours « le prince rouge », celui qui exige la liberté d'opinion et de parole, la participation du peuple à l'élaboration des lois et la limitation de l'autorité impériale. Depuis le revirement qui s'est produit chez Alexandre en 1865, il est de moins en moins écouté. Le tsar ne cache plus sa défiance à l'égard de ce frère extravagant. La plupart des protégés du grand-duc sont déjà privés de leurs portefeuilles ministériels. Néanmoins, il reste personnellement président du Conseil d'Empire. Son ardeur au travail et sa connaissance des dossiers en font même un des premiers serviteurs de la politique nationale. Il aime à s'entourer d'écrivains, de navigateurs, de géographes. Cette disposition d'esprit est rare dans la haute société russe. Il est de bon ton, dans les salons fastueux de l'aristocratie, de ne s'intéresser ni aux arts, ni à la littérature, ni même à la politique. Les papotages mondains, les ragots de cour suffisent à occuper cette gentilhommerie désinvolte.

Et pourtant, c'est sous le règne d'Alexandre II que la littérature, la musique et l'art russes prennent un prodigieux essor. La multiplicité des talents originaux, rassemblés en quelques années, donne le vertige. Dostoïevski, Tolstoï, Tourgueniev, Gontcharov, Leskov, Saltykov-Chtchedrine, Pis-semski publient leurs grands romans[1] ; Nekrassov chante dans ses poèmes la misère et l'espoir du peuple ; Ostrovski évoque dans ses pièces les mœurs des négociants moscovites. Des peintres qui ont nom Perov, Makovski, Kramskoï, Répine, Sourikov s'appliquent à camper avec réalisme, dans leurs tableaux, des scènes de la vie paysanne et du passé de la Russie. La grande école musicale russe groupe des compositeurs prestigieux, tels que Moussorgski, Borodine, Rimski-Korsa-kov, Balakirev, Tchaïkovski...

En vérité, les intellectuels russes regorgent de forces créa-trices ; la surabondance de leurs sentiments les étouffe ; ils éprouvent le besoin de faire craquer les coutures du vêtement étroit qui les enserre. Mais leur voix n'atteint pas les régions élevées de la politique. En haut lieu, on lit les bons auteurs, on les apprécie, mais on ne les écoute pas. Chacun son rôle : celui des écrivains est de distraire, celui du tsar de diriger.

De son trône, Alexandre voit le pays sous l'aspect d'un gâteau aux couches superposées, dont chacune a son autonomie, ses règles, son destin. Au sommet, le petit clan de la cour ; juste au-dessous, le grand monde des deux capitales, formé de quelques familles aristocratiques, férues de spectacles français, de dîners en musique, de courses et de bals ; plus bas encore, des propriétaires fonciers, des commerçants, des industriels qui ont fait fortune et éclaboussent de leur richesse les hobereaux miteux et oisifs dans leurs domaines dix fois hypothéqués ; descendons l'échelon suivant, et voici la nouvelle classe moyenne, formée d'ingénieurs, de médecins, d'avocats, de fonctionnaires, d'architectes, d'étudiants, d'artistes. Ces gens-là sont les plus remuants. Ils sont avides d'idées comme d'autres de caviar. Même lorsqu'ils ne sont pas des nihilistes, ils veulent changer le monde. À tout prix, il faut les tenir éloignés de la base de la population, l'immense, la grise, l'amorphe multitude

---

1. *Crime et châtiment* date de 1866 ; *Guerre et Paix* est publié entre 1865 et 1869.

paysanne. Grâce à Dieu, les moujiks sont, pour l'instant, protégés de la contagion révolutionnaire par la sainte et séculaire hébétude qui leur vient du servage. Combien de temps cet état de choses pourra-t-il durer ?

Les soucis de la politique et les contraintes du protocole détournent Alexandre de la vie de famille. Il n'y a guère de place pour la simplicité d'un foyer dans les palais impériaux. Le tsar, sa femme, ses enfants sont toujours en représentation, entourés d'aides de camp, de courtisans, de demoiselles d'honneur. Comparant la grande-duchesse Hélène à l'impératrice Marie Alexandrovna, Michel Mouraviev confie à Anne Tioutchev que la première parle uniquement pour briller par son intelligence, alors que la seconde exprime toujours le fond de sa pensée. Il existe entre elles deux, conclut-il, la même différence qu'entre paraître et être. Tous s'accordent pour louer la grâce mélancolique de la souveraine, sa silhouette élancée et fragile, son visage étroit, son regard bleu intense. « Il y a en elle quelque chose de spiritualisé, de pur, d'abstrait, écrit Anne Tioutchev. Elle fait penser à une madone de Dürer ou à une enluminure... Chaque fois que je l'observe, j'ai l'impression que son âme est infiniment loin de nous et qu'elle n'a rien de commun avec cette foule bigarrée et mondaine qui se presse autour d'elle... Concentrée sur elle-même, peu rayonnante, étrangère à son entourage, inadaptée à ses fonctions de mère, d'épouse, de souveraine, elle s'efforce d'être digne de son rang, mais elle manque de naturel... Avec sa nature complètement dénuée de tempérament, elle n'est pas faite pour la situation que le destin lui a offerte. Portée vers l'effort méthodique, tout sert de prétexte chez elle pour se torturer, et cette tension nerveuse finit par lui faire perdre toute énergie et par la transformer en une nature passive. Est-elle une sainte ou un morceau de bois ? »

Indubitablement, si Marie Alexandrovna témoigne de l'indifférence et même de la froideur envers les plaisirs terrestres, elle a une vie intérieure ardente. Consciente de ses responsabilités, elle prétend conseiller son mari dans les tâches gouvernementales. Comme toutes les princesses allemandes qui l'ont précédée sur le trône de Russie, elle se veut plus russe que les Russes, plus orthodoxe que les orthodoxes de naissance. Son patriotisme est d'autant plus violent qu'il est d'origine récente. Elle prône la piété aveugle, le maintien des principes conservateurs, l'immobilisme social à tous les étages. Ses proches amies, Anastasie Maltsev et Antoinette Bloudov, l'entretiennent dans cette atmosphère de réaction et de bigoterie. Elle sort de leurs conversations avec une âme résolument panslaviste : que rien ne bronche dans l'empire et la Russie sera sauvée ! Elle le dit à l'empereur et il opine de la tête. Le ministre Valouev note dans son Journal : « L'impératrice m'a dit qu'elle espérait que je ne lui ferais pas de surprise, ce qui signifie, dans sa bouche, des réformes constitutionnelles ou des faveurs aux minorités religieuses et aux Vieux Croyants... Ce n'est pas pour la première fois que je remarque l'influence néfaste, quoique peu visible, qu'elle peut exercer sur les affaires : *gutta cavat lapidem*[1]. L'empereur l'écoute souvent. Ce qu'elle m'a dit des *zemstvos* prouve qu'elle y voit un moyen d'éviter la constitution. »

Mère de sept enfants, l'impératrice concentre son affection sur l'aîné d'entre eux, le grand-duc Nicolas, héritier du trône[2]. Il lui ressemble par la noblesse des traits et la modestie du caractère. Les professeurs chargés de le préparer à son rôle de souverain voient en lui un être exceptionnel, dont l'intelligence, l'humanité et la générosité feront merveille à la tête du pays. Pour le familiariser avec son peuple, Alexandre, se souvenant de son propre apprentissage, l'oblige à parcourir la Russie, dès l'âge de dix-huit ans. Ces voyages continuels semblent fatiguer

1. La goutte creuse la pierre.
2. La première née des huit enfants de Marie Alexandrovna et d'Alexandre, une fille nommée Alexandra, était morte à l'âge de sept ans, en 1849.

le jeune homme. Il se plaint de malaises qui déroutent les médecins : selon les uns, il se serait froissé la colonne vertébrale en tombant de cheval ; selon les autres, il souffre de rhumatismes. À tout hasard, on lui recommande un traitement de bains de mer à Scheveningue, près de La Haye. Et, dans l'espoir d'une prompte guérison, ses parents décident de le fiancer à la princesse Dagmar de Danemark. Mais, malgré les médicaments, les ablutions et les massages, les douleurs s'aggravent de jour en jour. Nicolas marche courbé en deux comme un vieillard. Sans doute lui faudrait-il un changement de climat. Qu'à cela ne tienne : les docteurs l'expédient à Nice. Lorsqu'il y arrive, en novembre 1863, il est squelettique et peut à peine se mouvoir. Alors seulement on s'avise qu'il s'agit sans doute de tuberculose. Le grand-duc héritier reste sur place pour se soigner. L'impératrice s'installe également à Nice, villa Bermont. Elle suit avec angoisse les progrès de la maladie. Quand tout espoir semble perdu, Alexandre et le reste de la famille impériale prennent le train à Saint-Pétersbourg pour se rendre dans le midi de la France. Le long trajet est parcouru en quatre-vingt-cinq heures, ce qui est un prodige de rapidité pour l'époque. En gare de Berlin, l'empereur Guillaume Ier salue le tsar, au passage. En gare de Paris, c'est Napoléon III qui lui exprime, sur le quai, ses vœux de guérison. En gare de Dijon, au train impérial est accroché un train venant de Copenhague et transportant la princesse Dagmar et sa mère, la reine Louise. Ils arrivent à Nice le 10 avril 1865[1]. Dans la nuit du 11 au 12, le grand-duc succombe à une crise foudroyante de méningite cérébro-spinale. Jusqu'au dernier moment, il conserve sa lucidité. Respirant à peine, il tient dans une main celles de son père et de sa mère, dans l'autre celles de son frère puîné Alexandre et de sa fiancée, Dagmar.

De Nice, le corps du « prince charmant » est emmené à Villefranche et embarqué à bord de la frégate *Alexandre-*

---

1. Soit le 22 avril selon le calendrier grégorien.

Nevski[1]. Mille marins russes et un bataillon de chasseurs à pied de la Garde impériale française forment le cortège. Dès l'arrivée à Saint-Pétersbourg, la dépouille mortelle est exposée dans la cathédrale Saint-Pierre-et-Saint-Paul. Le baron de Talleyrand-Périgord, ambassadeur de France en Russie, écrit à son ministre Drouyn de Lhuys : « L'impératrice, accompagnée de l'empereur, s'est rendue mardi, tard dans la nuit, dans la citadelle pour prier sur le corps de son fils. On la vit se précipiter sur le cercueil ouvert, écarter les draps mortuaires et les voiles placés sur le visage de son fils, et le couvrir de baisers. L'empereur luttait avec elle pour l'arracher à cette douloureuse étreinte. Pendant une demi-heure, il la tint serrée dans ses bras, lui laissant contempler les restes du grand-duc et confondant avec elle ses larmes et ses sanglots[2]. »

Si certains événements politiques ont frappé Alexandre dans sa conscience de souverain, cette mort le frappe dans sa tendresse d'homme. Devant une si grande perte, il se découvre aussi démuni que le dernier de ses sujets. Et pourtant, il se doit de réagir non en simple mortel mais en chef d'État. Encore tout meurtri par son deuil, il proclame nouvel héritier du trône le grand-duc Alexandre Alexandrovitch[3]. Celui-ci ne ressemble en rien à son frère disparu. Il est très grand, large d'épaules ; il a l'air paysan ; son geste est embarrassé. « On le disait bon, franc, loyal, mais ses manières n'étaient pas agréables, écrit la comtesse Kleinmichel dans ses Mémoires[4]. Très timide et très bruyant à la fois, il était tout le temps à lutter avec quelqu'un, à heurter quelque chose, à renverser tables ou chaises et, en général, tout ce qui se trouvait sur son chemin... Constantin [son oncle] l'appelait *Kossolapy Sachka* [Sacha le maladroit]. » Il a vingt ans à la mort de son frère. Comme il n'était pas appelé à régner, en principe, on a quelque peu négligé son instruction. Il

1. Une chapelle commémorative sera, plus tard, érigée à Nice, avenue Nicolas-II.
2. Cf. Constantin de Grunwald, *op. cit.*
3. Le futur Alexandre III.
4. Comtesse Kleinmichel : *Souvenirs d'un monde englouti.*

en garde un sentiment de défiance envers les vains exercices de
la pensée.

En 1866, un an après le décès de Nicolas, les parents du jeune
Alexandre décident de le marier. L'inclination réciproque
n'ayant rien à voir dans les unions princières, on lui donne pour
femme la fiancée de son frère défunt, la charmante et primesau-
tière Dagmar de Danemark. Jugée bonne pour l'un des fils du
tsar, elle doit l'être pour l'autre. Ce n'est pas un homme qu'elle
épouse, mais un pays. Malgré ses efforts, elle ne parviendra pas
à policer ce personnage rudimentaire, à l'esprit étroit, buté, aux
raisonnements simplistes.

Tout en respectant son père, le nouveau grand-duc héritier
lui reproche, à part soi, les tendances libérales qu'il manifeste,
de loin en loin. Comme sa mère, l'impératrice Marie Alexandrovna, il est pour le maintien des institutions ancestrales et la
répression dans les milieux intellectuels. Ses familiers, ses
guides sur le chemin de l'autoritarisme sont les publicistes
slavophiles Katkov et Aksakov, ainsi que son ancien professeur,
l'intransigeant, le fulgurant Pobiedonostsev[1]. Connaissant la
mentalité de son fils, le tsar n'éprouve pas le besoin de le
rapprocher des affaires publiques.

En vérité, entre sa femme et ses six enfants, il se sent
étrangement seul. La vie fastueuse et régulière de la cour
l'ennuie. Le luxe des réceptions fatigue ses yeux. En plein
hiver, tandis que la neige bloque la ville, on soupe par petites
tables dans un jardin tropical, décoré de palmiers géants et de
parterres de fleurs. Lors des grands bals, l'animation de la salle
Saint-Georges est d'une fascinante beauté. Posté dans la galerie
qui domine l'espace réservé aux danseurs, Théophile Gautier
décrit ainsi le spectacle : « La première impression, surtout à
cette hauteur, en se penchant sur ce gouffre de lumière, est
comme une sorte de vertige. D'abord, à travers les effluves, les
rayonnements, les irradiations, les reflets des bougies, des

---

1. Plus tard procureur du Saint-Synode.

glaces, des ors, des diamants, des pierreries, des étoffes, on ne distingue rien... Puis bientôt, la prunelle s'habitue à son éblouissement et chasse les papillons noirs qui voletaient devant elle comme lorsqu'on a regardé le soleil. Elle embrasse, d'un bout à l'autre, cette salle aux dimensions gigantesques, toute en marbre et en stuc blanc... Ce ne sont qu'uniformes plastronnés d'or, épaulettes étoilées de diamants, brochettes de décorations, plaques d'émaux et de pierreries formant sur les poitrines des foyers de lumière... Les uniformes et les habits de gala des hommes sont si éclatants, si riches, si variés, si chargés d'or, de broderies et de décorations que les femmes, avec leur élégance moderne et la grâce légère des modes actuelles, ont de la peine à lutter contre ce massif éclat. Ne pouvant être plus riches, elles sont plus belles : leurs épaules et leurs poitrines nues valent tous les plastrons d'or [1]. » Ambassadeur britannique che-vronné, lord Loftus affirme, de son côté, que les soirées du palais d'Hiver « dépassent en splendeur et en magnificence tout ce [qu'il a] pu voir dans d'autres pays [2] ».

Alexandre se rend à ces fêtes avec le sentiment d'accomplir une corvée dont nul ne lui saura gré. Le même Théophile Gautier le voit habillé d'une courte veste blanche, descendant jusqu'à mi-cuisse, à brandebourgs or, bordée de renard bleu de Sibérie. Un pantalon bleu ciel moule ses jambes robustes. Ayant ouvert le bal par la traditionnelle « polonaise », il ne danse plus et va de groupe en groupe, pour échanger quelques mots de banalité mondaine avec ses principaux invités. Il n'attend rien de ces rencontres futiles, de cette bousculade déférente, sinon un surcroît de lassitude. Tout ce qui se dit autour de lui est un écho de ce qu'il dit lui-même. Personne n'oserait prononcer en sa présence une phrase inattendue, émettre une opinion originale. Cette soumission n'est-elle pas, dans sa monotonie, la rançon du pouvoir absolu ? « On sent,

1. Théophile Gautier : *Voyage en Russie.*
2. Cf. Constantin de Grunwald, *op. cit.*

écrit le duc de Gramont, la continuation de l'autorité impériale de feu l'empereur Nicolas, mitigée par ordre plutôt que par nature... Les grands personnages de cette cour font le sacrifice de toute initiative et se contentent de jouer un rôle purement passif. »

Même en dehors des bals et des réceptions, l'obsession des courtisans, c'est l'horaire impérial. On chuchote, on lorgne sa montre, on se précipite au passage de l'empereur pour lui faire son compliment. S'il se retire pour se reposer à Peterhof ou à Tsarskoïe Selo, il est, là encore, assailli de visiteurs, de messagers ou de simples curieux. Lorsqu'il se promène, avec ses enfants et son chien Milord, un setter noir, dans les allées du parc, des badauds le guettent à distance. Certains s'enhardissent jusqu'à se prosterner devant lui pour présenter une requête. Des policiers sont disséminés tout au long de son itinéraire. Pourtant, dans la soirée, il lui arrive de se détendre en jouant au piquet avec quelques intimes. L'impératrice sert le thé. Les visages sont aimables. Mais ce tranquille bonheur conjugal est tout de façade. Quand Alexandre pose les yeux sur son épouse, il n'éprouve plus pour elle que de l'estime, de la tendresse et de la compassion.

Usée prématurément par les fatigues de la vie de cour et les rigueurs du climat de la capitale, avec ses pluies, ses neiges, son humidité pénétrante, Marie Alexandrovna a en outre été gravement ébranlée par ses huit grossesses. Les nerfs malades, les poumons faibles, elle ne remplit ses devoirs de représentation que par un douloureux effort de volonté. Dans les meilleurs moments, sa physionomie est celle d'une femme tendue, excédée et qui sourit pour dissimuler sa tristesse. Sur l'ordre des médecins, elle se rend souvent, avec sa suite, dans des villes d'eaux allemandes, en Crimée, dans le sud de l'Italie ou sur la Côte d'Azur. Mais, de retour à Saint-Pétersbourg, elle n'est pas plus vaillante. Retirée dans ses appartements, elle y retrouve, avec l'indifférence blasée de celles qui ont tout sans avoir rien eu à désirer, l'élégant mobilier de Marie-Antoinette, de nombreuses toiles de maîtres, Murillo, Ruysdael, Raphaël, et son assortiment de tabatières anciennes, enrichies de pierres précieuses. Elle collectionne aussi les icônes. Il y en a dans tous les coins. C'est dans ce cabinet mi-musée, mi-sanctuaire que son confesseur, le père Bajanov, grand aumônier de la cour, vient lui rendre visite pour de longues conversations édifiantes. Depuis quelque temps, sur l'avis des médecins, elle a dû cesser toute relation physique avec son mari. Cette renonciation a été pour elle une délivrance. Enfin, elle peut se soustraire aux humiliantes contraintes de la chair pour se tourner tout entière vers les aspirations de l'âme.

Alexandre ne partage pas cette conception sublime de la vie. D'une nature simple et saine, il a les deux pieds sur terre. Tout en respectant son épouse, tout en partageant ses repas, tout en l'associant à ses préoccupations gouvernementales, il ne peut se satisfaire, à quarante-sept ans, d'une chasteté absolue. Cette créature fanée et mélancolique qui lui refuse son lit n'éveille plus en lui aucun désir. Il étouffe dans l'atmosphère de sainteté où elle s'est enfermée. C'est en vain qu'il essaie de retrouver en elle la jeune fille candide et piquante qui l'a ensorcelé jadis au premier regard. En vain qu'il cherche à se persuader que devoir conjugal et plaisir physique peuvent aller de pair. Tout son être frustré, déçu réclame le changement. De plus en plus, les jolies femmes l'attirent. Au début, il se contente d'un badinage inoffensif. Comme son oncle Alexandre Ier, il n'aime rien tant que les préliminaires. Pourtant, travaillé par l'abstinence, il passe bientôt à l'action. La cour est avertie de son libertinage. Stoïque, l'impératrice ferme les yeux. La première conquête sérieuse d'Alexandre est une demoiselle d'honneur de son épouse, la jeune princesse Alexandra Dolgorouki. Anne Tiout- chev, elle-même demoiselle d'honneur, dépeint sa compagne en ces termes : « Tantôt expansive, tantôt réservée, telle une fleur qui se referme quand on s'en approche, elle agit sur l'imagina- tion ; son charme provoque l'attachement. Elle est insaisissa- ble ; l'abattement succède parfois chez elle à une gaieté folle ;

ses mouvements font penser à ceux d'un jeune tigre. » Captivé par cette petite personne étincelante et capricieuse, Alexandre ne prend même pas la peine de cacher ses sentiments. Il flirte avec Alexandra Dolgorouki en public et devant sa femme qui feint, avec dignité, de ne rien voir. « Ce soir, écrit Anne Tioutchev, la Dolgorouki s'est trouvée mal. L'impératrice a continué à feuilleter le livre de Bouillet (*Dictionnaire universel d'histoire et de géographie*) avec le plus grand calme ; cela fut provoqué sans doute par le trop grand intérêt que l'empereur manifeste envers cette demoiselle d'honneur. » De son côté, le prince Tcherkasski note : « L'impératrice paraissait triste, ce qu'on attribue à sa santé. La Dolgorouki participait à des tableaux vivants qu'elle avait organisés. Elle s'agitait beaucoup. L'empereur la regardait avec beaucoup d'attention : c'est exactement ce qu'elle recherchait. Tout le monde la condamnait, mais elle a beaucoup contribué à l'animation et à la gaieté de la soirée. »

D'un caractère indépendant, Alexandra Dolgorouki affiche volontiers des idées libérales et applaudit aux premières réformes d'Alexandre. On la surnomme « la Grande Mademoiselle ». Néanmoins, la vénération, la tendresse filiale qu'elle éprouve pour l'impératrice la retiennent de céder à sa passion pour l'empereur. Plutôt que de trahir sa bienfaitrice, elle accepte de se laisser marier au vieux général Albedinski. Ce pis-aller la mortifie dans sa chair et la soulage dans sa conscience. Éloignée de la cour, elle continue de correspondre avec la tsarine. Le dépit d'Alexandre est sincère. Il écrit à la jeune femme : « Me sentant de plus en plus devenir étranger pour vous, je n'ose vous entretenir de choses qui ne peuvent plus avoir aucun intérêt pour vous. Vous devez être contente de ce résultat... Aussi la plaie que cela laisse ne se cicatrise qu'avec peine, et mon cœur, dans lequel vous saviez si bien lire jadis, continue à souffrir... [1]. »

1. Lettre du 16 août 1865. Cf. Constantin de Grunwald, *op. cit.*

En vérité, ce cœur ne souffrira pas longtemps. Fait étrange, la nouvelle élue appartient à une branche éloignée de la même famille Dolgorouki [1]. Elle s'appelle Catherine, Catiche ou Katia pour les intimes. Son père, le prince Michel, entraîné par des goûts fastueux, a dissipé toute sa fortune. Miné par les soucis, il n'a pas tardé à mourir. Par estime pour le passé de cet aristocrate déchu, Alexandre a placé son domaine de Volhynie sous la tutelle impériale et pris à sa charge l'éducation de ses six enfants, quatre fils et deux filles. Sans doute a-t-il déjà rencontré la petite Katia, toute gamine, dans la propriété familiale de Teplovka, lors des manœuvres qui se déroulaient dans la région. Il l'a revue plus tard à l'institut Smolny, où elle a été placée comme pensionnaire. Cet institut pour jeunes filles nobles a été fondé par Catherine II en imitation du Saint-Cyr de Mme de Maintenon. Depuis sa création, il jouit de la sollicitude des monarques russes. L'empereur et l'impératrice s'intéressent personnellement aux travaux des élèves, leur rendent visite, de temps à autre, et prennent même, à cette occasion, le thé au milieu d'elles. Alexandre ne tarde pas à remarquer, parmi cet essaim de demoiselles en uniforme, la gracieuse Catherine Dolgorouki au regard pétillant de malice.

À dix-sept ans, Catherine, ayant achevé ses études, quitte l'institut et s'installe chez son frère aîné, le prince Michel, qui vient d'épouser une charmante Napolitaine, la marquise Louise Vulcano Cercemaggiore. Un jour de printemps, alors qu'elle se promène au jardin d'Été, escortée de sa femme de chambre, elle rencontre l'empereur qui marche dans une allée, suivi d'un aide de camp. Il la reconnaît, s'approche d'elle et, sans se soucier des passants qui les observent, l'entraîne à l'écart et engage la conversation. Bouleversée, elle ne sait que répondre aux compliments de cet homme mûr qui pourrait être son père. À la fois fière et effrayée d'avoir été distinguée par Sa Majesté, elle n'a qu'une hâte, c'est de s'échapper, de disparaître. Alexandre,

---

1. Certains écrivent ce nom Dolgoroukov.

cependant, la dévore du regard. Elle a des traits fins, un teint d'ivoire, des tresses châtaines souples et soyeuses, des yeux fendus en amande et un sourire enjôleur. Tant de joliesse et de naïveté le transportent. Quel contraste avec son épouse éteinte, flétrie, vidée de sa substance par la maladie et la religion ! Il insiste pour revoir la jeune fille. Et elle ne peut refuser. Ils se retrouvent fréquemment au cours de leurs promenades, soit au jardin d'Été, soit dans les parcs de l'île Iélaguine, soit encore, à partir de juillet, sous les futaies séculaires qui entourent Peterhof. Plus pressant à chaque entrevue, Alexandre finit par lui avouer son amour. Il la supplie de lui céder et elle résiste, affolée et désespérée tout ensemble.

En avril 1866, quand elle apprend qu'il vient d'échapper à l'attentat de Karakozov, elle comprend soudain tout ce qu'il représente pour elle : non seulement l'empereur de Russie, mais un homme bon, droit et malheureux, un homme qui, au milieu des soucis, des dangers, des obligations de sa charge, a besoin d'elle pour retrouver le goût de vivre. Quelques mois plus tard, le 13 juillet 1866, il l'entraîne aux confins du parc de Peterhof jusqu'à un pavillon à colonnades, le belvédère de Babygone, entouré de verdure et de fleurs, face à la nappe moirée des eaux finlandaises. Là, elle ne sait plus si c'est par pitié ou par amour qu'elle s'abandonne. En tout cas, leur première étreinte est, pour elle, une éblouissante révélation. Dans les bras de l'empereur, elle découvre le bonheur d'être femme et de dispenser le plaisir. Sa sensualité vite éveillée répond sans fausse honte aux désirs de son amant. Dépassé par son propre triomphe, il la couvre de baisers et s'écrie : « Aujourd'hui, hélas ! je ne suis pas libre ; mais, à la première possibilité, je t'épouserai, car je te considère, dès maintenant et pour toujours, comme ma femme devant Dieu. À demain. Je te bénis[1] ! »

À dater de ce jour, ils se rencontrent régulièrement dans le

1. Maurice Paléologue : *Le Roman tragique de l'empereur Alexandre II.*

pavillon de Babygone. Alexandre apprend à mieux connaître sa maîtresse. Elle n'est peut-être pas d'une haute intelligence, ni d'une vaste culture, mais elle a pour elle la fraîcheur de la peau, la douceur de l'haleine et la science innée des caresses. En outre, elle est sincèrement attachée au tsar. Il se persuade que leur couple est voulu par Dieu. Pas une seconde l'idée du péché d'adultère ne l'effleure. Chaque soir, il écrit à Catherine, non comme un souverain vieillissant, mais comme un lieutenant amoureux. Le 12 août 1866, après une de ces entrevues heureuses, il se jette sur le papier et trace quelques lignes au crayon : « N'oublie pas que toute ma vie est en toi, ange de mon âme, et que le seul but de cette vie est de te voir heureuse autant qu'on peut être heureux en ce monde. Je crois t'avoir prouvé dès le 13 juillet [1] que, quand j'aimais quelqu'un véritablement, je ne savais pas aimer d'une manière égoïste... Tu comprendras que je ne vivrai plus que dans l'espoir de te revoir, jeudi prochain, dans notre cher nid. »

Il a quarante-huit ans et elle dix-neuf. Cette différence d'âge, loin de l'inquiéter, l'émoustille. À l'automne, quand la cour revient dans la capitale, les relations de Catherine et d'Alexandre s'organisent. Trois ou quatre fois par semaine, elle se rend clandestinement au palais d'Hiver et, par une porte basse dont elle a la clef, pénètre dans une pièce du rez-de-chaussée, prenant jour, à l'ouest, sur l'esplanade. De là, un escalier secret la conduit aux appartements impériaux du premier étage, occupés jadis par Nicolas Ier.

Toute la cour est bientôt au fait des moindres détails de la liaison. On n'en parle qu'à mots couverts dans les salons, car la personne du tsar est sacrée. Certains plaignent la vierge innocente, livrée à un potentat lubrique. Les autres reprochent à Catherine de n'être qu'une intrigante ou accusent sa belle-sœur italienne, l'épouse de son frère aîné, Michel, de l'avoir jetée, par calcul, dans les bras de l'empereur. Ces rumeurs

---

1. Date à laquelle Catherine est devenue la maîtresse du tsar.

inquiètent la marquise Vulcano Cercemaggiore. Elle craint à la fois pour sa propre réputation et pour l'avenir de Catherine. Afin d'éviter un scandale, elle emmène la jeune femme à Naples, dans sa famille.

Cette brusque séparation consterne Alexandre. Magnifiée par la distance, Catherine devient pour lui l'objet d'une passion délirante. À son âge, pense-t-il, une liaison avec une telle jeunesse tient du miracle. Il en oublie ses devoirs d'époux et de père. Il songe à initier cette enfant aux arcanes de sa politique. Il lui écrit chaque jour en la suppliant de revenir. Et les lettres douces et aimantes qu'il reçoit en retour lui rendent encore plus insupportable l'absence du seul être qui compte désormais dans sa vie.

IX

RUSSIE, ALLEMAGNE, FRANCE

En même temps qu'il poursuit, tant bien que mal, son travail de réforme, Alexandre se préoccupe d'assurer l'expansion de son pays au sud et à l'est. La vocation de la Russie n'est pas, selon lui, de rester dans ses frontières, mais de s'agrandir aux dépens des pays voisins faiblement peuplés, mal organisés et en proie aux luttes intestines. Dès le début de son règne, à la suite de négociations diplomatiques, il arrache à la Chine, par deux traités consécutifs (en 1857 et en 1858), toute la rive gauche du fleuve Amour. Deux ans plus tard (en 1860), un autre traité, signé à Pékin par le jeune comte Ignatiev, étend la domination russe sur la riche région d'Oussouri où s'élèvera bientôt la ville de Vladivostok. Ainsi, Saint-Pétersbourg contrôle désormais toute la Sibérie, le long des rives du Pacifique jusqu'aux frontières de la Corée. En outre, les plénipotentiaires d'Alexandre obtiennent du Japon la moitié sud de l'île Sakhaline en échange d'une partie de l'archipel des Kouriles.

La pacification du Caucase oriental s'achève en 1859 par la prise de Gounib et la capture du redoutable chef Chamyl. Reste à avaler le Caucase occidental. Cernés par les troupes russes, les Circassiens rebelles sont refoulés vers le littoral. On leur propose de s'établir dans des endroits indiqués par les autorités militaires ou de se rendre en Turquie. Plus de deux cent mille montagnards optent pour cette dernière solution. Les autres se résignent à devenir des sujets du tsar. L'affaire est terminée en 1864.

Simultanément, la poussée russe s'accentue en Asie centrale. Prenant prétexte des incursions des « guerriers sauvages » dans leurs lignes, les généraux d'Alexandre organisent des expéditions punitives qui, chaque fois, s'enfoncent plus profondément vers le sud. En 1865, c'est Tachkent qui capitule ; en 1868, Samarkand. Encore quelques années, et les khanats de Khiva et de Boukhara se soumettront à la Russie. À mesure qu'ils avancent vers les frontières chinoise, afghane et persane, les détachements russes s'assurent de la fidélité des turbulentes populations indigènes. Cette lente progression en direction de l'Inde britannique inquiète les diplomates anglais. Mais, en dépit de leurs mises en garde, la Russie poursuit son chemin, pesante, sourde, imperturbable. Un administrateur énergique, le général Kauffmann, s'emploiera à développer les ressources de l'immense province du Turkestan, nouvellement constituée.

Ces gains territoriaux, réalisés sans grande effusion de sang, réconfortent Alexandre. S'il n'a pas tout à fait réussi dans le domaine de la politique intérieure, où des insensés retardent l'application des réformes, il peut se dire que, grâce à lui, la superficie de l'empire se trouvera agrandie de quelques millions de kilomètres carrés. Ce qu'il offre à la Russie, c'est une région neuve et riche, allant de la Caspienne à la Chine et à l'Afghanistan.

Mais ce n'est pas assez ! Le continent européen, avec principalement la péninsule balkanique, retient aussi son attention. À cet égard, un jeu subtil est engagé entre la Prusse, la France et la Russie. Des liens de parenté très étroits, une communauté d'intérêts historique, les déceptions causées par l'Autriche au moment de la guerre de Crimée et par la France pendant le soulèvement de la Pologne, tout, dans cette conjoncture, rapproche Saint-Pétersbourg de Berlin. Fort de ces évidences politiques et sentimentales, Alexandre ne s'inquiète pas outre mesure des aspirations prussiennes à l'hégémonie. Bien que Guillaume Ier et son ministre Bismarck ne cachent pas leur intention d'unifier l'Allemagne, il garde une sage neutralité au cours de la guerre contre le Danemark, qui se termine par l'annexion du Schleswig et du Holstein (1864), puis dans la guerre contre l'Autriche, qui se solde par l'exclusion de ce pays de la Confédération germanique (1866). La défaite autrichienne de Sadowa réjouit même le tsar comme une revanche de Sébastopol. Cependant, ayant grossi sa nation de quelque onze millions de sujets, Guillaume Ier est désormais en position de force au milieu d'une Europe désemparée. L'équilibre est rompu. Pour essayer de le rétablir, Alexandre Gortchakov juge opportun que l'empereur amorce un rapprochement avec Napoléon III en se rendant à Paris. Depuis l'affaire polonaise, la Russie a mauvaise réputation en France. Afin de désarmer les amis parisiens de la « nation martyre », le tsar décrète une large amnistie pour les insurgés polonais de 1863. « Le motif de cette mesure, écrit Gabriac, chargé d'affaires de France, c'est le désir d'être agréable à Sa Majesté [Napoléon III] et d'éviter que le nom de la Pologne ne vienne se placer comme un souvenir pénible dans leurs entretiens. »

Toutefois, en entreprenant ce voyage, Alexandre se promet des plaisirs autres que diplomatiques. Il est curieux de visiter l'Exposition universelle dont on lui dit grand bien. Ses fils Alexandre et Vladimir l'accompagnent. Il télégraphie de Cologne pour se faire réserver deux loges au théâtre des Variétés, où la célèbre Hortense Schneider se produit dans l'opérette d'Offenbach *La Grande-Duchesse de Gérolstein*. Enfin, il s'arrange pour que Catherine Dolgorouki, la chère Katia, toujours reléguée à Naples, vienne le retrouver en France et partage ses loisirs entre deux réceptions officielles. Il y a six mois qu'il ne l'a vue. C'est plus qu'il n'en peut supporter !

Lors de son arrivée à Paris, le 1er juin 1867[1], Alexandre est accueilli à la gare du Nord par l'empereur Napoléon III. Sur le trajet de la gare aux Tuileries, il constate la froideur de la foule. Çà et là, on crie : « Vive la Pologne ! » Le 5 juin, lors de la visite de la Sainte-Chapelle, au Palais de Justice, la même apostrophe injurieuse retentit avec plus de force, lancée par un groupe d'avocats ayant Charles Floquet à leur tête : « Vive la Pologne, monsieur ! » Alexandre reçoit cette phrase comme un soufflet et ne bronche pas. Les Français, pense-t-il, étaient moins arrogants lorsque son oncle, Alexandre Ier, occupait Paris avec ses troupes. Il lui reste la satisfaction de loger à l'Élysée, comme son illustre prédécesseur. Il a installé Catiche à deux pas de là, dans un hôtel discret de la rue Basse-du-Rempart. Chaque soir, elle le rejoint au palais en se glissant, ombre furtive, par la grille qui se trouve à l'angle de l'avenue Gabriel et de l'avenue de Marigny. Dans ses bras, il oublie toutes les fatigues, toutes les avanies. À ses yeux, c'est elle la principale attraction de l'Exposition parisienne.

Le 6 juin, il assiste, avec Napoléon III et Guillaume Ier, à une grande revue militaire sur l'hippodrome de Longchamp. Au retour, la calèche découverte où il se trouve avec l'empereur des Français et les deux jeunes grands-ducs se fraie difficilement un passage à travers la foule qui s'est rassemblée dans les allées du bois de Boulogne. Comme l'équipage arrive à hauteur de la Grande Cascade, un homme brandit un pistolet et tire à deux reprises sur le tsar. Mais il a été bousculé à temps par l'un des écuyers de Napoléon III qui a vu son geste. Les balles blessent légèrement une passante et un cheval. Devant ce deuxième attentat, Alexandre affiche une indifférence hautaine. Son courage est fait de fatalisme et de piété. Néanmoins, il s'étonne de cet acharnement contre sa personne. Une seule consolation : cette fois le coupable, arrêté sur-le-champ, n'est pas un Russe, mais un réfugié polonais, Anton Berezowski.

1. Le 20 mai d'après le calendrier julien.

Revenu à l'Élysée, le tsar reçoit la visite de l'impératrice Eugénie, qui s'abat en larmes sur sa poitrine et le supplie de ne pas écourter son séjour à cause de ce déplorable incident. Alexandre la tranquillise : il restera, quoi qu'il arrive. Après cette entrevue, il court rassurer sa voisine, Catiche. L'émotion qu'elle manifeste lui donne la mesure de leur mutuel amour. Le soir même, il confie à l'ambassadeur de Russie à Paris, Budberg, qu'il n'a pas peur, car il est toujours prêt à paraître devant Dieu. Mais, à dater de cet instant, son humeur se refroidit. Il ne peut pardonner à la France ni les affronts qu'il a subis dans la rue, ni la tentative de régicide dont il a été l'objet. Décidément, ce peuple ne le comprend pas, ne l'aime pas. Par politesse, il se rend encore, les jours suivants, à toutes les fêtes, à tous les bals prévus par le protocole et continue d'exprimer sa satisfaction pour les égards dont on l'entoure, mais le public remarque son air distrait, tendu, son sourire mécanique, la lumière triste, fixe, angoissée de ses yeux bleus et cernés. Gustave Flaubert, l'ayant vu à un bal aux Tuileries, écrit à George Sand : « Le tsar de Russie m'a profondément déplu : je l'ai trouvé pignouf. »

Le 11 juin, Alexandre, désenchanté, quitte Paris, après avoir remercié ses hôtes et récompensé largement l'écuyer qui lui a sauvé la vie. Quelques jours plus tard, son fils aîné, le grand-duc Alexandre, écrit à un ami, le prince Mechtcherski : « Lorsque j'évoque maintenant mon séjour à Paris, j'en ai la fièvre... Oui, nous y avons vécu des jours pénibles ; je ne pouvais ni m'amuser ni me sentir tranquille pendant un seul instant. Rien ne pouvait me garantir qu'il n'y aurait pas une répétition [de l'attentat]... Je n'avais qu'un seul désir : quitter Paris. J'aurais tout envoyé au diable, pourvu que notre empereur puisse rentrer indemne, au plus vite, dans notre mère la Russie. Quel bonheur c'était de quitter enfin cet antre ! »

Comme pour attiser encore l'indignation des Russes, lors du procès de Berezowski, son avocat, Emmanuel Arago, se livre à une diatribe haineuse contre le tsar. Le jury, impressionné par

cette plaidoirie, accorde les circonstances atténuantes au Polonais, qui, échappant à la peine de mort, est condamné à la
détention perpétuelle. Alexandre est doublement ulcéré :
d'abord parce que ce verdict de clémence témoigne, selon lui,
de la perversion de l'opinion publique française, ensuite parce
qu'il eût aimé faire un geste et demander à Napoléon la grâce du
coupable.

Rentré à Saint-Pétersbourg, il se persuade que le salut de la
Russie est bien, aujourd'hui, du côté de la Prusse. Il ne lui
déplaît pas que la France reste seule, face au danger allemand.
L'unique bénéfice qu'il rapporte de ce voyage à Paris est un
resserrement de ses liens avec Catherine Dolgorouki. Après une
longue séparation, leur amour a pris un caractère définitif et,
pour ainsi dire, officiel. Dans la capitale, Catherine habite, avec
sa belle-sœur et son frère, un superbe hôtel du quai des Anglais.
Elle a ses domestiques et ses équipages. Au palais d'Hiver, elle
dispose, pour ses rencontres avec le monarque, de l'ancien
cabinet de Nicolas Ier. Pendant les séjours d'Alexandre à
Tsarskoïe Selo, à Peterhof, à Livadia, elle loue une villa à
proximité de la résidence impériale et vit sous un nom
d'emprunt. Il la nomme demoiselle d'honneur de l'impératrice
afin qu'elle ait ses entrées à la cour. Offusquée mais dominant
son dépit, la tsarine accueille avec un froid sourire les révé-
rences de sa rivale. Elle ne voit dans ce tendron qu'une passade
de son époux, tourmenté par le démon de midi. Comment
pourrait-elle imaginer qu'Alexandre, si distant d'habitude, se
laisse aller auprès de sa Catiche à des débordements indignes de
son âge ? En vérité, la jeune femme évite de paraître aux
réceptions impériales. Tout absorbée par son amour, elle mène
une existence retirée et obscure, n'acceptant que rarement des
invitations au théâtre ou à des dîners en ville. Il faut que le tsar
insiste pour qu'elle se rende à un bal. Excellente danseuse, elle
lui offre, ces soirs-là, le plaisir de la voir évoluer en musique,
fût-ce entre les bras d'un autre.

Cependant, la politique se mêle bientôt à leurs conversations.

Alexandre ne peut garder pour lui les soucis qui l'accablent. Peu à peu, il s'habitue à ne prendre aucune décision importante sans en discuter d'abord avec sa maîtresse. Qu'il s'agisse de négociations diplomatiques, de réformes administratives, de dissensions dans la famille impériale, d'intrigues de salon ou de rivalités entre les ministres, il la met au courant de tout et sollicite son avis. Il lui fait confiance parce que, coupée du monde, elle n'a aucune coterie derrière elle. En s'épanchant auprès d'elle, il est sûr que ses propos ne seront pas répétés. Ainsi, le sort de la Russie se décide dans une alcôve, entre deux caresses. Cependant, à la cour, les langues se délient. Certains accusent le souverain d' « amours séniles ».

Obsédé par le besoin d'avoir Catherine à portée du regard, Alexandre l'emmène désormais dans tous ses voyages. À Ems, où il va prendre les eaux chaque année, elle occupe une villa voisine de l'hôtel des Quatre-Tours où logent le tsar et sa suite. Au mois de juin 1870, il a de graves entretiens dans cette ville avec Guillaume Ier, Gortchakov et Bismarck. Le soir, après ces conciliabules, il explique en détail la situation internationale à sa maîtresse. À l'entendre, la France de Napoléon III poursuit une politique aventureuse, son affrontement avec la Prusse est inévitable, et la Russie, tenue par son alliance traditionnelle avec Berlin, ne pourra que rester neutre dans cette affaire. Un mois plus tard, lorsque éclate la nouvelle de la candidature d'un prince de Hohenzollern au trône d'Espagne, il se contente de prier Guillaume Ier de renoncer à cette prétention. Mais, au moment de la publication de la dépêche d'Ems, jugée insultante par Napoléon III, il lance au général Fleury, ambassadeur de France : « Vous croyez donc être seul à avoir de l'amour-propre ! » Et il déclare à Catherine : « Tu vois comme j'avais raison ! Dans cette affaire, la France a tous les torts ! » La progression foudroyante de l'armée allemande ne le surprend pas. Son ministre à Berlin, M. d'Oubril, prévoit que Paris tombera bientôt sous la poussée prussienne. « Et moi, écrit Alexandre à Catherine, je pense qu'avant qu'ils y arrivent [à

Paris] Napoléon ne sera plus empereur et que c'est à Paris
même que les Français proclameront sa déchéance, et il n'aura
que ce qu'il mérite pour toutes les iniquités envers nous et tant
d'autres. Pardonne-moi, chère Doussia, mon impatience de te
quitter ce soir, mais tu dois comprendre que je ne puis pas ne
pas m'intéresser à tout ce qui arrive, ayant encore sur le cœur le
souvenir de Sébastopol, qui a été la cause de la mort de mon
père, et tu connais le culte que je lui portais et que je lui
conserve. Je vois dans tout cela, comme je te l'ai dit, la main de
Dieu qui punit l'iniquité[1]. »

Le désastre de Sedan, la déchéance de Napoléon III, la
proclamation de la république, tout cela semble à Alexandre un
juste châtiment pour la conduite outrecuidante de la France
envers la Russie. Lorsque M. Thiers vient à Saint-Pétersbourg,
en septembre 1870, l'adjurer de refréner les convoitises de
l'Allemagne, il se heurte, de sa part, à un refus poli. « Indiquez-
moi, dit Alexandre à Thiers, le moyen de vous aider ; je
l'emploierai volontiers. Je suis intervenu déjà avec chaleur. Je
recommencerai. Mais enfin je ne puis aller ni jusqu'à la guerre,
ni jusqu'à des menaces qui mèneraient à la guerre, car je me
dois avant tout à mon pays. » Thiers prend congé sans avoir
rien obtenu d'autre que de bonnes paroles. « Ayez le courage de
la paix », lui dit Alexandre en guise d'adieu.

Quelques mois plus tard, Paris capitule, Thiers est nommé
chef du pouvoir exécutif, la France perd l'Alsace et une partie
de la Lorraine, le nouveau Reich est proclamé dans la galerie
des Glaces du château de Versailles et Guillaume Ier devient
empereur d'Allemagne.

Alexandre a vaguement conscience du péril que représente
pour la Russie la création d'une grande Allemagne unifiée.
Mais, sur l'instant, il ne songe qu'à récolter les fruits de sa
politique de neutralité. Toutes les conditions lui semblent
réunies, au milieu de l'agitation européenne, pour réclamer

1. Lettre du 4-16 août 1870.

l'abolition du traité de Paris, si contraire aux intérêts russes dans le Proche-Orient. Par une circulaire du 29 octobre 1870, Gortchakov déclare que la Russie s'estime désormais déliée des entraves imposées à son action dans la mer Noire. Cette décision unilatérale déchaîne une tempête dans les chancelleries européennes. L'Angleterre, notamment, proteste avec véhémence contre ce qu'elle considère comme la violation d'un pacte international. Gortchakov riposte que la chute de l'Empire français a modifié les données du problème et que le traité de Paris a déjà été ignoré par d'autres signataires, ainsi que le prouve l'occupation de Rome par les troupes italiennes au lendemain de Sedan.

Après de multiples tractations, un nouveau traité est signé à Londres, le 13 mars 1871, abrogeant les stipulations antérieures sur la limitation de la flotte russe, de ses places fortes et de ses chantiers en mer Noire. Ce succès diplomatique soulève une vague d'enthousiasme en Russie. Les assemblées locales adressent au tsar des messages de félicitations. La presse porte Gortchakov aux nues. Alexandre accorde à son ministre le titre d'Altesse sérénissime qui lui donne la préséance sur tous les autres princes.

Mais, au milieu de ce concert de louanges, Alexandre se dit que rien n'est jamais gagné en politique. La réunification de l'Allemagne s'est faite au détriment de plusieurs dynasties allemandes, dont les petits princes, qui avaient régné jusque-là par la grâce de Dieu, ont été écartés du trône. De même Napoléon III, naguère empereur des Français, a été renversé et remplacé par un gouvernement républicain. Dans les deux cas, il s'agit d'un recul du principe monarchique. N'est-il pas urgent d'opérer un rapprochement entre les puissances autocratiques, comme au temps d'Alexandre Ier ? Cette Sainte-Alliance à laquelle le tsar était hostile au début de son règne, voici qu'il juge opportun de la ressusciter. Au besoin, on oubliera les griefs d'hier contre l'Autriche.

En septembre 1872, les empereurs d'Allemagne, d'Autriche

et de Russie se retrouvent à Berlin. Au cours d'un dîner intime, ils discutent, en se tutoyant, du seul péril qui menace encore le monde : la montée des idées révolutionnaires. Sur ce point, l'accord est total et immédiat. De leur côté, les ministres qui dirigent les affaires étrangères des trois pays établissent les bases d'une nouvelle Sainte-Alliance, destinée à maintenir l'ordre monarchique en Europe. Mais, à l'insu de Gortchakov, Bismarck promet à l'Autriche une compensation dans les Balkans pour les pertes territoriales qu'elle a subies en Allemagne et en Italie.

À son retour à Saint-Pétersbourg, Alexandre rayonne. L'amitié de l'Allemagne et de l'Autriche n'est pas son seul sujet de contentement. Quatre mois auparavant, Catherine lui a donné un fils, Georges [1]. L'accouchement a eu lieu au palais d'Hiver, dans l'ancien appartement de Nicolas Ier. Un domestique de confiance a été envoyé, en pleine nuit, pour ramener le médecin et la sage-femme. Le travail s'est révélé d'abord si douloureux qu'Alexandre a supplié le docteur : « S'il le faut, sacrifiez l'enfant. Mais elle, à tout prix, sauvez-la ! » C'est au matin seulement que Catherine a été délivrée. Fou de bonheur, Alexandre a tout juste eu le temps d'entrevoir le nouveau-né et d'embrasser la mère. On était dimanche. Toute la cour l'attendait pour la messe. L'enfant adultérin a été confié au général Ryleïev, chef de la Sûreté personnelle de Sa Majesté. Dans une maison discrète, surveillée par des gendarmes, Georges a auprès de son berceau une nourrice russe et une gouvernante française.

Catherine s'est vite remise de ses couches. Alexandre, qui a craint pour elle la flétrissure de la maternité, est tout à fait rassuré. Le corps de la jeune femme a retrouvé sa sveltesse. Amoureux de la pureté de ses formes, le tsar la dessine au crayon, nue, allongée sur un divan. Malgré toutes les précautions prises, la nouvelle de l'accouchement ne tarde pas à être

---

1. Né le 30 avril 1872.

connue de la cour. Dans l'entourage du tsar, c'est la consternation : les deux frères préférés de l'empereur, les grands-ducs Constantin et Nicolas, sa vieille et chère tante, la grande-duchesse Hélène, s'inquiètent de l'intrusion d'un bâtard dans la lignée des Romanov. L'impératrice Marie Alexandrovna supporte l'affront avec stoïcisme, ne s'abaisse à aucune récrimination, mais semble renoncer à lutter contre la maladie qui la ronge. Dans les milieux aristocratiques, on accuse, à voix basse, Alexandre de ne pas ménager davantage la susceptibilité de son épouse, dont la santé décline rapidement ; on s'indigne de la passion d'un souverain de cinquante-quatre ans, déjà grand-père, pour une effrontée et on redoute l'emprise de cette « odalisque » sur le cerveau du maître de la Russie. L'année suivante, le mécontentement est porté à son comble lorsqu'on apprend que la favorite vient de donner le jour à un deuxième enfant, une fille, Olga[1]. Le comte Pierre Chouvalov, chef de la police secrète ou « Troisième Section », ose déplorer, dans un cercle d'amis, cette nouvelle déchéance de la dignité impériale. « Mais je la briserai, cette gamine ! » dit-il. Le propos est rapporté par des espions à l'empereur, et Chouvalov, démis de ses fonctions, se retrouve ambassadeur à Londres.

Au mois d'avril 1873, alors qu'Alexandre nage en plein bonheur extra-conjugal, Guillaume Ier lui rend visite à Saint-Pétersbourg. Après douze jours de festivités, marqués par des revues, des bals, des banquets, des concerts et des spectacles, on passe aux choses sérieuses. Le comte von Moltke, feld-maréchal prussien, et le comte Berg, feld-maréchal russe, signent une convention militaire, selon laquelle une armée de deux cent mille hommes viendra en aide à celui des deux empires qui serait attaqué par une puissance européenne. Quelques mois plus tard, lors d'une visite d'Alexandre à Vienne, l'Autriche est associée à cette alliance.

---

1. Catherine Dolgorouki accouchera, en 1876, d'un second fils baptisé Boris, qui succombera quelques jours plus tard à une maladie infantile.

Cependant, encouragée par la bienveillance de la Russie, l'Allemagne, dès 1875, songe à déclarer une deuxième fois la guerre à la France, qu'elle accuse de nourrir des idées de revanche. En réalité, Bismarck estime que la France se relève trop vite et qu'il faut lui porter un coup décisif avant qu'elle ne devienne dangereuse pour ses voisins. Déjà, la presse allemande adopte un ton belliqueux. Justement alarmé, le président Mac-Mahon sollicite l'appui d'Alexandre. Gortchakov fait parvenir à la Wilhelmstrasse des conseils de modération. En vain. Alors, le tsar décide de se rendre lui-même à Berlin pour essayer d'apaiser l'ardeur germanique. Bien entendu, Catherine est du voyage.

Le tsar arrive dans la capitale allemande avec Gortchakov et descend au palais de son ambassade, alors que sa maîtresse s'installe dans un hôtel voisin. Aussitôt reçu par son oncle, l'empereur Guillaume Ier, Alexandre lui déclare, sans détour, qu'il ne laissera pas attaquer la France. Le vieux Kaiser affirme qu'il n'y pense pas, mais fait, en termes rudes, le procès du gouvernement et du peuple français. Même son de cloche chez Bismarck. À l'issue de ces entretiens, Gortchakov lance une dépêche annonçant que, grâce à son souverain, la paix est assurée. Cette déclaration irrite fort Bismarck, qui accuse son interlocuteur russe d'avoir voulu se poser en arbitre de l'Europe. Il lui offre ironiquement de faire frapper des pièces de cinq francs à son effigie avec l'inscription : *Gortchakov protège la France*. Et il ajoute que Gortchakov ne devrait pas se réjouir d'avoir mécontenté l'Allemagne pour satisfaire sa vanité personnelle. « Je suis le bon ami de mes amis et l'ennemi de mes ennemis », dit-il d'un ton aigre. Un froid diplomatique tombe entre les deux hommes, entre les deux pays. Cependant, le duc Decazes[1], soulagé, écrit au vicomte de Gontaut-Biron[2] : « Nous avons échappé à un terrible danger. On allait nous

1. Alors ministre des Affaires étrangères de Mac-Mahon.
2. Alors ambassadeur de France à Berlin.

placer entre l'invasion et le désarmement. Il nous fallait un appui extérieur. Y pouvions-nous compter ? La vieille Europe s'est enfin réveillée. »

Heureux de ce succès politique, Alexandre rentre en Russie et s'installe avec Catherine à Tsarskoïe Selo. S'étant quelque peu brouillé avec l'Allemagne et rapproché considérablement de la France, il se cherche d'autres amis. Un moment, il a été tenté de se tourner vers les États-Unis. Après l'attentat manqué de Karakozov, Washington a expédié à Saint-Pétersbourg une délégation spéciale, présidée par le secrétaire adjoint de la Marine, G. Fox, et chargée de présenter ses félicitations au tsar. Accueillis chaleureusement comme les messagers d'un peuple frère qui, lui aussi, a aboli l'esclavage, les Américains ont entendu de beaux discours, auxquels ils ont répondu avec le même élan. Mais Alexandre sait bien que ces congratulations réciproques sont de pure forme. Les États-Unis, occupés par le développement de leur immense et jeune pays, n'ont nullement l'intention de se mêler des affaires de l'Europe. Le seul résultat tangible de cette prise de contact a été la cession par la Russie, en 1867, pour la somme dérisoire de sept millions de dollars, du territoire éloigné et vierge de l'Alaska, dont, à Saint-Pétersbourg, on ne savait que faire.

Il est un autre pays anglo-saxon dont Alexandre aimerait gagner la sympathie, c'est l'Angleterre. Mais, de ce côté-là, il semble que l'hostilité soit devenue une affaire de tradition. Les Britanniques sont les rivaux des Russes au Proche-Orient. L'avance rapide des armées du tsar en Asie centrale les inquiète. De quelque côté qu'Alexandre veuille étendre son hégémonie, il se heurte aux diplomates de la reine Victoria. Pourtant, en 1871, un espoir d'entente s'est dessiné entre les deux nations. La grande-duchesse Marie, fille du tsar, et le duc d'Édimbourg, fils cadet de la reine Victoria, se sont rencontrés chez leurs parents de Hesse et sont tombés amoureux l'un de l'autre. Malgré les réticences de Victoria, fâchée d'accueillir une princesse russe dans sa famille, le mariage a eu

lieu le 11 janvier 1874[1], avec la pompe habituelle, au palais
d'Hiver. Au programme des réjouissances, trois bals à la cour,
des soupers de trois mille couverts, *Roméo et Juliette* au Grand
Opéra, avec Adelina Patti en vedette, une chasse à l'ours, des
parties de patinage et une visite à Moscou. Quelques mois plus
tard, Alexandre se rend lui-même à Londres. Il y est reçu avec
le même faste et la même amitié de surface. Au déjeuner offert
par le lord-maire au Guildhall, il prononce un discours pour
remercier l'Angleterre d'avoir si bien accueilli sa fille et
souhaiter que ce mariage serve à resserrer les liens entre les
deux grands peuples, garants de la paix universelle. Mais,
derrière ces paroles aimables, il y a chez lui une intense
perplexité. En lisant les journaux, il sent que l'opinion publique
anglaise demeure défavorable à la Russie. D'ailleurs, à la tête
des conservateurs, qui ont remporté la majorité aux dernières
élections, se trouve Disraeli, le plus farouche des impérialistes
anglais. N'est-il pas absurde que la reine, prisonnière d'un
régime constitutionnel, soit obligée de tenir compte des opinions émises par son Parlement ? Faudra-t-il qu'un jour le tsar,
lui aussi, écoute la voix du peuple exprimée par ses représentants ? Il l'a rêvé dans sa jeunesse. Il n'est plus très sûr de le
désirer encore.

---

1. Le 23 janvier selon le calendrier grégorien.

X

LA GUERRE RUSSO-TURQUE

Comme Alexandre l'avait prévu, la paix de Paris (1856) n'a pas vraiment résolu la « question d'Orient ». Certes, les années qui ont suivi le traité n'ont pas vu d'affrontements majeurs. Même le soulèvement de la Crète, en 1867, n'a que passagèrement alarmé les cabinets européens. Mais, en dépit de toutes les conventions officielles, la Russie ne peut, traditionnellement, renoncer à la protection des sujets orthodoxes sous domination ottomane. À tout moment, les diplomates russes protestent auprès du sultan contre les exactions commises par les Turcs dans les régions habitées par des Slaves. Ces interventions exaspèrent la Turquie, soutenue par l'Angleterre, qui redoute la rivalité russe sur ce terrain comme en Asie centrale. En 1875, la situation dans les Balkans s'aggrave subitement à la suite des révoltes qui éclatent dans les provinces turques de Bosnie et d'Herzégovine, puis en Bulgarie. La Turquie réplique en adjoignant à ses troupes régulières des détachements irréguliers, formés de brigands, les « bachi-bouzouks ». Ceux-ci organisent des massacres qui indignent les Russes et même les Anglais, pourtant favorables à la cause turque. Toutes les grandes puissances s'efforcent de calmer le bouillonnement des passions dans les Balkans. Mais l'Angleterre, en sous-main, continue d'encourager le sultan. Dans son discours d'Aylesbury, Disraeli critique même ouvertement « les hommes politiques qui se servent de ces beaux sentiments pour priver le gouvernement, qui défend les intérêts vitaux de la Grande-Bretagne, du soutien du pays tout entier ». Dans ces conditions, la tension internationale ne peut que s'accroître. Par sympathie envers leurs frères slaves, le Monténégro et la Serbie déclarent la guerre à la Turquie.

À la tête des armées serbes, se trouve le général russe Tcherniaïev, le conquérant de Tachkent. Ayant pénétré en Turquie, il ne parvient pas à enfoncer les lignes ennemies, se replie sur les frontières de la Serbie et s'installe devant la ville d'Alexinas, clef de la vallée de la Morava. Le 31 octobre 1876, Alexinas tombe, le territoire serbe est envahi, la route de Belgrade est ouverte. Alexandre, qui se trouve alors à Livadia, en Crimée, envoie à la Porte un ultimatum pour la sommer d'accepter un armistice dans les quarante-huit heures. La Porte se soumet. La Serbie est sauvée. À l'ambassadeur d'Angleterre, le tsar donne sa parole d'honneur qu'il n'aspire pas à prendre Constantinople et qu'il se bornera, en cas de nécessité, à occuper la Bulgarie.

Ces sages propos contrastent étrangement avec la fièvre patriotique qui s'est emparée de la société russe. Des « comités slaves » se forment à travers tout le pays pour faire de la propagande et collecter des fonds à l'intention des insurgés. De nombreux volontaires partent pour s'enrôler dans l'armée serbe. Dans la presse, Aksakov, Katkov, Dostoïevski et cent autres exaltent l'urgence d'une croisade orthodoxe. À tous les étages de la population, des nobles jusqu'aux moujiks, des intellectuels jusqu'aux marchands, les cerveaux s'enflamment. On rêve de Constantinople asservie, de Sainte-Sophie rendue au culte chrétien, de la mission providentielle du peuple russe. Aksakov écrit : « L'histoire de la Russie a la valeur d'une histoire sainte. Elle doit être lue comme une hagiographie. »

Jamais, depuis la vague d'enthousiasme patriotique qui a soulevé le pays en 1863, lors de l'insurrection polonaise, Alexandre n'a constaté autour de lui une telle unanimité de sentiment, un tel élan de mysticisme national. De tempérament pacifique, il craint qu'une guerre n'ébranle les assises du nouvel ordre administratif et social qu'il a eu tant de mal à instituer. Il déclare devant les représentants de la noblesse et de la municipalité de Moscou : « Je sais que j'ai toute la Russie derrière moi et je participe aux souffrances de nos frères de race et de religion, mais je mets par-dessus tout les vrais intérêts de la Russie et je voudrais épargner le sang russe... Je souhaite un accord général, mais, si nous n'obtenons pas les garanties nécessaires, j'ai la ferme intention d'agir seul. Je suis convaincu que, dans un tel cas, toute la Russie répondrait à mon appel. »

En vérité, Alexandre est harcelé par le souvenir de son père, Nicolas Ier, qui, lors de la désastreuse guerre de Crimée, s'est trouvé devant une Europe coalisée contre la Russie. L'idée du traquenard turc hante ses nuits. Il en parle, les larmes aux yeux, à ses ministres. Il fait savoir à la reine Victoria, par l'intermédiaire de sa fille Alice de Hesse : « Nous ne pouvons pas, nous ne voulons pas nous brouiller avec l'Angleterre. Il faudrait être fou pour penser à Constantinople et aux Indes. » Dans l'espoir d'exercer une pression commune sur la Turquie, il obtient des autres puissances la convocation d'une conférence des ambassadeurs à Constantinople. Réunie au commencement de 1877, cette conférence exige du sultan qu'il mette fin aux atrocités de ses troupes et réalise des réformes immédiates dans les provinces slaves. Les pourparlers s'enlisent. L'Angleterre mène un double jeu. Alexandre accuse Elliot, ambassadeur britannique à Constantinople, d'être « plus turc que les Turcs eux-mêmes ». Il est persuadé que la politique de Disraeli tend à transformer la question d'Orient en un duel entre la Russie et l'Angleterre, ou, mieux encore, que l'Angleterre veut se servir de la Turquie pour infliger à la Russie une défaite plus grave que celle de la guerre de Crimée. « Nous seuls désirons sincèrement l'amélioration effective de la vie des chrétiens, tandis que les autres sont prêts à se satisfaire des promesses insignifiantes de la Porte », écrit-il à son fils Vladimir.

Une mobilisation partielle a déjà été effectuée en Russie à la fin de l'année dernière. D'après les informations secrètes recueillies par le sultan, la préparation militaire russe est insuffisante. Tout porte à croire qu'au premier affrontement le colosse s'effondrera. Alors, à quoi bon se gêner ? Le 31 mars 1877, un protocole est signé à Londres, qui se borne à une anodine récapitulation des négociations précédentes. Encouragée par la diplomatie anglaise, la Porte le repousse comme contraire à sa dignité. À ce moment-là, Alexandre se trouve à Kichinev, au quartier général de son armée. Aussitôt, il écrit à sa bien-aimée Catherine : « Je vois avec plaisir que toutes les mesures sont prises pour que la troupe puisse se mettre en mouvement dès que l'ordre en sera donné. Que Dieu nous vienne en aide et bénisse nos armes ! Je sais que personne ne comprend mieux que toi ce qui se passe en moi, au commencement de la guerre que j'avais tant désiré pouvoir éviter. » Entre-temps, une convention secrète a autorisé le passage des forces russes à travers la principauté de Roumanie. Le 12 avril 1877 [1], le tsar lance à la nation son manifeste de guerre : « Profondément convaincu de la justice de notre cause, nous confiant avec humilité à la grâce et à l'assistance divines, appelant la bénédiction de Dieu sur nos vaillantes armées, nous leur donnons l'ordre de franchir la frontière de la Turquie. »

Cette décision, Alexandre ne la prend pas de gaieté de cœur. Il a l'impression qu'elle ne vient pas de lui, qu'elle lui est imposée par les événements, par l'impétuosité de son peuple, peut-être même par la volonté posthume de son père. Les transports de joie qui l'accueillent de ville en ville, sur le chemin du retour, tantôt le réconfortent et tantôt l'inquiètent. Il n'est pas loin de penser que les foules ont toujours tort. À Moscou,

---

1. Le 24 avril 1877 d'après le calendrier grégorien.

où il arrive le 22 avril, vers dix heures du soir, toutes les rues, jusqu'au Kremlin, sont pleines d'une cohue qui hurle sous la pluie son désir de revanche. « Le lendemain matin, écrit le comte Dimitri Milioutine, dans les salles du palais et dans les cathédrales, nous avons vu un spectacle indescriptible. Après la réponse de l'empereur, brève mais digne, aux félicitations du maire et du maréchal de la noblesse, la foule se jeta vers lui dans un élan enthousiaste : ce n'est qu'avec difficulté qu'on parvint à le dégager... Lorsqu'il apparut sur l'escalier Rouge, on l'acclama à n'en plus finir. » À Saint-Pétersbourg, l'accueil est plus réservé, mais nul ne songe à critiquer la nouvelle aventure militaire où la Russie s'engage.

Le 21 mai, l'empereur prend congé, avec simplicité et courtoisie, de son épouse et fait des adieux déchirants, mouillés de larmes, à sa chère Catherine. Le devoir l'appelle sur le théâtre des opérations. Il part, l'âme lourde, et, dès le surlendemain matin, écrit, du train impérial, à sa maîtresse : « Bonjour, cher ange de mon âme. J'ai assez bien dormi, mais ce fut un triste réveil pour moi, après tout ce temps de bonheur que nous avons passé ensemble. Mon pauvre cœur se sent brisé de t'avoir quittée et je sens que j'emporte ta vie et que la mienne est restée avec toi. » À quatre heures et demie de l'après-midi, il rajoute quelques lignes : « J'ai passé toute la matinée à travailler et viens de me reposer en soupirant de ne pas t'apercevoir à mon réveil, ni les chers enfants non plus... À toi pour toujours[1]. »

L'homme qui roule ainsi à la rencontre de son armée n'a rien d'un chef de guerre. Il va avoir soixante ans. Il est fatigué. Il souffre d'asthme. Son domaine, c'est le bureau, les dossiers, les entrevues avec des ministres, des ambassadeurs, les réceptions officielles et les soirées intimes avec une jeune maîtresse qui le cajole et le charme. S'il entreprend ce voyage, ce n'est certes pas pour le plaisir de se pavaner sur le front des troupes. Conscient de son incapacité en matière de stratégie, il a renoncé à prendre

1. Cf. Constantin de Grunwald, *op. cit.*

personnellement la direction des opérations militaires. Mais il estime qu'il n'a pas le droit de rester au chaud dans son palais, alors que les meilleurs fils de la Russie combattent dans les Balkans. Lui aussi veut sa part de privations et de dangers dans l'épreuve que traverse la patrie. Il n'imagine pas une seconde que son arrivée sur les lieux, avec une nombreuse suite, loin de galvaniser les esprits, va compliquer la transmission des ordres et susciter d'inutiles rivalités dans le commandement. Le tsar est accompagné d'un état-major composé de quelques centaines de personnes. Dix-sept trains sont nécessaires pour leur déplacement. Quand les officiers débarquent des wagons, les témoins sont saisis d'admiration par la somptuosité des uniformes et des équipages. « Derrière eux, écrit un correspondant de guerre anglais [1], il y avait une longue cavalcade de chevaux superbes, des fourgons et des calèches aux compartiments multiples, tous destinés à transformer la dureté d'une campagne en promenade de luxe. Cochers coiffés de plumes de paon ; grooms anglais ; laquais souriant avec condescendance de la profondeur de leur siège ; cuisiniers contemplant la nature, assis sur les bancs de leur cuisine roulante — tous portaient la marque de quelque chose de beaucoup plus considérable que les équipages d'un général en campagne. C'était la suite de l'empereur en marche vers le théâtre des opérations. »

Tous les postes importants sont réservés aux frères du souverain. Le grand-duc Constantin, grand amiral, dirige la flotte, le grand-duc Nicolas l'armée du Danube (deux cent mille hommes), le grand-duc Michel l'armée du Caucase (cent mille hommes). Des corps d'armée sont confiés au grand-duc héritier Alexandre et à son frère, le grand-duc Vladimir, notoirement incompétents l'un et l'autre. On crée même des brigades de cavalerie pour permettre aux ducs Nicolas et Eugène de Leuchtenberg de s'essayer au commandement militaire. Au

1. Archibald Forbes (and many others) : The War Correspondence of the Daily News, 1877, London, 1878. Cf. Constantin de Grunwald, op. cit.

milieu de cet état-major familial, le tsar pourrait se croire sous sa tente, aux manœuvres de Krasnoïe Selo. Pourtant, il ne s'agit pas d'un spectacle dont la réussite dépend du parfait état des uniformes et de la rigueur de l'alignement. La guerre est là, impérative. Dès le 15 juin, l'armée russe franchit le Danube et, après un combat très vif, fortifie sa tête de pont sur la rive droite. Puis l'avant-garde russe, commandée par le général Gourko, atteint les Balkans et s'empare du défilé de Chipka, conduisant vers le sud. Ces premiers succès excitent les esprits, à l'arrière. On se voit déjà à Andrinople et, pourquoi pas ? à Constantinople. Tous les journaux vantent la valeur de l'armée nationale qui combat sous le signe de la Croix contre les barbares dévoués au Croissant.

Cependant, très vite l'intendance, mal organisée, se révèle incapable d'assurer la subsistance des troupes. Les médecins et les infirmières, mobilisés en trop petit nombre, sont débordés par l'afflux des blessés et des malades. Et, si les jeunes officiers instruits dans les nouvelles écoles militaires sont dignes de leur réputation, le haut commandement souffre d'une sclérose sénile. « Ce sont, écrit le correspondant de guerre anglais Archibald Forbes, des hommes très vieux. Ils ont étudié l'art militaire il y a quarante ou cinquante ans. Pour la plus grande part, ils n'ont jamais ouvert un livre et rarement un journal. Ils ont passé toute leur vie à jouer aux cartes et ils sont entrés dans une guerre moderne à peine éveillés d'un sommeil long d'un demi-siècle. » En revanche, le courage du soldat russe transporte le même témoin. « Je ne saurais dire, écrit-il, quand ce simple et honnête soldat russe suscite en moi le plus de respect : lorsqu'il poursuit sans murmurer une marche interminable, ployant sous un fardeau double de celui de nos paysans et chantant gaiement encore pendant la route ; ou lorsqu'il passe à l'attaque avec une alacrité étonnante, en poussant des hourras qui ont tout le ton de la sincérité ; ou lorsqu'il s'oppose avec obstination à l'offensive de l'adversaire, conscient qu'il devra succomber, mais ne songeant même pas à s'enfuir ; ou lorsqu'il est couché, blessé, sans plainte, portant aide à son voisin par quelque acte de tendre gentillesse et attendant ce que Dieu ou le tsar lui enverront, avec un calme patient qui dénote le véritable héroïsme [1]. »

Ce « véritable héroïsme », Alexandre en est profondément ému. La vue des morts, des blessés, des ruines, des incendies le bouleverse comme s'il en était directement responsable. Dans ses lettres à Catherine, il se plaint d'être obligé de sacrifier tant d'hommes pour assurer la grandeur du pays. « Après dîner, lui écrit-il le 5 juillet 1877, j'allai voir deux malheureux Bulgares, horriblement mutilés par les Turcs, et qu'on venait d'apporter à l'hôpital de la Croix-Rouge, qui est à cent pas de ma maison. J'engageai Wellesley [2], qui avait dîné avec toute sa suite, à me suivre pour admirer les œuvres de leurs protégés. L'un de ces malheureux Bulgares venait d'expirer, et sa pauvre femme était à côté de lui : il avait la tête fendue par deux coups de sabre en forme de croix. L'autre avait trois blessures. On espère le sauver. Sa jeune femme grosse l'avait suivi. »

Les journées de l'empereur sont monotones. Il se lève à l'aube, visite quelques hôpitaux de campagne, lit les télégrammes, les journaux, compulse les dossiers, plante de petits drapeaux sur des cartes, observe à la longue-vue le mouvement des troupes qui montent en ligne, discute l'ordre des opérations avec ses généraux. Son humeur est sombre. Après avoir lâché du terrain, les Turcs se sont rapidement ressaisis. Réunis sous les ordres d'Osman pacha, ils ont établi un camp retranché près de Plevna, sur le flanc droit de l'armée russe. Le grand-duc Nicolas, commandant en chef, ordonne de s'emparer de la ville, faute de quoi on ne pourra reprendre la nécessaire progression à travers les Balkans. Coup sur coup, les 8 et 18 juillet, deux assauts sont repoussés avec de lourdes pertes. « Heureusement encore que les Turcs n'ont pas poursuivi les débris de nos

---

1. Archibald Forbes, *op. cit.*
2. Le colonel Wellesley, attaché militaire britannique au grand quartier général russe.

braves, écrit Alexandre à Catherine. Sinon, tout le monde se serait sauvé... Je crains malheureusement que le désastre de Plevna ne rende les Turcs encore plus outrecuidants. »

Au lendemain de cette rude saignée, il n'est plus question d'une nouvelle offensive. Le général Gourko est rappelé en arrière des défilés qu'il a si brillamment conquis. En même temps, des informations désolantes arrivent du Caucase. Après une campagne heureuse, les Russes ont été obligés de lever le siège de Kars, puis d'évacuer l'Arménie. Pendant leur retraite, ils ont été durement secoués par les forces de Mouktar pacha. Du coup, le ton de la diplomatie anglaise devient menaçant. La reine Victoria, conseillée par Disraeli, laisse entendre que, si la guerre doit se prolonger, elle prendra fait et cause pour la Turquie. Alexandre demande des explications à Wellesley, qui, au retour d'un séjour à Londres, ne sait que bredouiller : « Le gouvernement britannique ne pourrait pas résister à l'opinion du peuple anglais qui désire la guerre contre la Russie. » Le lendemain, Alexandre écrit à Catherine : « Si Dieu nous accordait des succès et que nous fassions cette marche [sur Andrinople et Constantinople], rien ne nous garantirait que l'Angleterre ne nous déclarerait pas la guerre encore cette année, malgré les soi-disant bons vœux pour le succès de nos armes que Wellesley m'a apportés de la part de cette vieille folle de reine. Et il n'a pas osé le nier[1]. »

Le 30 août, Osman pacha inflige aux Russes un troisième échec devant Plevna. Ils laissent sur le terrain seize mille hommes hors de combat. Les trois assauts ont coûté vingt-six mille tués. Désespéré, Alexandre écrit encore à Catherine : « Ô Dieu, venez-nous en aide et faites finir cette guerre odieuse pour la gloire de la Russie et le bien des chrétiens. C'est un cri *de ton cœur*[2], que personne ne comprendra mieux que toi, mon idole, mon trésor, ma vie ! »

---

1. Cf. Maurice Paléologue, *op. cit.*
2. Il veut dire : « de ce cœur qui t'appartient » (souligné par l'auteur).

Disraeli exulte. Berlin suggère à Alexandre de battre en retraite et d'hiverner en Roumanie. Un Conseil de guerre est réuni en hâte, sous la présidence de l'empereur. Tous les visages sont anxieux. Quel parti choisir ? Entreprendre une campagne d'hiver ? Le froid menace. Les premières neiges sont déjà tombées sur les hauteurs des Balkans. Comment acheminer des renforts, des approvisionnements à travers un pays montagneux, dévasté, aux routes impraticables ? Se retirer sur la rive gauche du Danube ? L'opinion publique russe n'accepterait jamais ce lâche abandon des avantages obtenus par le sang de tant d'héroïques soldats. Non, l'honneur, sinon la sagesse, ordonne de demeurer sur place et d'assurer le siège régulier de Plevna, après avoir coupé toutes ses communications avec Sofia. En prenant cette décision, Alexandre se demande combien il lui faudra encore immoler d'hommes, et pour quel résultat ? Des rapports de police lui signalent un vif mécontentement à l'arrière. On dénonce de toutes parts la faiblesse du gouvernement, la vénalité de l'administration, l'incapacité des généraux, qu'ils soient ou non grands-ducs. On s'en prend même à l'empereur, dont l'inaction est jugée consternante. Au lieu de commander, il visite des ambulances, décore des agonisants, prie sur des tombes et pleure. Puisqu'il ne fait rien sur le front, pourquoi ne rentre-t-il pas à Saint-Pétersbourg ? Il a maigri ; il respire difficilement ; il dort mal ; ses médecins lui conseillent de partir. Il s'obstine : « Je ne quitterai pas mon armée, tant que nous n'aurons pas pris Plevna. » Sa seule consolation est d'écrire, chaque soir, à Catherine.

Heureusement, au début de novembre, il apprend par des prisonniers turcs, enlevés lors de l'assaut d'un bastion, que les assiégés manquent de vivres. Affamés, démoralisés, décimés par la dysenterie, leur situation est, paraît-il, désespérée. Entre-temps, des renforts sont arrivés chez les Russes : la Garde, suivie d'un corps de grenadiers. Le prince Charles de Roumanie envoie, de son côté, cinquante mille soldats à la rescousse. Ragaillardi, le grand-duc Nicolas propose à Osman pacha de capituler. Celui-ci refuse net et, le 28 novembre, tente de s'échapper avec toute sa garnison, forte de trente-huit mille hommes. Après six heures de combats sanglants, les Turcs s'inclinent. Osman pacha, blessé, est fait prisonnier. Amené devant Alexandre, il lui remet son épée. Alexandre l'effleure des doigts et la lui rend en disant : « Gardez-la toujours en témoignage de mon admiration et de mon respect. » Un *Te Deum* est célébré dans la principale redoute de la ville conquise. Une pluie de médailles s'abat sur les soldats. Le grand-duc Nicolas, généralissime, reçoit la grand-croix de Saint-Georges.

Quelques jours plus tôt, Alexandre a appris que, sur le front d'Asie, la forteresse de Kars est enfin tombée aux mains de ses troupes, commandées par le général Loris-Mélikov. Désormais, les Russes peuvent assiéger Erzeroum. Ils sont maîtres de l'Arménie. Et, du côté des Balkans, ayant fait sauter le verrou de Plevna, ils marchent vers Philippopoli, Andrinople et Constantinople. Derrière eux, pour les deux campagnes, des centaines de milliers de morts, de blessés, de malades. Mais la victoire est certaine. Du moins sur le terrain. Car, dans les chancelleries européennes, on s'agite furieusement afin de limiter les succès russes. Ayant réglé le programme des opérations futures, Alexandre accepte de regagner sa capitale pour répondre à l'offensive diplomatique.

À Saint-Pétersbourg, où il arrive le 10 décembre 1877 à dix heures du matin, la famille impériale, les ministres, les dignitaires, le clergé l'accueillent à la gare Nicolas. Une foule immense et silencieuse se presse sur la perspective Nevski. À l'apparition du tsar, une clameur de joie s'élève. Mais ceux qui le voient de près sont frappés du changement qui s'est opéré en lui : « Quand le tsar était parti pour la guerre, écrit un témoin, c'était un grand et beau soldat, très droit, un peu enclin à l'embonpoint. Quand il revint, il avait les muscles détendus, les yeux ternes, la taille courbée, tout le corps si mince qu'il semblait n'avoir plus que la chair sur les os. Quelques mois avaient suffi pour en faire un vieillard[1]. » Discours, offices religieux, congratulations solennelles, Alexandre a hâte d'échapper à ces inévitables corvées pour se retrouver dans les bras de Catherine.

Elle le plaint, elle le console, elle l'encourage. Il dit à l'ambassadeur de France, le général Le Flô : « Nous avons déjà fait beaucoup. Malheureusement, ce n'est pas encore le commencement de la fin. » Les Turcs, à bout de forces, sollicitent un armistice. Aussitôt, Alexandre fait savoir à son frère Nicolas, le généralissime, qu'il ne saurait en être question : « Tant qu'on n'accepte pas les conditions préliminaires, les opérations doivent être poursuivies avec le maximum d'énergie. » L'armée russe se trouve déjà à trois jours de marche de Constantinople. Est-il possible que lui, Alexandre, réalise le rêve de Catherine la Grande ? Il n'ose le croire. Une occupation temporaire de la capitale turque lui suffirait.

En Angleterre, c'est la panique. Une escadre britannique pénètre dans les Dardanelles. Sans se laisser intimider par cette menace, Alexandre ordonne à son frère de continuer sa progression vers Constantinople, si les plénipotentiaires turcs n'ont pas souscrit aux conditions russes dans un délai de trois jours. Les Turcs acceptent. La paix est signée, le 19 février 1878[2], dans la petite ville de San Stefano, sur les rives de la mer de Marmara, tout près de Constantinople. La Turquie reconnaît l'indépendance du Monténégro, de la Serbie et de la Roumanie ; elle accepte la formation d'une principauté de Bulgarie ; elle s'engage à réaliser certaines réformes en Bosnie et en Herzégovine ; enfin, elle rétrocède à la Russie les bouches du Danube, lui abandonne Batoum et Kars, et garantit le droit de passage dans les Détroits, en temps de guerre comme en temps de paix, pour les navires marchands des États neutres.

À peine connues, les conditions du traité de San Stefano

1. Cf. Maurice Paléologue, *op. cit.*
2. Le 3 mars d'après le calendrier grégorien.

provoquent les protestations de l'Autriche et de l'Angleterre, qui refusent d'admettre un affaiblissement trop sensible de la Turquie et espèrent tirer pour elles-mêmes certains avantages de la situation. L'Angleterre surtout se montre menaçante. À Londres, on parle ouvertement de préparatifs militaires. Ainsi, Alexandre se trouve placé devant une alternative tragique : ou admettre la révision du traité de San Stefano, ou commencer une nouvelle guerre. Son premier mouvement est celui de la révolte patriotique. « Une rupture avec l'Angleterre est presque inévitable, écrit-il au grand-duc Nicolas. Nous devons nous préparer à une action énergique... Nous pourrions éventuellement ne pas entrer dans Constantinople, mais occuper plusieurs points sur le Bosphore pour échelonner les barrages. » Mais, bientôt, la raison l'emporte : les caisses de l'État sont vides, l'armée est épuisée, le matériel à demi détruit. Ce n'est pas avec des éclopés qu'on gagne les batailles. Les grands-ducs Nicolas et Michel, accourus à Saint-Pétersbourg, supplient Dimitri Milioutine d'intervenir en faveur de la paix. Pierre Chouvalov, venu de Londres, plaide, lui aussi, pour un compromis honorable. Fatigué, Alexandre se résigne.

Grâce à la médiation de l'Allemagne, un congrès est organisé à Berlin. C'est le vieux chancelier Alexandre Gortchakov qui représente la Russie. Le cerveau ramolli, il se laisse manœuvrer par Bismarck. Sous la pression de toute la diplomatie européenne, les Russes doivent renoncer à la plupart des clauses qui fondaient leur prédominance dans la péninsule balkanique. Néanmoins, ils obtiennent Kars, Batoum, l'annexion de la Bessarabie, la proclamation de l'indépendance serbe et roumaine, la création d'un nouvel État bulgare sous suzeraineté turque. Enfin, la Bosnie et l'Herzégovine sont placées provisoirement sous le protectorat de l'Autriche, et l'Angleterre s'approprie l'île de Chypre.

Le traité de Berlin, signé le 13 juillet 1878, est jugé, par l'opinion publique russe, comme un crachat à la face de la patrie. Pourquoi a-t-on abandonné à l'Autriche les provinces

slaves de Bosnie et d'Herzégovine ? Pourquoi a-t-on morcelé la
Bulgarie ? Pourquoi n'a-t-on pas laissé l'armée russe entrer à
Constantinople ? Pourquoi a-t-on cédé à Berlin tant d'avantages
acquis à San Stefano ? Les militaires accusent les diplomates de
les avoir privés du fruit de leurs victoires. La presse fulmine
contre Bismarck et Disraeli, qui ont roulé leurs interlocuteurs
dans la farine. L'Allemagne, l'Autriche, l'Angleterre sont mises
dans le même sac. La Russie n'a plus d'amis. Alexandre lui-
même se demande s'il n'a pas été victime d'un marché de
dupes. Les trois hommes d'État qui ont participé aux négociations sont déconsidérés. Pierre Chouvalov et Nicolas Ignatiev
doivent renoncer à toute activité diplomatique. Alexandre
Gortchakov part pour l'étranger en congé illimité.

Cette triple disgrâce arrive trop tard. Le mécontentement fait
tache d'huile. Déçus dans leur rêve d'hégémonie orthodoxe, les
esprits malveillants cherchent des responsables jusque sur les
marches du trône. On chuchote que l'affaire turque n'a été,
pour les membres de la famille impériale, qu'une occasion de
jouer aux apprentis stratèges tout en se tenant à l'abri des
coups. Alexandre perçoit ces rumeurs et en souffre. Il lui
semble que toutes les réformes qu'il a accomplies pour le bien-
être matériel et moral de ses sujets sont aujourd'hui compro-
mises par l'effet d'une guerre qu'il n'a pas souhaitée. Personne
ne lui sait plus gré d'avoir aboli le servage, supprimé la plupart
des châtiments corporels, institué le jury, réorganisé l'administration et l'armée. Personne ne se rappelle qu'il a tout fait pour
éviter l'affrontement qu'on lui reproche et que c'est la volonté
populaire seule qui l'a poussé à agir. Personne ne se rend
compte qu'en acceptant quelques concessions secondaires il
vient d'empêcher un nouveau conflit dont la Russie serait sortie
exsangue.

Dans son désarroi, il ne trouve de réconfort qu'entre les bras
de Catherine. Elle a renoncé à toute représentation mondaine
pour se consacrer à lui. Recluse, elle accepte sa situation fausse
comme une condition nécessaire à leur amour. Peut-être même

est-elle contente d'être dispensée, par son état, des obligations protocolaires. L'apparition d'Alexandre, de temps en temps, auprès d'elle, auprès de leurs enfants suffit à son bonheur. Lui, en revanche, a de plus en plus besoin de la sentir mêlée à tous les instants de sa vie. Bravant les commérages, il l'installe au palais d'Hiver, sous le même toit que l'impératrice Marie Alexandrovna. Catherine dispose d'une suite de trois grandes pièces, au second étage, juste au-dessus des pièces occupées par le tsar. Un ascenseur permet de monter directement d'un appartement à l'autre. L'impératrice, elle, habite un appartement contigu à celui de son époux. Elle ne proteste pas contre la nouvelle avanie que lui inflige Alexandre. Épuisée par la phtisie, elle se sent proche de la mort et juge avec une pitié dédaigneuse les débordements amoureux du tsar. Pourtant, elle confie à son amie, la comtesse Alexandrine Tolstoï : « Je pardonne les offenses qu'on fait à la souveraine ; je ne peux prendre sur moi de pardonner les tortures qu'on inflige à l'épouse. »

En imposant la présence de la favorite au palais, Alexandre satisfait certes son désir d'intimité avec une maîtresse qu'il idolâtre, mais dresse contre elle toute la cour. En effet, quelque discrète que soit la vie de Catherine dans son appartement, elle est en contact permanent avec la domesticité impériale, camé-ristes, valets, cuisiniers, cochers, intendants, et même avec des dignitaires triés sur le volet. C'est, à la lettre, une seconde souveraine qui loge désormais dans la demeure des Romanov. Il ne s'agit plus d'une liaison clandestine, mais d'un adultère proclamé. Certains courtisans s'adressent à la nouvelle venue pour qu'elle use de son influence en leur faveur auprès du tsar. On recherche son appui dans des entreprises commerciales. On la prie de fléchir tel ou tel ministre. Mais ceux-là même qui quêtent sa protection la condamnent. Pour tous, elle est un objet de scandale. Les plus enragés lui attribuent la responsabi-lité des maladresses politiques d'Alexandre. À cause d'elle, disent-ils, le monarque vieillissant a perdu la tête. Usé par des performances amoureuses qui ne sont plus de son âge, il n'a ni la volonté ni la lucidité nécessaires à la conduite des affaires publiques. Sa seule préoccupation, c'est de ne pas trop décevoir au lit une femme dont la jeunesse le flatte. Il n'y a qu'à le regarder pour se convaincre de sa déchéance. Amaigri, voûté, grisonnant, le geste mou, l'œil vide, le souffle bref, il offre l'aspect d'un homme à bout de course, recru de fatigue et de soucis. Pourtant, une grande joie familiale l'attend encore : le 9 septembre 1878, Catherine donne le jour à un troisième enfant, une fille, qui portera le même prénom qu'elle. L'événement provoque à la cour une stupéfaction indignée. Dans les salons de Saint-Pétersbourg, on considère cette nouvelle naissance illégitime comme la preuve que le tsar n'a ni morale ni autorité et que l'empire russe va à la dérive.

XI

LES TERRORISTES

Les représailles policières qui ont suivi, dans toute la Russie, l'attentat manqué de Karakozov, en 1866, ont éclairci les rangs des conspirateurs. Les uns ont été arrêtés, d'autres sont entrés en clandestinité, d'autres enfin se sont enfuis à l'étranger. Pour ces derniers, le lieu de rassemblement idéal est la Suisse. C'est là qu'ils élaborent les différents programmes d'action qui doivent délivrer leur pays de la monarchie. Le plus inquiétant d'entre eux est assurément Serge Netchaïev. Fils de moujik, ancien instituteur de village, il est doué d'une volonté de fer et dénué de tout scrupule. Devenu disciple du vieux Bakounine, il prêche l'anéantissement de l'État et l'abolition de toutes les classes, sauf celle des paysans. Mais le système d'intimidation intellectuelle qu'il fait régner parmi les membres de son groupe le déconsidère auprès de Karl Marx et des chefs de l'Internationale créée à Londres, en 1864. Dans son intransigeance doctrinale, il va même jusqu'à faire assassiner, à Moscou, l'un de ses affidés, Ivanov, coupable d'avoir désobéi à ses ordres[1].

1. Dostoïevski s'est inspiré de cette ténébreuse affaire pour écrire *Les Possédés*. Il y a dépeint Netchaïev sous les traits du terroriste Verkhovenski.

Ses complices sont appréhendés, jugés, condamnés à la prison ou aux travaux forcés. Lui-même parvient à repasser en Suisse où il rédige son *Catéchisme révolutionnaire*. Dans cet ouvrage, il explique que le révolutionnaire est un homme qui a volontairement rompu ses derniers liens avec la société, qui a renoncé à tout intérêt personnel, à tout sentiment intime, et qui n'est plus possédé que par le besoin de détruire. Libéré des contraintes bourgeoises, de la parenté, de l'amour, de l'amitié, de l'ambition, il se sait condamné d'avance. Son seul but dans l'existence : faire mourir le plus grand nombre possible d'ennemis de la cause populaire avant de mourir lui-même. Ce brûlot, Netchaïev le destine à la jeunesse universitaire. Mais il est arrêté par les autorités suisses, livré à la police russe et incarcéré dans la forteresse Saint-Pierre-et-Saint-Paul.

D'autres émigrés russes, qui ont pu échapper à la répression, continuent et amplifient son œuvre. Herzen meurt en janvier 1870. En mars de la même année, arrive à Paris Pierre Lavrov. Ancien professeur à l'Académie militaire, cet homme d'esprit pondéré et de vaste culture se considère comme un disciple de Karl Marx. Ses *Lettres historiques* enthousiasment la nouvelle génération. Prenant le contre-pied du nihilisme des années soixante qui s'appuyait sur le perfectionnement individuel, il enseigne le don de soi pour le bien du peuple, la fusion de l'unité dans la masse. Du coup, de jeunes exaltés se demandent s'il ne vaut pas mieux arrêter leurs études et rentrer en Russie pour endoctriner les moujiks. Le centre de toutes ces discussions est Zurich, où résident de nombreux étudiants russes désireux de compléter leurs connaissances universitaires auprès des professeurs étrangers. L'apparition sur les lieux, en 1872, de Lavrov et de Bakounine échauffe les esprits avides de grandes idées. Chacun de ces deux pontifes de la révolution a ses théories et ses adeptes. Bakounine exhorte les jeunes à aller sans tarder vers le peuple, non pour lui enseigner le socialisme en même temps que l'alphabet, mais pour le pousser à une insurrection immédiate et totale. Il appelle ses partisans à détruire « une fois pour toutes dans le cœur de la nation les restes de cette malheureuse foi dans le tsar, qui l'a condamnée pendant des siècles à un esclavage terrible ». À la place de l'État, il voit, pour la Russie, une « fédération libre » d'associations ouvrières, agricoles ou industrielles. Cette doctrine de l'action directe séduit davantage les néophytes de la révolution que la doctrine modérée de Lavrov, lequel les adjure de poursuivre leurs études afin d'être mieux aptes, le moment venu, à instruire les masses. La jeunesse se divise entre « bakounistes », impatients de travailler en pleine pâte humaine, et « lavristes », moins nombreux et soucieux de préparer lentement, raisonnablement le socialisme de demain. Un troisième « leader » surgit à Zurich, en 1873 : Pierre Tkatchev. Disciple de Tchernychevski, il prétend, lui, que le moujik ignare, borné, pusillanime ne peut être l'élément actif de la révolution. Cette révolution, il en profitera sans y avoir participé. La prise du pouvoir sera le fait d'un groupe de conspirateurs entraînés et fortement centralisés. Pour renverser le régime, une poignée de spécialistes résolus vaut mieux qu'une foule informe aux réactions imprévisibles[1]. Mais la plupart des auditeurs de Tkatchev sont trop idéalistes pour admettre cette dure réalité. Faire le bonheur du prolétariat sans le concours du prolétariat leur paraît témoigner d'un injuste mépris à l'égard de l'admirable classe paysanne. Tkatchev recueille moins d'adeptes que Bakounine ou Lavrov.

En tout cas, « bakounistes », « lavristes » ou « tkatchévistes » sont d'accord sur un point : il faut aller vers le peuple. Les uns rêvent de se mêler à lui pour l'éduquer, le former, d'autres pour apprendre de lui le vrai sens de la vie, d'autres encore pour le soulever contre le pouvoir. Mais tous éprouvent ce besoin presque physique de se frotter au moujik, de respirer son odeur, de partager sa souffrance. Les intellectuels, disent-ils, ont une dette envers ce frère opprimé. Leur devoir est

---

1. Ce sera plus tard la théorie de Lénine.

d'abandonner les livres pour se rendre aux champs. Justement, un décret impérial de 1873 somme tous les jeunes Russes qui étudient en Suisse de revenir dans leur patrie. Ce décret a été pris pour éviter que les néfastes idées occidentales ne perturbent des cerveaux mal préparés à les recevoir. Or, le résultat est exactement inverse de celui qu'escomptaient les autorités. Garçons ou filles, ce sont d'ardents propagandistes de la foi révolutionnaire qui retournent au pays natal. Ils apportent un sang nouveau dans les milieux progressistes démoralisés depuis des années. Sous l'influence d'un idéaliste, Nicolas Tchaïkovski, émule lui aussi de Tchernychevski et de Dobrolioubov, certains de ces étudiants forment de petits groupes et décident de vivre ensemble, en partageant leurs ressources et leurs fantasmes. Cette cohabitation les rapproche spirituellement et renforce leur détermination dans la lutte. Ainsi naissent et se multiplient en Russie des cercles semi-clandestins, destinés à préparer une « croisade vers le peuple ». Le projet déborde les turnes où il a pris naissance et vole jusque dans les beaux quartiers. La contagion de la générosité gagne des hommes faits, des notables, des magistrats, des médecins, des officiers. De plus en plus nombreux sont ceux qui se sentent mauvaise conscience et considèrent avec sympathie ces néophytes surexcités, dont le but — ô combien louable ! — est de fraterniser avec les moujiks.

Au printemps de 1874, toute la jeunesse est en ébullition. Le moment est venu d'agir. Bien entendu, pour aller vers le peuple, il faut adopter le costume du peuple. Vite, on confectionne des vareuses en gros drap, on se procure des casquettes, des bottes. Les « missionnaires » font des adieux héroïques à leurs parents, à leurs amis. Ils annoncent laconiquement qu'ils se dirigent vers l'Oural, vers la Volga, vers le Don, qu'ils gagneront leur vie comme ouvriers agricoles, forestiers ou bateliers, qu'ils pénétreront au plus profond du tissu populaire russe. On les félicite. On leur souhaite bon voyage. On leur donne un nom : les *narodniki,* c'est-à-dire les « populistes ». Et les voici qui s'égaillent par milliers à travers la nature. Les paysans sont surpris par l'apparition de ces jeunes messieurs et dames aux mains blanches, déguisés en pauvres et qui leur tiennent des discours incompréhensibles. Tant que les nouveaux venus dénoncent la rapacité des propriétaires fonciers, leurs auditeurs branlent la tête d'un air approbateur. Mais, dès qu'ils haussent le débat, exaltent les vertus du socialisme, prônent les avantages de l'agriculture collective, ils se retrouvent devant une assemblée de sourds. Méfiants et butés, les moujiks considèrent d'un mauvais œil ces hurluberlus bavards qui se prétendent leurs égaux. Élevés dans le culte du tsar et marqués par des siècles de servitude, ils ont peur du changement que leur proposent des étrangers venus de la ville. N'est-ce pas un piège qu'on leur tend pour éprouver leur loyauté ? Souvent, ils arrêtent eux-mêmes les agitateurs et les livrent aux autorités locales. D'ailleurs, partout la police marche sur les traces des *narodniki*. Leurs noms sont connus. Mais le gouvernement ne sait encore quelle méthode choisir devant ce genre de délit. Finalement, il fait arrêter quatre mille propagandistes et en défère sept cent soixante-dix à la justice. Dans le nombre, il y a cent cinquante-huit jeunes filles, issues pour la plupart de familles honorables. La mascarade s'achève dans la désolation.

Dès la fin de 1874, le comte Pahlen, ministre de la Justice, déclare que « l'été fou » est terminé. Et il décide d'engager des procès politiques afin de montrer à la nation les dangers qui la menacent. Il écrit dans son rapport : « Beaucoup d'hommes mûrs et occupant une situation en vue non seulement sont hostiles au gouvernement, mais encore prêtent une aide efficace aux révolutionnaires, comme s'ils ne comprenaient pas qu'ils préparent leur propre perte et celle de la société. » Or, ces procès se retournent contre celui qui en a eu l'idée. D'une part, ils révèlent au grand public l'existence d'organisations secrètes agissantes. D'autre part, ils permettent aux inculpés, jouissant de la liberté de parole, d'attaquer le pouvoir et d'expliquer les avantages de la solution radicale qu'ils préconisent. La presse donne des extraits de leurs discours incendiaires. Des brochures, composées dans des imprimeries clandestines, les reproduisent intégralement. Croyant clouer les *narodniki* au pilori, les autorités leur ont offert une tribune. Désormais, tout le monde, en Russie, est au courant des reproches que la jeunesse intellectuelle adresse au gouvernement.

Cependant, l'échec de la « marche vers le peuple » a convaincu les révolutionnaires de l'impossibilité de fomenter une émeute immédiate avec l'appui des masses. S'ils veulent ébranler l'édifice impérial, ils ne doivent compter que sur eux-mêmes. Aussi forment-ils, dès 1874, une organisation secrète bien plus puissante que les anciens cercles épars. Cette organisation reprend le nom de « Terre et Liberté » (*Zemlia i Volia*) déjà porté par une association des années soixante. Elle comporte une « Direction centrale » (appelée plus tard « Comité central »), divisée en plusieurs sections : intellectuelle, ouvrière, paysanne... Des filiales de « Terre et Liberté » se constituent à travers tout le pays. Des grèves éclatent, çà et là, vite réprimées. Le 6 décembre 1876, une manifestation publique réunit à Saint-Pétersbourg, devant la cathédrale Notre-Dame-de-Kazan, des centaines d'ouvriers et de paysans. La police disperse le rassemblement et arrête les meneurs qui sont emprisonnés ou déportés. Quelques mois plus tard, l'un des jeunes gens incarcérés à cette occasion, l'étudiant Bogolioubov, refuse de se découvrir devant le général Trepov, chef de la police, qui visite les cachots. Ivre de colère, Trepov le frappe et lui fait administrer cent coups de verges, alors que les détenus politiques sont exempts de peines corporelles. À des centaines de verstes de Saint-Pétersbourg, au bord de la Volga, une jeune fille de vingt-huit ans, Vera Zassoulitch, apprend les faits, sans doute par des journaux clandestins. Bien que ne connaissant pas la victime, elle ne peut supporter l'affront qu'on lui a infligé. Elle-même, liée autrefois à Netchaïev, a fait deux ans de prison pour propagande révolutionnaire. De tout temps, elle s'est sentie appelée à venger les souffrances de ses camarades. L'occasion lui est enfin offerte de se sacrifier pour témoigner devant l'histoire.

Le 24 janvier 1878, elle se présente chez Trepov en solliciteuse et tire sur lui deux coups de revolver qui le blessent grièvement. Aussitôt arrêtée et jetée en prison, elle devra attendre près de trois mois avant de comparaître devant la cour d'assises, qui, depuis les réformes libérales d'Alexandre, comporte un jury. Le verdict n'est pas douteux puisque le crime, accompli au grand jour, est fièrement revendiqué par l'inculpée. Mais, dès l'audition des premiers témoins, il se produit dans l'assistance un étrange élan de sympathie envers la révolutionnaire. La brutalité de Trepov semble plus condamnable que la tentative de meurtre de Vera Zassoulitch. Tout à coup, c'est lui l'accusé et elle l'accusatrice. Pourtant les jurés appartiennent tous aux plus hautes classes de la société et le public, soigneusement choisi, se compose de gens sûrs. Chaque réponse de Vera Zassoulitch est reçue comme une sentence de vérité. La fièvre monte dans la salle. Au lieu de défendre sa cliente, l'avocat Alexandrov prononce un véritable réquisitoire contre Trepov et contre le gouvernement qu'il incarne. L'auditoire boit ses paroles avec émerveillement. Enfin, le jury se retire pour délibérer. Quelques minutes lui suffisent pour rapporter un verdict d'acquittement.

Le public, qui n'osait espérer une telle décision, éclate en applaudissements incongrus. Vera Zassoulitch sort au milieu d'une ovation. La foule, qui l'attend sur la place du Palais de Justice, l'acclame comme une héroïne. Un cortège se forme dans une joyeuse bousculade. On veut porter la jeune fille en triomphe jusqu'à la maison de Trepov. Mais une charge de gendarmes et de cosaques arrête la procession. Un régiment d'infanterie ouvre le feu. La multitude se disperse, laissant des morts et des blessés sur la chaussée. Dans la débandade générale, Vera Zassoulitch disparaît, enlevée par ses amis. Elle se réfugiera en Suisse[1].

Le scandale du verdict et des incidents de rue est bientôt connu de la Russie entière. Les journaux étrangers commentent le procès et analysent à sa lumière les faiblesses du régime monarchique russe. Les diplomates accrédités à Saint-Pétersbourg insistent tous, dans leurs dépêches, sur le malaise qui s'est instauré entre la nation et le trône. M. de Viel-Castel, chargé d'affaires de France, mande à son ministre : « Sauf dans la société tenant de près à la cour et au gouvernement, on trouve dans toutes les classes, et surtout dans la bourgeoisie, beaucoup d'esprits relativement modérés qui se félicitent de la décision des jurés et la considèrent tout au moins comme une protestation utile contre d'intolérables abus[2]. »

Alexandre est stupéfait. Comment se fait-il que tant de gens raisonnables et nantis aient partie liée avec la racaille ? Ne comprennent-ils pas qu'en jouant la mansuétude à l'égard des terroristes ils se condamnent eux-mêmes à brève échéance ? Résolu à répondre à la violence par une rude fermeté, il ordonne d'augmenter les peines dont ont été frappés récemment cent quatre-vingt-treize révolutionnaires, autorise la direction de la police à exiler les suspects en Sibérie sur simple décision administrative et préconise de retirer au jury la connaissance des crimes politiques pour les déférer à des cours martiales.

Mais l'acte de Vera Zassoulitch crée une émulation fiévreuse parmi les révolutionnaires. L'ère de la parole est terminée ; celle du terrorisme commence. Le 24 mai 1878, à Kiev, c'est le baron Heyking, capitaine de gendarmerie, qui est tué d'un coup de couteau par un fanatique. Un attentat est commis dans la même ville contre le procureur Kotliarevski. À Moscou, à Kiev, à Kharkov, à Odessa, les manifestations révolutionnaires se

1. Dès lors commencera pour elle un va-et-vient incessant entre la Suisse et la Russie. Elle participera à de nombreuses actions révolutionnaires, deviendra une menchevik notoire, rentrera définitivement en Russie en 1905, réprouvera la révolution d'octobre 1917 et mourra en 1919.

2. M. de Viel-Castel au duc Decazes, 21 avril 1878. Cf. Constantin de Grunwald, *op. cit.*

succèdent, brutalement dispersées par la police. L'organisateur de l'attroupement séditieux d'Odessa, Kovalski, est arrêté, jugé, condamné à mort et exécuté. Les représailles ne se font pas attendre. Quarante-huit heures plus tard, le 4 août 1878, le général Mezentsov, qui vient de s'installer à la tête de la police d'État, est poignardé en plein jour dans l'une des rues les plus animées de Saint-Pétersbourg, la rue d'Italie. Les agresseurs parviennent à prendre la fuite[1]. Vers la fin de l'année, M. de Viel-Castel peut affirmer dans une dépêche : « Si le gouvernement donne quelques signes de son intention d'organiser la répression, les nihilistes, de leur côté, ne paraissent pas disposés à renoncer à la lutte. En admettant même que le gouvernement parvienne à triompher de la secte criminelle qui le tient en échec, il aura encore en face de lui une fraction considérable du pays qui ne pactise évidemment pas avec les assassins, mais qui est très convaincue des vices de l'ordre des choses actuel. Tout ce qui ne porte pas une épée est sinon l'ennemi déclaré du gouvernement, du moins mécontent. » Et, dans une autre dépêche : « Le gouvernement russe semble de plus en plus décidé à ne donner aucune satisfaction, si faible soit-elle, au désir de réformes, aujourd'hui général dans toutes les classes de la population... Le tsar, qui n'est jamais au contact avec l'opinion publique, n'a du reste qu'une idée très vague de la situation[2]. » À cet égard, le diplomate se trompe. Alexandre a conscience du danger de pourrissement qui guette le régime. Mais il sait par expérience que céder sur tel ou tel point serait encourager les opposants à exiger davantage. Le propre des révolutionnaires, se dit-il, est d'être insatiables. Après tout, il a su les mater au lendemain de l'attentat de Karakozov. Peut-être les filatures et les perquisitions opérées par la police finiront-elles par avoir raison de ces assassins de l'ombre ?

En attendant, il ne faut rien changer à la vie de la cour. Ainsi,

---

1. On apprendra plus tard que l'assassin était Serge Kravtchinski et qu'il avait réussi à se réfugier à Londres.
2. Cf. Constantin de Grunwald, *op. cit.*

les fêtes, les parades, les réceptions officielles, les spectacles de gala se succèdent dans la capitale, comme si une guerre intestine n'était pas en train de secouer le pays. Le vicomte Melchior de Vogüé, secrétaire à l'ambassade de France, note dans son Journal, à la date du 26 janvier 1879 : « Le spectacle de gala. Le plus féerique souvenir de ma vie. Une évocation du siècle de Louis XIV mêlé au siècle d'Haroun al-Rachid. À l'entrée de la famille impériale dans la grande loge, toutes les femmes des loges, en chair et en diamants, tous les généraux du parterre, en épaulettes et cordons, debout, apothéosés sous la lumière électrique, éclatant en hourras aux premières mesures de l'hymne impérial. Pas un habit noir, excepté le ministre d'Amérique, mais toutes les couleurs de l'arc-en-ciel, des Chinois, des Turcs, etc. La vie, la puissance, le luxe, l'élite... et l'or de quatre-vingts millions d'hommes condensés dans cette salle étincelante. C'est si beau, si épique, qu'après cela on ne peut plus regarder que les étoiles et les idées, ayant tout vu des splendeurs de la terre [1]. »

Alexandre assiste à ces diverses cérémonies par devoir, avec tristesse, avec lassitude. Même au milieu de ses courtisans les plus dévoués, il éprouve, comme un froid sur ses épaules, la réprobation du pays. Dans l'espoir de réunir autour de lui tous les hommes de bonne volonté, il fait publier dans Le Messager du gouvernement un appel au peuple : « Quelle que soit la fermeté des actes du gouvernement, quels que soient la sévérité et le zèle des fonctionnaires chargés d'appliquer ces mesures, quels que soient le mépris et la virile sérénité du pouvoir à l'égard des menaces répétées d'une bande de malfaiteurs, le gouvernement doit trouver l'appui de la société dans sa politique et, pour cela, il appelle toutes les classes de la nation russe à le seconder dans son effort pour arracher le mal avec la racine... Le peuple russe, dans ses meilleurs représentants, doit démontrer par son attitude qu'il n'y a pas de place chez lui pour

---

1. E. M. de Vogüé : *Journal.*

de tels criminels, qu'il les rejette, et que tout fidèle sujet du tsar est prêt à faire son possible pour aider le gouvernement à l'extermination de l'ennemi commun qui nous mine de l'intérieur. »

Cette adjuration pathétique n'est entendue que par les partisans de la monarchie qui, de toute façon, n'ont pas besoin d'être catéchisés. La contagion de l'assassinat politique se répand à travers la masse du peuple comme une épidémie. De tous côtés, des procureurs impériaux, des juges, des chefs de police, des officiers de gendarmerie, des directeurs de prison sont abattus par des terroristes. Le 9 février 1879, Grégoire Goldenberg tue d'un coup de revolver le prince Kropotkine[1], gouverneur de Kharkov. Le 1er mars de la même année, le général Drenteln, successeur à la tête de la police d'État du général Mezentsov, assassiné l'année précédente, échappe de justesse à un attentat. Tandis qu'il roule en voiture le long du quai de la Néva, un cavalier le dépasse au galop et tire sur lui sans l'atteindre. Poursuivi par les policiers, l'agresseur les sème sans effort. À cette occasion, le journal clandestin de « Terre et Liberté », *Listok (La Feuille)*, déclare que la terreur « oblige le pouvoir à ressentir toute l'impuissance du système gouvernemental en présence d'un danger dont la source est insaisissable et inconnue ».

Quelques semaines plus tard, dans la matinée du 2 avril 1879, alors qu'Alexandre fait sa promenade habituelle aux abords du palais, il avise un homme jeune et de haute taille, coiffé d'une casquette galonnée de fonctionnaire, qui vient à sa rencontre d'un pas rapide. Inquiet, Alexandre jette un regard autour de lui. Le commissaire de police qui le suit se trouve à vingt-cinq pas en arrière. De l'autre côté de la place de l'État-Major, se tient un capitaine de gendarmerie. Avant qu'Alexandre ait pu les alerter, l'inconnu tire sur lui un coup de revolver. Le tsar fait un mouvement vers la droite. Deuxième coup de feu. Le

---

1. Cousin du célèbre anarchiste qui porte le même nom.

tsar, agile malgré ses soixante et un ans, bondit sur la gauche. Une troisième balle siffle à ses oreilles. Tandis qu'il court en zigzag, une quatrième et une cinquième balle le manquent de peu. Des policiers survenus au bruit des détonations arrêtent le forcené. Pendant qu'on l'entraîne au poste, il tente de se suicider en mordant une noix pleine de poison qu'il avait glissée dans sa bouche. On apprend bientôt qu'il est âgé de trente ans, qu'il se nomme Alexandre Soloviev et qu'il exerce la profession d'instituteur. Pressé de questions par le juge d'instruction, il refuse de s'expliquer sur la préparation de son acte et de désigner ses complices. Toutefois, il déclare avec superbe : « Je suis baptisé dans la religion orthodoxe, mais je n'en reconnais aucune... L'idée d'attenter à la vie de Sa Majesté m'a été inspirée par les enseignements socialistes-révolutionnaires. J'appartiens à la section russe de ce parti, qui juge inique que la majorité du pays peine pour que la minorité jouisse des fruits du travail populaire et de tous les bienfaits de la civilisation inaccessibles au grand nombre [1]. » Il ajoute : « Vous ne saurez rien de plus sur moi. J'ai fait depuis longtemps le sacrifice absolu de ma vie. D'ailleurs, si je me laissais arracher des aveux, mes complices me feraient tuer. Oui, dans cette prison même où nous sommes [2]. » Il sera pendu le 29 mai 1879.

Après avoir une nouvelle fois échappé à la mort, Alexandre, selon l'usage, assiste à un office de grâces et reçoit les félicitations de la cour. Le geste audacieux de Soloviev, s'il n'a pas atteint son but, a néanmoins fortement ébranlé l'opinion publique. Au lendemain de l'attentat, un sentiment d'insécurité prédomine partout. Dans les milieux proches du trône et dans la haute bourgeoisie, les jeunes ont maintenant mauvaise presse. On ne voit plus en eux les idéalistes de la « marche vers le peuple », mais les émules des assassins. Comme par défi, ils adoptent volontiers une allure débraillée. C'est l'uniforme de la

1. Cf. G. Tchoulkov : *Les Derniers Tsars autocrates*.
2. Cf. Maurice Paléologue, *op. cit.*

contestation : étudiants à la barbe hirsute et aux cheveux longs, vêtus d'une chemise rouge et portant un plaid sur l'épaule ; étudiantes aux jupes courtes, les cheveux coupés, une cigarette collée à la lèvre. Le grand satiriste Saltykov-Chtchedrine écrit à leur sujet : « Ce sont des gens qui ont commencé à lire sans savoir l'alphabet et à marcher sans savoir se tenir debout[1]. » Même s'ils ne font partie d'aucun groupe clandestin, ils sympathisent avec les agitateurs professionnels. Ils reprochent à leurs parents de se cramponner à l'ordre ancien. Or, les parents eux-mêmes, tout en tremblant à l'idée d'une révolution sanglante, songent à un changement possible. Lequel ? Ils ne le savent pas au juste. Mais ils sont convaincus que le régime actuel a fait son temps. L'avenir, pensent-ils, ne peut ressembler au passé. Comme un dormeur qui cherche une meilleure position dans le sommeil, ils se tournent d'un côté sur l'autre. À leur avis, il faut distinguer les conspirateurs nihilistes des libéraux raisonnables. Ces derniers, parmi lesquels figurent des savants, de hauts fonctionnaires, des hommes de lettres, des ingénieurs, des médecins, rêvent d'une constitution. Pourquoi ne pas répondre à leur désir ? Le moment est propice.

Néanmoins Alexandre craint que, de concession en concession, l'empire ne se désagrège. Monarque absolu, il n'est pourtant pas libre de disposer comme il l'entend de la Russie. Il a des comptes à rendre à ses aïeux. Son père lui a légué un trésor. Il doit le transmettre intact à son héritier. Autour de lui, ses ministres, ses conseillers, sa femme, sa maîtresse le supplient de se montrer prudent. À contrecœur, il renonce à ses promenades à pied quotidiennes et ne sort plus qu'en voiture fermée, escorté de cosaques. Afin de décourager les révolutionnaires, il nomme six gouverneurs généraux pour assumer à Saint-Pétersbourg, à Moscou, à Varsovie, à Kiev, à Kharkov et à Odessa l'exercice de l'autorité supérieure, avec des pouvoirs extraordinaires : droit d'arrrêter ou d'expulser tout individu

1. Cf. Constantin de Grunwald : *Société et civilisation russes au XIXᵉ siècle.*

suspect ; droit de suspendre ou d'interdire toute publication périodique ; droit de prendre, sans possibilité de recours, toute mesure nécessaire au maintien de l'ordre. Parmi ces six potentats se trouvent trois des généraux qui se sont illustrés pendant la dernière guerre : le général Todleben, le général Gourko, le général Loris-Mélikov. La Russie entière est ainsi placée en état de siège. Le décret du 5 août 1879 précise même que, désormais, toute personne accusée de crime politique pourra être jugée sans enquête préalable, sans audition d'aucun témoin, et être mise à mort sans la garantie d'un pourvoi en cassation.

Le renforcement de la répression gouvernementale ne fait qu'accroître la détermination des révolutionnaires. Mais, depuis quelque temps, les membres de « Terre et Liberté » sont divisés. Les uns, dont le jeune Plekhanov, sont partisans de la propagande dans les campagnes, les autres de la terreur à outrance. Le conflit entre eux devenant aigu, les dirigeants des extrémistes se réunissent en un congrès secret, du 17 au 21 juin 1879, à Lipetsk, petite ville d'eaux de la province de Tambov, pour discuter la question du régicide. Il fait beau. L'ambiance est bucolique. Allongés dans l'herbe, à l'ombre des arbres, les conjurés écoutent Alexandre Mikhaïlov réclamer avec véhémence la tête du tsar. « L'empereur, dit-il, a annihilé, dans la deuxième partie de son règne, presque tout le bien que des hommes progressistes lui avaient permis d'accomplir après la défaite de Sébastopol : la libération des serfs, la réforme judiciaire. Devons-nous pardonner, en raison de deux bons actes accomplis au début, tout le mal qu'il a fait depuis et qu'il fera par la suite ? » La réponse est un cri unanime : « Non ! » À son tour, le révolutionnaire Jeliabov affirme que le terrorisme n'est pas une arme « de légitime défense et de vengeance », mais un procédé de « lutte active pour la liberté de tous et pour le régime parlementaire qui en est la garantie ».

Porteurs de cette résolution, les « congressistes » se rendent à Voronèje où ils rencontrent les adversaires de la terreur, conduits par Plekhanov. Celui-ci rompt carrément avec les terroristes. La scission du parti est décidée. Aucune des deux formations ne garde le nom de « Terre et Liberté ». Les émules de la terreur, revenus à Saint-Pétersbourg, fondent une nouvelle société : « La Volonté du Peuple » (*Narodnaïa Volia*). Leurs opposants, qui ne voient de salut que dans la propagande sociale et la révolution agraire, dénomment leur groupe : « Le Partage noir » (*Tcherny Pérédiel*). « La Volonté du Peuple » est la plus nombreuse et la plus active des deux organisations. Plekhanov et ses camarades émigrent et créent à l'étranger la social-démocratie russe, inspirée du marxisme. Par contre, c'est de « La Volonté du Peuple » que naîtra le parti socialiste-révolutionnaire russe (les *Narodniki*).

Le 26 août 1879, le Comité central exécutif de « La Volonté du Peuple » vote la condamnation à mort d'Alexandre s'il ne donne pas satisfaction aux revendications essentielles. Un petit noyau de « justiciers » se déclarent prêts à sacrifier leur vie dans cette besogne. Ils courent d'un bout à l'autre de la Russie avec de faux passeports, changent sans cesse de nom, de déguisement, de métier. Ce sont les baladins du crime politique. Tour à tour ouvriers, mineurs, menuisiers, marchands, typographes, ils recrutent des sympathisants dans toutes les classes de la société. Un fonctionnaire du Troisième Bureau, gagné à leur cause, les prévient à temps des perquisitions et des arrestations qui les menacent. Avec une agilité d'anguille, ils se faufilent entre les mailles de la lourde nasse qui tente de les enserrer. Pas un déplacement de l'empereur n'échappe à leur vigilance. Au mois de mai 1879, il a séjourné en Crimée, dans son château de Livadia, avec l'impératrice, dont la santé se détériore rapidement. Bien entendu, Catherine Dolgorouki se trouvait sur place, dans une villa proche, où elle recevait son amant à toute heure du jour et de la nuit. Après un retour à Saint-Pétersbourg où l'appellent les affaires de l'État, Alexandre repart, en septembre, pour la Crimée, avec l'intention d'y résider jusqu'à l'hiver. Entre-temps, la tsarine, décharnée, haletante, s'est installée à Kissingen, où elle espère recouvrer un peu de forces. De là, elle se rend à Cannes, dont on lui a vanté le climat apaisant.

En l'absence de sa femme, Alexandre se consacre tout entier à Catherine. Il vient la voir à cheval, escorté d'un seul cosaque. Elle l'attend, entourée de ses enfants. Il joue avec eux. Puis, les éloignant, il reste auprès de sa maîtresse, sur une véranda fleurie, face à l'immensité bleue et vaporeuse du Pont-Euxin. Il lui raconte par le menu sa journée, ses soucis, ses projets. Le soir, en rentrant au château, il lui écrit pour l'assurer encore de son amour et de sa gratitude. Il voudrait que cette existence paisible, loin de la cour, n'eût pas de fin. Mais, dans les derniers jours de novembre, le vent du nord s'acharne sur la côte. Il fait soudain si froid et si humide que le tsar se résigne à regagner Saint-Pétersbourg, où les appartements surchauffés du palais d'Hiver attendent le couple.

Dans l'intervalle, les terroristes, renseignés sur les intentions du monarque, ont décidé de faire sauter une mine au passage de son train, soit à Odessa, soit à Alexandrovsk (bourgade proche de Kharkov), soit aux abords de Moscou. La livraison de la dynamite s'opère sans encombre. Mais, par suite d'un changement d'itinéraire, le train évite Odessa. À Alexandrovsk, la mine, pour des raisons inconnues, n'explose pas. Il ne reste plus aux terroristes qu'à tenter leur chance à quatorze kilomètres de Moscou. L'un d'eux, un soi-disant ingénieur nommé Soukho-rokov[1], a loué une maison près du remblai du chemin de fer. Ses compagnons et lui ont creusé un souterrain aboutissant sous les rails et y ont déposé une forte charge explosive. Ils connaissent très exactement l'horaire prévu pour le voyage.

Le 19 novembre, dès l'aube, tapis au fond de la galerie, ils attendent l'instant fatidique où il faudra déclencher le mécanisme de mise à feu. Réglementairement, le train transportant les bagages du tsar et le personnel de la Chancellerie impériale

---

1. De son vrai nom Léo Hartmann. Il se réfugiera à Paris après l'attentat et y restera jusqu'à sa mort.

doit précéder d'une demi-heure le train de Sa Majesté. Les terroristes laissent donc passer le premier convoi et font exploser la mine sous le second. La locomotive se renverse et quelques wagons déraillent dans un fracas de vitres éclatées. Or, il y a eu erreur. En raison d'une avarie de locomotive survenue près de Kharkov, il a été décidé, à la dernière minute, que le train de Sa Majesté passerait le premier. C'est donc le train contenant la suite du souverain qui a sauté sur la mine. On ne signale aucune victime. Mais l'audace des comploteurs stupéfie les autorités. En apprenant, à Moscou, le péril auquel il vient d'échapper une fois de plus, Alexandre s'écrie : « Mais qu'ont-ils donc contre moi, ces misérables ? Pourquoi me traquent-ils comme une bête fauve ? Je n'ai jamais cherché qu'à faire du bien à mon peuple ! » Après deux jours passés à Moscou, il rentre à Saint-Pétersbourg avec Catherine. Il a reçu, en cours de route, un télégramme expédié de Cannes par l'impératrice : la pauvre Marie Alexandrovna traverse depuis quelque temps une crise pénible d'angoisse et d'étouffement. Laconiquement, Alexandre lui télégraphie : « Reçu tes nouvelles à Toula. Désolé que tu sois dans le même état. Je me sens bien et pas fatigué. Je t'embrasse tendrement. Alexandre. »

Malgré tout le respect qu'il éprouve pour cette épouse malade et lointaine, il ne peut s'empêcher d'envisager sa disparition avec sérénité. Cette présence, même légère, même transparente, le gêne dans ses rapports avec Catherine. Des souhaits impies le hantent, qu'il repousse aussitôt. Ce nouvel attentat manqué l'a encore rapproché de sa maîtresse. Elle est pour lui une dispensatrice de volupté et de conseils, un refuge et un porte-bonheur. Tant qu'elle veillera sur lui, les révolutionnaires, pense-t-il, échoueront dans leurs entreprises.

Dans ses moments de doute — et ils sont fréquents —, Alexandre se dit qu'une fatalité implacable pèse sur tout chef d'État qui prétend réformer la Russie. La masse de l'empire est si lourde à remuer que, quoi qu'on décide, on se fait des ennemis dans les deux camps. Les conservateurs, considérant que la moindre innovation est un sacrilège, défendent bec et ongles les privilèges qu'ils ont hérités de leurs pères. Ils veulent vivre et mourir dans la Russie d'autrefois. À l'opposé, les moins favorisés estiment que le tsar, malgré ses belles phrases, tarde trop à satisfaire leur soif de liberté, d'égalité, de justice. Après l'avoir encensé, ils l'accusent de fausseté, de traîtrise. Certains songent même à l'abattre pour se venger de leur déception. Pris entre la crainte des uns et l'impatience des autres, Alexandre avance en titubant vers un destin qu'il aurait voulu exemplaire et qui lui semble aujourd'hui un amalgame de velléités, de dérobades et de demi-mesures. Un pas à droite, un pas à gauche et, de temps à autre, un pas en arrière. Ah! Dieu, qu'il est donc difficile de diriger ce peuple tout ensemble soumis et exigeant, généreux et cramponné à ses intérêts, pieux jusqu'à la superstition et révolté jusqu'à la barbarie! Il arrive à Alexandre de s'imaginer qu'il réussirait mieux dans ses desseins politiques s'il régnait sur des Français ou des Allemands. Chez eux, on le comprendrait, on l'aiderait peut-être. Mais pour rien au monde il ne troquerait cette ingrate, cette folle Russie contre un pays d'équilibre et de raison.

Cependant les terroristes ne désarment pas. Peu après l'attentat contre le train, un homme de vingt-huit ans a été engagé comme menuisier, sous un faux nom, au palais d'Hiver. Il s'appelle en réalité Ivan Khaltourine et appartient au groupe de combat créé par « La Volonté du Peuple ». Employé depuis près d'un an par un entrepreneur de bâtiments, il s'est fait remarquer par son zèle, son habileté et sa douceur de caractère. Aussi, lorsque l'entrepreneur a été requis pour exécuter des travaux de plafonnement dans les sous-sols du palais, a-t-il tout naturellement désigné cet ouvrier modèle pour y participer. Au début, les charpentiers subissaient une fouille avant de pénétrer sur le chantier. Mais bientôt, comme les gendarmes les connaissaient tous, on ne visita plus leurs boîtes à outils. Khaltourine eut ainsi toute facilité pour introduire quotidiennement un paquet de dynamite, qu'il cachait ensuite sous les

gravats. C'est un des dirigeants de « La Volonté du Peuple »,
Jeliabov, qui lui fournissait l'explosif. Quand il en eut apporté
cinquante kilos, il disposa la charge dans une excavation d'où
partait une longue mèche. Pourtant, la quantité lui semblait
encore insuffisante. Malgré l'insistance de Jeliabov, il remettait
l'attentat à plus tard. Un jour, ayant été appelé dans le bureau
d'Alexandre pour y exécuter une réparation, il se trouva seul à
seul avec le souverain. Il aurait pu l'assommer d'un coup de
marteau sans risque d'être découvert. Mais il n'en fit rien.
« Considérant Alexandre II comme le plus grand des criminels
devant le peuple, écrit la terroriste Olga Loubatovitch [1] dans ses
Souvenirs, Khaltourine, en même temps, se sentait involontaire-
ment séduit par les bons rapports que le tsar avait avec les
ouvriers. Une fois même, étant resté seul dans le cabinet du
tsar, il avait emporté en souvenir un bibelot pris sur la table,
que ses camarades l'obligèrent aussitôt à remettre en place. Oui,
seule la vie est capable d'inventer de telles contradictions, la vie
qui crée l'essentiel et le futile, le grand et le petit [2]. »

Enfin, le soir du 5 février 1880, Khaltourine quitte le
chantier, l'âme légère, et annonce à Jeliabov qui le guette dans
la rue : « Tout est prêt. » Au même instant, une détonation
formidable ébranle le sol et une fumée épaisse s'élève au-dessus
du palais d'Hiver. La foule accourt de toutes parts vers les lieux
de la catastrophe. On apprend que la salle à manger de la
demeure impériale vient de sauter, mais que le tsar est sain et
sauf. On se signe. On crie au miracle.

Et c'en est un, vraiment. Ce soir-là, en effet, Alexandre avait
prié à dîner le grand-duc Alexandre de Hesse et son fils, le
nouveau prince de Bulgarie. Mais le train qui les amenait ayant
pris du retard, le tsar ne s'est pas mis à table à l'heure fixée et a
attendu ses invités dans une pièce voisine. À quelques minutes
près, ils auraient tous péri dans l'explosion. L'attentat a fait

---

1. Membre du Comité exécutif de « La Volonté du Peuple ».
2. *Quatre Femmes terroristes contre le tsar*, textes réunis par Christine Fauré.

néanmoins de nombreuses victimes. Placée dans les soubasse-
ments de l'édifice, la mine de Khaltourine a détruit tout le corps
de garde, situé au rez-de-chaussée, juste sous la salle à manger.
Soixante-sept soldats du régiment de Finlande sont retirés des
décombres. Parmi eux, onze morts et cinquante-six blessés.
L'appartement de l'impératrice, contigu à la salle à manger, a
été violemment secoué par le choc. Malgré l'avis de ses
médecins, elle vient de rentrer à Saint-Pétersbourg afin, dit-
elle, de mourir en Russie, parmi les siens. Mais, ce jour-là, elle
n'a même pas eu la force de paraître en famille. Une crise
d'asphyxie l'a affaiblie au point qu'elle s'est abîmée dans une
torpeur léthargique. Elle n'a pas entendu la déflagration. Elle
n'apprendra l'événement que le lendemain, à son réveil.

En revanche, à l'étage supérieur, Catherine Dolgorouki,
assourdie par le fracas infernal de l'explosion, a immédiatement
groupé ses enfants autour d'elle. Sa première pensée est pour
l'empereur. A-t-il, cette fois encore, échappé à la mort ? Déjà, il
est devant elle, grave et calme. Elle s'abat sur sa poitrine. Dans
le palais, on sonne l'alarme. Des gendarmes courent en tous
sens. Le vent glacial s'engouffre par les fenêtres aux vitres
brisées. Le gaz s'est éteint partout. Dans la pénombre, les
pompiers s'affairent. La lumière revient. Des blessés gémis-
sent. Les survivants de la Garde, ensanglantés et couverts de
poussière, se hâtent de rejoindre leur poste. « C'est une
circonstance heureuse que la charge de dynamite ne fût pas
suffisamment importante pour détruire les colonnes massives
sous lesquelles elle était placée et qui soutiennent la structure de
toute cette partie du palais, écrit lord Dufferin, ambassadeur de
Grande-Bretagne, au marquis de Salisbury. Sinon, elles se
seraient écroulées en enterrant sous les ruines Sa Majesté et une
grande partie de la famille impériale et de sa suite[1]. »

Trois jours plus tard, Alexandre assiste aux obsèques des
soldats tués dans son palais. Tête haute, il s'avance de son long

---

1. Cf. Constantin de Grunwald : *Alexandre II et son temps.*

pas égal. Mais son visage est blême, ravagé, ses yeux sont rouges. En voyant les cercueils alignés, il dit d'une voix brisée par l'émotion : « On se croirait encore là-bas, dans les tranchées de Plevna ! »

Cet exploit des terroristes frappe le pays d'indignation et d'effroi. Puisqu'ils s'attaquent au tsar dans sa demeure même, c'est que leur pouvoir est sans limites. Comment ont-ils pu concevoir, machiner, accomplir cet acte dont la hardiesse insensée est sans exemple dans l'histoire de la Russie ? De quelles complicités ont-ils bénéficié parmi les domestiques de la cour, et peut-être même parmi les agents chargés de la sécurité de l'empereur ? Pourquoi la police, partout présente, n'a-t-elle pas su prévenir un attentat préparé depuis des mois ? Qui faut-il incriminer ? Ne doit-on pas s'attendre à un regain de violence ? Les ministres affolés s'accusent mutuellement et ne savent quelles mesures prendre pour s'opposer à la montée des périls. Khaltourine a pu fuir sans être inquiété. Ses complices, déçus par l'échec de leur entreprise, préparent assurément un nouveau coup, plus terrible encore. Des rumeurs alarmantes circulent dans le public. « La Volonté du Peuple » apparaît à tous comme la révolution incarnée. On sait maintenant que son Comité central exécutif ne reculera devant rien pour atteindre son but. Le soulèvement des masses semble aussi inévitable que l'éruption d'un volcan après les grondements précurseurs. D'ailleurs, une proclamation lancée par les terroristes affirme que la lutte se poursuivra « tant que le tsar n'aura pas remis le soin d'organiser la vie publique à une Assemblée constituante librement élue » et que, de toute façon, le gouvernement est devenu « un obstacle au libre épanouissement de la vie nationale ». Plusieurs personnes, logées dans des maisons proches de celles occupées par de hauts fonctionnaires, déménagent par crainte d'être victimes d'un attentat dirigé contre leurs voisins. Les départs des grandes familles pour les résidences de campagne s'accélèrent, malgré le froid rigoureux. « Les habitants de Saint-Pétersbourg, écrit encore lord Dufferin, sont sous l'emprise de la terreur, d'autant plus que les rumeurs les plus effarantes circulent au sujet du futur programme des nihilistes. » Et le général Chanzy, nouvel ambassadeur de France : « Depuis l'attentat, on n'est guère occupé que de cet événement. Il est l'objet de toutes les conversations, donne lieu aux appréciations les plus contradictoires et tient la plus grande place dans les journaux qui en font ressortir tout l'odieux... Autour de l'empereur, tout est agitation stérile. Les gens éclairés, qui ont conscience de la nécessité de certaines réformes, savent bien qu'il n'y a rien de commun entre le but poursuivi par les nihilistes et les aspirations légitimes de la nation, auxquelles il paraît nécessaire de satisfaire, mais ils ont le tort de tout confondre dans leurs conversations, ce qui risque d'amener chez le peuple une confusion dangereuse, parce qu'il peut se laisser aller à croire que les agissements qu'il réprouve ont lieu dans son intérêt[1]. » De son côté, le vicomte Melchior de Vogüé, secrétaire à l'ambassade de France, note ses impressions sur le vif : « Ceux qui ont vécu ces journées peuvent attester qu'il n'y aurait pas de termes assez forts pour traduire l'épouvante et la prostration de toutes les classes de la société. On annonçait pour le 19 février[2], anniversaire de l'émancipation des serfs, des explosions de mines dans plusieurs quartiers de la capitale. On désignait les rues menacées... La police, convaincue d'impuissance, perdait la tête ; l'organisme gouvernemental n'avait plus que des mouvements réflexes ; le public s'en rendait compte, implorait un système nouveau, un sauveur. » Quant au grand-duc Constantin junior, neveu du tsar, il renchérit dans son Journal : « Nous traversons l'époque de la Terreur, avec cette différence toutefois que les Parisiens voyaient alors leurs ennemis en face, tandis que nous, nous ne les voyons pas, ne les connaissons pas et n'avons même pas la moindre idée de leur nombre... La panique est générale ; les

---

1. Cf. Constantin de Grunwald, *op. cit.*
2. Autrement dit le 2 mars, d'après le calendrier grégorien.

gens ont définitivement perdu la tête et accordent foi aux
rumeurs les plus absurdes. »

Alexandre est conscient de cette désagrégation, autour de lui,
de tous les services de l'empire. Depuis quelques années, il
marche sur un sol mouvant. Ses conseillers ne sont que des
ombres. Ils tremblent, piétinent et bégaient en sa présence.
Rien à tirer de ces pantins déférents. L'ennemi est partout :
dans la rue, le long d'une ligne de chemin de fer, dans les allées
d'un parc, dans les caves d'un palais, demain peut-être dans la
chambre à coucher du tsar. En tout lieu, à tout instant,
Alexandre risque la mort. Certes, il n'a pas peur de paraître
devant le Juge suprême. Comme les terroristes qui le pourchas-
sent, il a fait d'avance le sacrifice de sa vie. Même abnégation de
part et d'autre. Mais pour des causes opposées. En revanche, ce
qu'il ne peut admettre, c'est qu'un ramassis d'individus décidés
tiennent en échec la plus formidable police du monde.

Comme le vicomte Melchior de Vogüé, il rêve du « sauveur »
qui saura saisir la barre d'une main ferme et redresser le navire
de l'État démâté et secoué par la tempête. Mais n'est-il pas trop
tard pour agir ? Et où trouver l'homme providentiel qui évitera
le naufrage de la monarchie ?

XII

L'HOMME PROVIDENTIEL

Avec les jours qui passent, l'angoisse de la population ne fait que grandir. Alexandre sent que le moment est venu de prendre une résolution importante. Puisque les mesures les plus rigoureuses ne donnent aucun résultat, pourquoi ne pas essayer de fléchir par une série de compromis sinon les révolutionnaires, du moins les libéraux dont la sympathie assure le succès des entreprises subversives ? Son propre frère, Constantin, le pousse dans cette voie. Le ministre Valouev l'approuve. Mais le grand-duc héritier est, lui, hostile à tout ce qui pourrait être interprété comme une reculade du tsar. Le 8 février 1880, Alexandre réunit au palais d'Hiver un conseil extraordinaire avec la participation de son frère Constantin, de son fils aîné et de quelques proches collaborateurs. Le grand-duc héritier déclare que la source du mal est dans le manque de cohésion des administrations centrales et, reprenant une idée du publiciste Katkov, propose la création d'une « commission suprême », investie de larges pouvoirs et dirigée par une sorte de dictateur. Le recours à une nouvelle « commission » n'enchante guère Alexandre. Il n'y voit qu'un surcroît de paperasse et de parlote. La réunion est remise au lendemain.

Le 9 février, nouveau conseil, auquel sont conviés, en plus des dignitaires, les trois gouverneurs généraux de Saint-Pétersbourg, d'Odessa et de Kharkov. Alexandre ouvre la séance avec lassitude, le dos rond, le visage gris, le regard absent, la voix enrouée. Autour de lui s'installe, comme d'habitude, un vain bavardage. Dans ce bourdonnement d'avis contradictoires, de critiques entrecroisées et de récriminations sur le passé, il devine, une fois de plus, l'impuissance de ses conseillers à dominer la situation. Un seul des assistants garde le silence, le comte Loris-Mélikov, gouverneur général de Kharkov. Quand le tsar lui demande enfin son opinion, il expose, avec clarté et assurance, un programme où fermeté et douceur, autorité et libéralisme se conjuguent en formules séduisantes. Il s'agirait en somme, selon lui, de renforcer la surveillance policière tout en accordant quelques prudentes concessions. Le tout sous une direction unique et inflexible : « Ce qui importe par-dessus tout, dit-il, c'est d'assurer dans l'empire l'unité de commandement. Il faut pour cela que tous les pouvoirs soient concentrés dans les mains d'un homme, d'un seul homme, qui ait l'entière confiance de Votre Majesté. » À ces mots, le tsar redresse la taille ; ses yeux brillent comme s'il était frappé d'une illumination ; interrompant l'orateur, il déclare : « C'est toi qui seras cet homme. » Et il lève la séance.

Un décret du 12 février 1880 institue une « Commission suprême pour la défense de l'ordre social » et en confie la présidence à Loris-Mélikov. Si le rôle attribué à la Commission suprême est des plus vagues, les pouvoirs de son président sont ceux d'un véritable dictateur : il commande à toutes les autorités de l'empire, dispose de toutes les forces publiques et reçoit ses instructions directement de l'empereur. Aucun tsar n'a encore octroyé une pareille puissance à l'un de ses sujets.

Quelques jours plus tard, Loris-Mélikov convoque chez lui les délégués de la municipalité de Saint-Pétersbourg pour leur demander leur avis sur les causes profondes de l'activité terroriste. Aux directeurs des grands journaux de la capitale, il annonce qu'il veut inaugurer « la dictature du cœur ». Enfin il publie, dans *Le Messager du gouvernement,* une adresse à la population, dans laquelle il promet d'employer « tout [son] zèle et tout [son] savoir » à rétablir le respect des lois.

À la cour, bien des gens sont surpris qu'Alexandre n'ait pas fait appel à l'un de ses collaborateurs habituels pour assumer les fonctions de dictateur. Pourtant le nom de Loris-Mélikov est révéré dans le grand public comme celui d'un héros national. Il appartient à une noble famille d'origine arménienne. Pendant la campagne de 1877, il a enlevé la place forte de Kars, rendant ainsi un peu de prestige à l'armée russe qui fléchissait dans les Balkans. Ensuite, lors d'une épidémie de peste sur la basse Volga, il a, par son énergie, arrêté la panique. Peu après, nommé gouverneur général de Kharkov, avec mission d'anéantir le nihilisme, il a réussi tout ensemble à mater les conspirateurs et à gagner la sympathie des journalistes, des professeurs et des étudiants. Ce dernier succès lui vaut la réputation d'un homme à poigne, doublé d'un fin diplomate. Tous ceux qui l'ont approché reconnaissent son intelligence, sa ruse orientale et sa souplesse de caractère. Il est capable aussi bien de combattre que de composer.

Une semaine après la nomination de Loris-Mélikov, le 19 février 1880, la Russie célèbre à la fois les vingt-cinq ans de règne d'Alexandre II et l'anniversaire de l'émancipation des serfs. Alexandre et son entourage s'attendent à des troubles fomentés par les terroristes. La journée commence par un rassemblement populaire sur la place du palais. Des salves d'artillerie annoncent l'événement. Les cloches sonnent. Debout sur le balcon, le tsar est salué par les acclamations de la foule. Mais jusqu'à quel point sont-ils sincères, tous ces gens qui hurlent « hourra » ? Il écoute encore des chants patriotiques exécutés par les chœurs des différents régiments de la Garde massés en contrebas. Puis il reçoit, dans la vaste salle blanche du palais, les compliments des hauts dignitaires et des représentants des puissances étrangères. En vain dissimule-t-il sa nervosité sous un masque de bonhomie. Tous les témoins lui trouvent un air soucieux. La voix étouffée par l'émotion, il répond à peine aux propos aimables de ses invités. Sans doute s'efforce-t-il de deviner si un terroriste ne se cache pas derrière cette multitude d'uniformes et de décorations. Non loin de lui, la robuste silhouette de Loris-Mélikov attire les regards. Avec son teint olivâtre, son nez charnu, ses yeux sombres et étincelants, sa barbe noire grisonnante, il donne l'impression d'un homme tout à la fois volontaire et bienveillant, énergique et subtil. Déjà, flairant un chef de première grandeur, les courtisans s'empressent autour du général. « On pouvait mesurer sa hauteur à la profondeur des salutations », note le vicomte Melchior de Vogüé[1]. Contrairement aux appréhensions de l'empereur, aucun incident ne souille cette grande journée.

Mais le lendemain, 20 février, alors que Loris-Mélikov sort, vers deux heures de l'après-midi, de l'hôtel ministériel, un jeune juif de Minsk, Molodetski, tire sur lui deux coups de revolver. Les balles se perdent dans l'épaisseur de sa pelisse. D'un bond, Loris-Mélikov rejoint le meurtrier, l'empoigne et le terrasse. Puis il le livre aux gendarmes accourus. Cet acte de courage personnel est salué par l'opinion publique comme le symbole du regain de vitalité qui animera désormais le gouvernement. Loris-Mélikov interroge lui-même le terroriste. Celui-ci est condamné à mort par la cour martiale. L'exécution a lieu dans les vingt-quatre heures, en plein jour, sur l'esplanade Semenovski, devant un grand concours de spectateurs. Amené dans une charrette, Molodetski porte sur sa poitrine l'écriteau : *Criminel d'État*. Il considère avec un mépris arrogant tous ces gens accourus pour le voir mourir. Arrivé au pied de l'échafaud, il leur lance des sarcasmes et des menaces. Il repousse en ricanant le crucifix que lui tend le prêtre. Jusqu'au dernier instant, il fait preuve d'une intrépide goguenar-

---

1. Melchior de Vogüé : *Spectacles contemporains*.

dise. En le voyant se balancer au bout de la corde, le peuple a l'impression qu'on vient de pendre, une fois pour toutes, la révolution.

Dans son effort pour « purifier » la Russie, Alexandre souhaiterait être épaulé par l'Europe entière. Or, voici que la France, où s'est réfugié le révolutionnaire Léo Hartmann, auteur de l'attentat contre le train impérial, refuse d'extrader le coupable. Malgré la demande pressante du tsar, le gouvernement de la République préfère céder aux injonctions pathétiques de Victor Hugo, qui écrit : « Vous êtes un gouvernement loyal. Vous ne pouvez pas livrer cet homme. La loi est entre vous et lui. Et, au-dessus de la loi, il y a le droit. Le despotisme et le nihilisme sont les deux aspects monstrueux du même fait, qui est un fait politique. Les lois d'extradition s'arrêtent devant les faits politiques. Ces lois, toutes les nations les observent ; la France les observera. Vous ne livrerez pas cet homme [1]. » La presse russe s'indigne ; le général Chanzy écrit, de son côté, dès le 23 février 1880 : « On attend l'extradition de Hartmann comme un acte de justice du gouvernement et une preuve de sympathie de la France... J'ai conscience de l'effet déplorable que causerait toute solution contraire et des conséquences fâcheuses qu'elle aurait pour notre pays. » Ses conseils n'ayant pas été suivis, il s'entend déclarer, le 21 mars, par le tsar en personne : « J'ai été très affecté de la décision de votre gouvernement au sujet de ce misérable. C'est tout ce que j'ai à vous dire. »

Une fois de plus, Alexandre constate que les Français ont oublié le service qu'il leur a rendu en intervenant auprès de l'Allemagne, lors de la crise de 1875. Quant à Loris-Mélikov, cet « incident de parcours » ne l'émeut guère. Il voit plus loin que l'affaire Hartmann. À son avis, les vraies raisons du mal dont souffre la Russie se trouvent dans le maintien intégral du pouvoir absolu et, plus exactement, dans le décalage qui existe

---

1. Victor Hugo : *Actes et Paroles*, III (*Depuis l'exil*, notes de 1880).

entre ce pouvoir absolu et la classe éclairée de la nation. Groupés autour du grand-duc Constantin, il y a de nombreux hommes indépendants, épris d'idées occidentales et désireux de faire évoluer l'autocratisme vers les principes modernes du droit public. Toutefois, ce parti libéral, qui a poussé jadis Alexandre aux premières réformes, est aujourd'hui affaibli et découragé. Le tsar lui-même a pu se rendre compte que, malgré ses efforts de réorganisation, les abus se perpétuent, que la machine administrative se grippe, que nul ne lui sait plus gré de ses initiatives pour améliorer le sort de ses sujets. Peu à peu, il a perdu confiance en son peuple, comme son peuple a perdu confiance en lui.

Simultanément, le parti réactionnaire s'est fortifié au palais Anitchkov autour de l'héritier du trône. Parmi ces défenseurs de l'absolutisme orthodoxe, on affirme que tout relâchement de l'autorité centrale est un sacrilège, car l'empereur ne peut renoncer, même en partie, à un pouvoir qui lui vient de Dieu. Et on cite à l'envi cette parole de Nicolas Ier : « En s'inclinant devant les premières exigences de la Révolution française, Louis XVI a failli au plus sacré de ses devoirs. Et Dieu l'en a puni. »

Ces opinions farouchement traditionalistes impressionnent Alexandre. S'il ne désavoue pas ouvertement les théories libérales de sa jeunesse, il reconnaît avec mélancolie qu'il faut peut-être en ajourner *sine die* l'application. Mais cet ajournement même excite l'audace des révolutionnaires. C'est un cercle fatidique qu'il s'agit de rompre. Très vite, le siège de Loris-Mélikov est fait : il importe, pense-t-il, d'accorder sans retard au peuple russe toutes les libertés compatibles avec le maintien du pouvoir absolu, afin de glisser ensuite, insensiblement, vers la monarchie constitutionnelle. Cependant s'il dispose, en tant que dictateur, des moyens nécessaires pour écraser le nihilisme, il n'est pas habilité à toucher aux prérogatives ancestrales du souverain. Une rénovation, même timide, du tsarisme ne peut émaner que du tsar lui-même. Or, manifestement, le tsar n'est pas encore prêt à renier ses convictions autocratiques. Loris-Mélikov comprend qu'il lui faudra longtemps pour vaincre la répugnance de son maître. En attendant, afin de calmer l'impatience du public, il le distrait par des réformes de détail, des projets illusoires, des déclarations d'intention qui soulèvent les critiques de la presse conservatrice.

Sur ces entrefaites, le 22 mai 1880, l'impératrice Marie Alexandrovna s'éteint doucement, à bout de souffle, dans son appartement du palais d'Hiver. Le tsar se trouve à ce moment-là à Tsarskoïe Selo, avec Catherine Dolgorouki. Il revient en hâte dans la capitale. Six jours plus tard, la dépouille mortelle est transférée dans la cathédrale de la forteresse Saint-Pierre-et-Saint-Paul. Alexandre et ses fils portent eux-mêmes le cercueil depuis le parvis de l'église jusque sur le catafalque. Sans doute, tout au long du magnifique office funèbre, le tsar s'efforce-t-il de penser avec tendresse à celle qui a éclairé ses jeunes années, qui a été la mère de ses enfants et dont il s'est peu à peu détaché. Mais, en même temps, un joyeux sentiment de délivrance trouble son deuil. En se penchant pour l'adieu sur le visage décharné de la défunte, exposée dans le cercueil ouvert selon le rite russe, il a presque envie de la remercier d'être partie. Par décence, Catherine Dolgorouki n'assiste pas aux obsèques de sa souveraine. Dès le lendemain, Alexandre rejoint sa maîtresse à Tsarskoïe Selo.

À présent, devant eux, la voie est libre. Rien ne s'oppose plus à leur mariage si longtemps espéré. Convoqué par l'empereur, le comte Adlerberg, ministre de la Cour, est le premier à recevoir la confidence. Bien que le tsar ne lui ait jamais parlé de Catherine Dolgorouki, il est, comme tous les proches du trône, au courant de la liaison impériale. Mais il n'imaginait pas, jusqu'à ce jour, que celle-ci se terminerait devant l'autel. Stupéfait, et même indigné, il implore Sa Majesté de réfléchir aux conséquences d'une décision si précipitée et si contraire aux usages. Le souverain ne risque-t-il pas, en s'obstinant, de s'aliéner la sympathie de sa famille et le respect de son peuple ?

Alexandre réplique en se disant obligé par son honneur, sa conscience et sa religion de légitimer ses liens avec une femme admirable. « Voilà quatorze ans que j'attends, s'écrie-t-il, quatorze ans que j'ai donné ma parole ! » Rassemblant son courage, Adlerberg balbutie : « Est-ce que Votre Majesté a informé Son Altesse Impériale, le grand-duc héritier ? » « Non, répond Alexandre. D'ailleurs, il est absent. Je lui parlerai quand il reviendra, dans une quinzaine de jours. Ce sera assez tôt ! » « Mais, Sire, insiste Adlerberg, il en sera cruellement offensé ! » Mutisme de l'empereur. Adlerberg le quitte avec l'impression de l'avoir ébranlé. Pourtant, un peu plus tard, Alexandre lui annonce, au cours d'un deuxième entretien privé, qu'il ne veut plus tergiverser et que le mariage se fera dans le courant de juillet, dès que se sera écoulé un délai décent de quarante jours. Adlerberg le supplie d'attendre au moins une année. Alexandre l'écoute en silence, le regard fixe, les mains tremblantes. Soudain, il coupe court, fait entrer Catherine Dolgorouki dans son bureau et s'en va. C'est la première fois qu'Adlerberg rencontre la maîtresse du tsar. D'emblée, elle accuse le ministre de détourner l'empereur de son devoir pour des motifs de basse politique. Tandis que le ton monte, Alexandre entrouvre la porte et demande s'il peut rentrer. « Non, répond Catherine, laisse-nous terminer notre conversation. » Il revient quelques minutes plus tard et déclare à son confident : « Je te rappelle que je suis le seul maître chez moi et le seul juge de ce que j'ai à faire. » Adlerberg se retire, consterné, avec la conviction d'avoir encouru la haine « d'une femme insolente et bête [1] ».

Le mariage est célébré le 18 juillet 1880, à trois heures de l'après-midi, dans le grand palais de Tsarskoïe Selo. Alexandre, vêtu de l'uniforme bleu pâle des hussards de la Garde, va chercher Catherine dans la chambre du rez-de-chaussée où ils se rencontrent d'habitude. Elle porte une robe tout unie, en drap

1. Milioutine : *Journal*.

beige, et n'a pas une fleur dans les cheveux. Cette simplicité voulue met en valeur la finesse de ses traits, la fraîcheur de son teint. Le tsar lui offre le bras. Des mesures ont été prises afin que nul officier, nul fonctionnaire, nul domestique ne se doute de l'événement. À travers de longs couloirs, le couple atteint un petit salon isolé et démeublé. L'archiprêtre du palais d'Hiver, le père Nikolski, un protodiacre et un psalmiste sont déjà sur place. Au milieu de la pièce, sur une simple table servant d'autel, ont été disposés une croix, un évangile, deux flambeaux, les couronnes et les alliances. L'aide de camp du tsar, le général Baranov, et le général Ryleïev, faisant office de garçons d'honneur, tiennent les couronnes nuptiales au-dessus de la tête des fiancés. Derrière eux, une amie de Catherine et le comte Adlerberg prient à genoux. Personne d'autre n'assiste à la bénédiction.

Après la cérémonie, Alexandre et sa femme vont se promener en calèche, avec leurs enfants Georges et Olga. Il fait beau. La voiture s'engage sous les futaies du parc impérial. Les larmes aux yeux, Alexandre murmure : « Voilà trop longtemps que j'attendais ce jour !... Quel supplice ! Je n'en pouvais plus ! J'avais constamment la sensation d'un poids qui m'écrasait le cœur ! » Soudain, son visage prend une expression tragique. Un pressentiment le saisit. « Je suis effrayé de mon bonheur, soupire-t-il. Ah ! que Dieu ne me l'enlève pas trop tôt ! » Plus tard, se penchant vers son fils Georges, il lui dit : « Gogo, mon chéri, promets-moi que tu ne m'oublieras pas ! » Et il ajoute, en pointant son doigt sur l'enfant : « Celui-là est un vrai Russe ! Celui-là au moins n'a que du sang russe[1] ! » Ayant ainsi exprimé sa préférence, il ordonne au cocher de retourner au palais par le plus court chemin. Le soir même, Catherine note dans son agenda : « C'est le jour le plus heureux de ma vie. » Quant au tsar, il signe un décret, destiné à être tenu secret, qui attribue à sa deuxième femme, à son fils Georges, à ses filles

1. Maurice Paléologue, *op. cit.*

Olga et Catherine le nom familial de prince et princesses Yourievski, avec le titre d'Altesses Sérénissimes. Comme si une Dolgorouki, dont le nom remonte dans l'histoire de Russie au XIIe siècle, avait besoin d'être anobli !

Peu après, Loris-Mélikov est convoqué à Tsarskoïe Selo et mis au courant de la nouvelle union impériale. « Je sais que tu m'es dévoué, lui dit Alexandre. Il faut que désormais ton dévouement s'étende aussi à ma femme et à mes enfants. Mieux que personne, tu sais que ma vie est sans cesse menacée : je peux être assassiné demain. Quand je ne serai plus, n'abandonne jamais ces êtres qui me sont si chers. Je compte sur toi. » Trois jours plus tard, le grand-duc héritier, qui revient d'une cure de bains de boue et de mer à Hapsal, en Estonie, reçoit de son père la même confidence et la même recommandation. Pieusement attaché au souvenir de sa mère, il contient sa douleur, son indignation et s'incline sans murmurer devant l'autorité souveraine. Ses frères et sa sœur feront de même. Mais tous seront meurtris jusqu'au fond de l'âme par la révélation de l'inconduite paternelle.

Alexandre ne se soucie pas de leur opinion. L'essentiel, pour lui, est que Catherine soit heureuse. Longtemps reléguée dans l'ombre, privée de tout contact avec le monde extérieur, elle a droit, pense-t-il, à une éclatante revanche. Et, de fait, après des années de claustration, Catherine respire. À l'âge de trente-trois ans, son appétit de paraître, de briller, de recevoir des hommages ne connaît plus de bornes. Qui sait si un jour le tsar ne la fera pas sacrer impératrice ? Au cours des siècles, deux jeunes filles de la maison des Dolgorouki ont failli ceindre la couronne de Russie : l'une, la fiancée du tsar Michel IV, a été empoisonnée par des courtisans jaloux, en 1625 ; l'autre a perdu son fiancé, Pierre II, emporté en 1730 par la petite vérole. Grâce à Alexandre, qu'elle tient par les sens autant que par la raison, Catherine sera peut-être la première Dolgorouki à décrocher ce suprême honneur. Le nom de princesse Yourievski qu'il vient de lui conférer est à cet égard significatif puisqu'il évoque le souvenir lointain de Youri Dolgorouki[1], son ancêtre, grand-prince de Souzdal et de Kiev, fondateur de Moscou. En devenant impératrice, ne pourra-t-elle obtenir du tsar qu'il modifie l'ordre de la succession en faveur de son fils Georges ? Ainsi, une dynastie de sang authentiquement russe remplacerait la dynastie allemande des Romanov-Holstein-Gottorp. Certes, il paraît difficile d'imaginer que l'héritier présomptif actuel, fils aîné et légitime, et les quatre fils puînés (Vladimir, Alexis, Serge et Paul) soient brutalement écartés du trône au profit du fils que l'empereur a eu de son épouse morganatique. Mais rien n'est impossible à un autocrate, se dit Catherine. Et elle en persuade son impérial époux.

De la cour, la nouvelle du mariage secret se répand dans les salons et les offices, en ville et à la campagne. Des photographes avisés vendent dans leurs boutiques des portraits de la princesse. Les milieux aristocratiques sont désolés. Dans les cercles libéraux, en revanche, les affaires de cœur du tsar paraissent moins importantes que ses dispositions politiques. Or, de ce côté-là, c'est la déception. Ne voyant venir aucune des grandes réformes espérées, bien des esprits favorablement disposés envers Loris-Mélikov doutent à présent de sa sincérité.

C'est alors que le dictateur prend deux mesures vigoureuses qui le rendent à nouveau populaire. D'abord, il ose abolir le fameux Troisième Bureau de la Chancellerie impériale, formidable institution d'espionnage dont l'ombre s'étendait, depuis le règne de Nicolas Ier, sur toute la Russie. Cette nouvelle est accueillie avec enthousiasme par la nation qui ne prend pas garde au fait que les pouvoirs de la défunte administration ont été transférés au ministère de l'Intérieur, sous la direction précisément de Loris-Mélikov. D'autre part, dans un esprit démagogique, le même Loris-Mélikov supplie l'empereur de lui enlever ses prérogatives dictatoriales, devenues selon lui inutiles, et de réduire ses fonctions à celles d'un simple ministre de

_____

1. Appelé aussi Georges (1090-1157).

l'Intérieur. Il procède également à la dissolution de la Commission suprême. La presse approuve sans réserve ce retour à un ordre de choses régulier et ne tarit pas d'éloges sur le patriotisme, la modération et la modestie dont témoigne le nouvel homme fort de la Russie. Afin de faire bonne mesure, il préconise la réforme du système scolaire et le renvoi du ministre de l'Instruction publique, Dimitri Tolstoï, qui, par ses méthodes insolentes, a su dresser contre lui les professeurs, les élèves et les familles. Or, Dimitri Tolstoï est un conseiller intime du grand-duc héritier. Il fait partie de la clique réactionnaire dont s'entoure le tsarévitch. Pour arriver à ses fins, Loris-Mélikov suggère de nommer au second des postes occupés par Dimitri Tolstoï, celui de procureur général du Saint-Synode, un autre proche du grand-duc héritier, son ancien gouverneur, le théologien fanatique de l'orthodoxie Constantin Pobiedonostsev. Le public apprend avec soulagement le départ de Dimitri Tolstoï, surnommé « l'étrangleur de l'instruction », et son remplacement par le libéral Sabourov. Il se montre tout aussi satisfait de la destitution de l'amiral Greigh, l'incapable ministre des Finances, au profit d'Abaza, personnage aux idées larges qui a déjà un programme de réformes dans sa poche : suppression de la gabelle, le plus impopulaire de tous les impôts, révision du système fiscal et réorganisation du financement des constructions ferroviaires. Enfin Loris-Mélikov, rompant avec des années d'immobilisme, autorise la création de nombreux périodiques destinés à refléter toutes les nuances de l'opinion en Russie.

Mais ce ne sont encore, pour lui, que façons d'amuser le tapis en attendant l'accomplissement de son grand dessein politique. Le mariage d'Alexandre a changé, estime-t-il, les données du problème. Puisque le tsar songe à faire couronner son épouse morganatique, il faut lui démontrer que cette élévation serait mieux acceptée par le peuple si elle était accompagnée d'une charte constitutionnelle. La dorure démocratique ferait avaler la pilule impériale. Cependant un pareil marché doit se préparer

de longue main, avec prudence. Loris-Mélikov n'ose encore
aborder le sujet avec son maître. Il guette une occasion propice.
Elle lui est offerte lorsque, vers la mi-août 1880, il reçoit l'ordre
d'accompagner le tsar et son épouse à Livadia, en Crimée.

Alexandre part le 17 août 1880, avec Catherine et leurs deux
aînés. Pour la première fois de sa vie, la princesse monte dans le
train impérial, partage les hommages rendus au tsar par les
personnes de sa suite et descend, à Livadia, non plus dans la
villa qui abrita naguère ses amours, mais au palais où elle
s'installe dans les meubles de feu l'impératrice. Les chambel-
lans, les aides de camp, les secrétaires et jusqu'aux domestiques
sont stupéfaits par l'aisance avec laquelle elle prend possession
des lieux. Elle ne quitte plus l'empereur, participe à ses repas,
se promène avec lui en voiture ou à cheval, le fait assister aux
jeux de leurs enfants, se prélasse en sa compagnie, le soir, sur la
terrasse, dans la plénitude d'un bonheur qu'ils ont attendu
depuis trop longtemps.

Loris-Mélikov profite de cette atmosphère idyllique pour
entretenir le tsar et son épouse de ses vastes projets. Souvent
même, c'est à Catherine seule qu'il s'adresse. Il sait qu'elle a sur
son mari un pouvoir déterminant. Et elle n'ignore pas qu'elle
peut compter sur « l'Arménien subtil » pour la servir dans sa
quête des honneurs. Un marché tacite les lie. Pour assurer la
stabilité du pouvoir impérial et la sécurité de son époux, la
princesse Yourievski défendra devant lui les idées constitutionnelles de Loris-Mélikov. En échange, Loris-Mélikov ne soulèvera pas d'objection au sacre de Catherine comme impératrice,
une fois passés les délais du deuil officiel. Reste à convaincre
l'empereur qui, aujourd'hui encore, répugne à se dessaisir
d'une parcelle de son autorité. Comment introduire dans les
institutions du pays un semblant de système représentatif sans
réduire outre mesure les prérogatives du souverain ? Pour
l'heure, il y a, au sommet de l'édifice impérial, deux assemblées : le Sénat, qui n'est qu'une haute cour de justice et
d'enregistrement, et le Conseil d'Empire, composé de grands-

ducs, d'officiers généraux et de fonctionnaires, qui se contente
de rédiger les lois et d'émettre des avis sans aucun pouvoir de
décision. Loris-Mélikov envisage trois possibilités de réforme :
adjoindre au Conseil d'Empire quelques représentants du pays
désignés par l'empereur au sein des assemblées provinciales ; ou
bien créer de toutes pièces une « douma » consultative dont les
membres seraient élus par les « zemstvos » ; ou bien encore
risquer une timide ébauche de régime parlementaire.

Tout en acceptant le principe d'un renouveau politique,
Alexandre hésite entre les trois solutions proposées. Après tout,
rien ne presse. À son retour dans la capitale, il nommera une
commission, présidée par le grand-duc héritier, qui lui soumet-
tra des réponses pratiques. En tout cas, il estime, lui aussi, que
ces innovations libérales seront très utiles pour justifier, aux
yeux du peuple, l'accession de son épouse morganatique au
rang d'impératrice. Loris-Mélikov l'encourage par la raison. Et
Catherine par le cœur. Il est sans défense devant cette femme si
jeune et si désirable. Son médecin, Botkine, affirme à l'un de
ses amis que l'affaiblissement physique du souverain « pourrait
résulter de ses excès sexuels ».

Un jour, au cours d'un de ses entretiens à Livadia, Loris-
Mélikov soupire devant Alexandre : « Ce serait un grand
bonheur pour la Russie que d'avoir, comme autrefois, une
impératrice russe ! » Un autre jour, tandis que le petit Georges
gambade sur la véranda, le ministre pose sur l'enfant un regard
de tendresse songeuse et dit au tsar : « Quand les Russes
connaîtront ce fils de Votre Majesté, ils diront tous : " Celui-là
est des nôtres ! " » Alexandre ne répond rien, mais son
expression concentrée et heureuse prouve que ces paroles l'ont
touché à un point sensible. Un peu plus tard, Loris-Mélikov
reçoit la plus haute distinction que puisse espérer un homme
d'État russe : le grand cordon de l'ordre de Saint-André.

Cependant l'opinion publique, ignorant les conciliabules de
Livadia, s'impatiente de plus en plus au milieu d'un épais
brouillard. Parmi les dirigeants des groupes libéraux, on

reproche à Loris-Mélikov d'avoir avancé des promesses falla-
cieuses, d'avoir trompé son monde, de n'être qu'un « renard ».
Les conservateurs, eux, dénoncent les tendances démocratiques
de « l'Arménien », qui mèneraient droit à la révolution. Après
l'avoir encensé, tous l'accusent d'entretenir sa popularité par
une « intolérable équivoque ». À son retour de Crimée, Loris-
Mélikov décide de répondre ouvertement à ces récriminations.
Le 10 septembre 1880, il convoque dans son cabinet les
directeurs de tous les grands journaux et, d'un ton chaleureux,
leur affirme qu'il est résolu, plus que jamais, à « marcher
d'accord avec une presse libre ». En contrepartie, il leur
demande « de ne pas agiter en vain les esprits en insistant sur la
nécessité de faire participer la société à la législation et à
l'administration du pays ». Son programme, pour les cinq ou
six années à venir, est, dit-il, de consolider l'activité des
« zemstvos » dans les limites de leurs attributions, de réformer
la police, « afin de rendre impossibles les illégalités qui ont pu
se produire dans le passé », de se renseigner, à l'aide d'une
commission d'enquête sénatoriale, sur les besoins et les vœux de
la population, de garantir enfin à la presse le droit de discuter
les actes du gouvernement. Pour l'instant, répète-t-il, « il n'est
nullement question d'un appel à la nation, soit sous la forme
d'assemblées représentatives à la mode européenne, soit sous la
forme des anciens *Zemski Sobor* russes ».

Les journalistes sont stupéfaits de ces affirmations catégori-
ques. Certes, ils apprécient que, pour la première fois, un
ministre du tsar ait daigné les convier à écouter ses confidences.
Mais ils constatent également avec tristesse que le rêve d'une
constitution s'éloigne. Cet homme doit être bien sûr de lui pour
tenir un langage aussi ferme ! Et, de fait, depuis le début de la
« dictature du cœur », si on excepte l'attentat commis contre
Loris-Mélikov lui-même, il semble que les terroristes aient
renoncé à l'épreuve de force. Cette trêve s'explique par
l'attitude d'expectative que les révolutionnaires ont prise à
l'égard du nouveau ministre de l'Intérieur. De plus, les

arrestations opérées dans leurs rangs ont altéré leur ardeur combative. Goldenberg, assassin du prince Kropotkine, gouverneur général de Kharkov, a déclaré avant de se pendre dans sa cellule : « Je désire en finir avec le cercle fatal des meurtres. Je me dévoue pour tous, espérant être la dernière victime. Sinon, chaque goutte de sang de mes frères sera payée par le sang de leurs bourreaux. » Peu après, un important procès politique réunit des conspirateurs qui, face à leurs juges, expriment la même opinion. « Vous et nous, disent-ils, appartenons à deux mondes d'idées différents, entre lesquels la fatalité des circonstances historiques ne laisse place à aucune entente. Il dépend de vous de mettre fin à une lutte dont tout le monde est las. Selon ce que sera votre jugement, ou bien nous et nos frères rentrerons avec joie dans le travail légal pour le triomphe de nos idées, ou bien la plaie s'envenimera et nos successeurs reprendront à contrecœur, mais résolument, les armes terribles tombées de nos mains[1]. » Cette menace ne fléchit pas la rigueur des juges. Les révolutionnaires comprennent que Loris-Mélikov n'ira pas au-delà de quelques réformes administratives et de quelques actes de clémence envers les étudiants. Leur grande faim ne peut se contenter de ces miettes.

C'est aussi la conviction d'Alexandre, qui continue de se reposer à Livadia. Après un bref répit, les terroristes ne sont-ils pas en train de préparer de nouveaux attentats contre sa personne ? Combien de fois Dieu le sauvera-t-il encore ? Prévoyant un sombre avenir, il a rédigé, le 11 septembre 1880, un testament en faveur de sa femme : « Les titres de rente, dont la liste est ci-jointe, et que le ministère de la Cour impériale, agissant en mon nom, a déposés à la Banque d'État, le 5 septembre 1880, pour le montant de trois millions trois cent deux mille neuf cent soixante-dix roubles (3 302 970), sont la propriété de ma femme, Son Altesse Sérénissime la princesse Catherine Mikhaïlovna Yourievski, née princesse Dolgorouki,

---

1. Rapport du général Chanzy à Barthélemy Saint-Hilaire, 11 novembre 1880.

et celle de nos enfants. C'est à elle seule que je donne le droit de disposer de ce capital, pendant ma vie et après ma mort. — Alexandre. »

Quelques jours plus tard, la police saisit un lot de proclamations que le Comité central exécutif de « La Volonté du Peuple » a fait distribuer parmi les étudiants et les ouvriers. On y énumère tous les « frères » qui ont été condamnés à mort durant ces derniers mois ; on leur décerne la palme du martyre ; on annonce une terrible et prochaine vengeance. Non content d'avoir déjà appelé de vive voix la protection du grand-duc héritier sur Catherine, Alexandre, justement alarmé, renouvelle sa prière dans une lettre testamentaire en date du 9 novembre 1880 : « Cher Sacha[1], au cas de ma mort, je te confie ma femme et nos enfants. L'amitié que tu n'as cessé de leur témoigner du premier jour où tu les as connus et qui a été pour nous une vraie joie me garantit que tu ne les abandonneras pas et que tu seras pour eux un protecteur et un bon conseiller... Ma femme n'a rien hérité de sa famille. Donc, tout ce qui lui appartient aujourd'hui, en biens meubles et immeubles, a été acquis par elle-même. Ses parents n'y ont aucun droit et elle peut en disposer à son gré. Par prudence, elle m'a légué sa fortune entière et il a été convenu entre nous que, si j'avais le malheur de lui survivre, tous ses biens seraient partagés également entre nos enfants pour leur être transmis par moi à leur majorité ou lors du mariage de nos filles. Jusqu'à ce que notre mariage ait été déclaré officiellement, le capital que j'ai fait verser à la Banque d'État appartient à ma femme, conformément au certificat que je lui ai remis. Voilà mes dernières volontés. Je suis certain que tu les exécuteras consciencieusement. Que Dieu t'en bénisse. Ne m'oublie pas et prie pour l'âme de celui qui t'aimait si tendrement. — Pa[2]. »

Ayant ainsi réglé l'avenir de sa femme et de ses enfants,

---

1. Diminutif d'Alexandre, prénom du grand-duc héritier.
2. Abréviatif de « papa ».

Alexandre décide de quitter Livadia avec eux, vers la fin du mois de novembre. Peu de jours auparavant, la police a découvert une mine placée par les terroristes sous la voie ferrée, à Lozovaïa, près de Kharkov. Cette circonstance n'entame pas la volonté du monarque. Son courage est renforcé par le fatalisme. Plus les révolutionnaires s'acharnent contre lui, plus il croit à l'intervention de Dieu dans toutes les péripéties de son existence. Au vrai, quand il essaie de s'analyser, il constate que sa vie sentimentale a envahi sa vie politique. Malgré son titre et son pouvoir, il n'est qu'un brave homme rempli de générosité et d'angoisse. Il n'a pas, pense-t-il, l'envergure d'un souverain absolu, prêt à tailler dans la chair de ses sujets pour imposer ses idées. Et, en effet, il y a quelque chose d'insolite dans cet être simple, sensible, pondéré, qui ose rêver à la fois un tel amour et de telles réformes. Dans les deux cas, l'aventure dépasse le caractère de l'individu. Son destin est disproportionné à sa taille. Il est un nain porteur d'un flambeau.

Le voyage se déroule sans incidents. Avant d'arriver à Saint-Pétersbourg, le train s'arrête à Kolpino. Là, se trouvent réunis les grands-ducs et les grandes-duchesses. Si tous sont au courant du mariage de leur père, seuls le grand-duc héritier et sa femme ont eu l'occasion d'approcher Catherine. Le tsar a convoqué la famille impériale pour lui présenter, hors de tout protocole, dans la simplicité d'une gare provinciale, son épouse morganatique. Les salutations sont polies, mais froides. Les fils et la fille d'Alexandre jugent leur père en silence.

À Saint-Pétersbourg, le 28 novembre 1880, le tsar installe Catherine dans un somptueux appartement qu'il a fait préparer pour elle au palais d'Hiver. Ils ont une chambre à coucher commune et dorment dans le même lit. Cette chambre est contiguë au cabinet de travail impérial. Alexandre vient souvent retrouver sa femme après de longues et pénibles explications avec ses ministres. Par précaution, on a creusé des tranchées autour du palais. Des patrouilles surveillent les abords. Il fait froid ; le ciel est gris ; la neige couvre les toits ; les visages sont mornes. Le soleil, la mer bleue, la paix radieuse de Livadia ne sont plus qu'un souvenir quelque peu irréel dans l'esprit inquiet d'Alexandre.

XIII

LA CHASSE À L'HOMME

Au début de l'année 1881, Loris-Mélikov peut croire que ses efforts pour associer, même discrètement, des députés de la nation au gouvernement de l'empire vont enfin recevoir leur récompense. Après de longues hésitations, le grand-duc héritier et le tsar lui-même donnent leur accord, du bout des lèvres, à un projet cent fois revu et corrigé. Ce projet prévoit la formation de deux commissions préparatoires, l'une économique et administrative, l'autre financière. L'action de ces deux commissions sera contrôlée par une « Commission générale consultative », chargée de discuter les textes de lois avec la collaboration des délégués élus par les « zemstvos » et les municipalités. Ces textes de lois seront ensuite soumis au Conseil d'Empire, accru de dix à quinze délégués provinciaux élus. Il ne s'agit donc nullement de créer un organisme parlementaire, mais de convier de rares représentants du pays à l'élaboration de projets de lois dont la teneur sera déterminée par avance. L'avis de la Commission générale consultative ne pourra limiter en rien la compétence de la seule institution législative existante, le Conseil d'Empire, corps éminemment bureaucratique, puisqu'il ne comptera qu'un nombre infime de délégués des provinces, du reste passés au crible.

Si timide que paraisse l'innovation, elle n'en a pas moins, aux yeux d'Alexandre, une importance capitale. Grâce à elle, l'ordre archaïque sera rompu. Pour la première fois dans l'histoire de la Russie, le peuple interviendra par ses représentants dans l'exercice de la fonction législative. Certes, le nouveau Conseil d'Empire n'aura rien d'un parlement. Mais les quelques délégués des provinces qui y siégeront aux côtés des dignitaires habituels formeront l'avant-garde d'une troupe plus puissante et plus redoutable. Une fois engagé sur cette voie, ne va-t-on pas se retrouver un jour en démocratie ? L'entourage du grand-duc héritier le craint. « La Russie est perdue ! disent ses familiers. L'abîme va s'ouvrir. Le tsarévitch est tombé dans le piège du charlatan arménien ! » Alexandre cependant tient bon et nomme une commission secrète, présidée par le grand-duc héritier et chargée d'établir les détails pratiques de la réforme. Le plus épais mystère entoure les délibérations. Il ne faut pas que le public se monte la tête avant l'heure. « Que retentissent à nouveau quelques malencontreux coups de feu, dit Loris-Mélikov, et je suis perdu, et, avec moi, s'évanouira tout mon système. »

Sans désemparer, le tsar étudie lui-même une autre question qui, dans son esprit, est inséparable de la première : l'élévation de la princesse Yourievski au rang d'impératrice. Il y attache d'autant plus d'intérêt que maintenant Catherine participe ouvertement à la vie de la cour. Or, son état d'épouse morganatique la place dans une situation fausse vis-à-vis de la famille impériale. Selon le protocole, elle doit céder le pas à tous les grands-ducs et à toutes les grandes-duchesses. Ainsi, aux dîners, ne siège-t-elle pas en face de l'empereur, mais se trouve reléguée vers le bout de la table, entre le prince d'Oldenbourg et le duc de Leuchtenberg. Pour Alexandre, cette humiliation ne peut être plus longtemps supportée, ni par lui ni par la femme qu'il aime. Il charge le prince Golitzine d'une recherche confidentielle dans les archives de Moscou, destinée à fixer les modalités du cérémonial. En effet, jusqu'à ce jour, le couronnement des impératrices a toujours coïncidé avec celui de leur époux. Seule exception : la Livonienne Catherine, que Pierre le Grand a épousée après avoir répudié la tsarine Eudoxie. Mais c'était il y a longtemps, en 1711 ! Depuis, les rites ont évolué. Il importe de réexaminer l'étiquette, la tradition, la liturgie...

Ce sacre tant attendu sera, pour Alexandre, la dernière étape de sa carrière officielle. Il en a déjà discuté avec Catherine. Elle est d'accord. Il a des devoirs envers elle et envers son peuple. Quand il aura promulgué sa réforme politique et couronné son épouse, il se retirera, la conscience en paix, de la vie publique. Dans six mois, dans un an, il abdiquera au profit du grand-duc héritier et quittera la Russie, avec sa femme et ses enfants. Délivré de la majesté du pouvoir, il ne sera plus, comme il l'a toujours souhaité, qu'un homme parmi les autres, recherchant son bonheur non dans le vain éclat de la représentation, mais dans la paisible affection de sa famille. Son rêve serait de s'installer en France, de préférence à Nice. Il s'est d'ailleurs fait communiquer secrètement une liste des propriétés à vendre sur la Côte d'Azur. La vision de cet avenir lumineux l'aide à supporter l'ennui des longues délibérations avec ses ministres.

Cependant, malgré toutes les précautions prises, dès les premières semaines de 1881 des rumeurs concernant la prochaine promulgation d'une constitution se répandent dans Saint-Pétersbourg. Certains affirment, sans nul indice, que le 19 février, jour anniversaire de l'abolition du servage, Alexandre publiera une charte supprimant l'autocratisme et instituant un parlement « à l'européenne ». Ces fausses nouvelles enfièvrent les esprits, éveillant chez les uns l'espoir, chez les autres la crainte et la colère. Les révolutionnaires participent à cette effervescence. En vérité, l'octroi d'une constitution n'a aucune valeur à leurs yeux. Ce qu'ils poursuivent, ce n'est pas la rénovation du tsarisme, c'est sa suppression pure et simple. S'ils ont juré la mort d'Alexandre, ce n'est pas parce qu'il est un despote à demi dément comme son grand-père Paul Ier, assassiné par les officiers de sa garde. Ils admettent que, depuis deux siècles, la Russie n'a guère connu de souverain plus ouvert, plus bienveillant. Ils n'oublient pas qu'il a émancipé les serfs, institué le jury, interdit les peines corporelles... Son seul tort, à leurs yeux, c'est d'être un tsar. Bon ou mauvais, peu importe. Il incarne un principe. Et ce principe doit disparaître. L'idée de doter la Russie d'un semblant de constitution est même en soi dangereuse, car elle risque de démobiliser la conscience populaire. En accordant cette concession aux libéraux, Alexandre coupe l'herbe sous les pieds des opposants au régime. Il faut donc le gagner de vitesse. Agir avant qu'il n'ait fait ce cadeau à ses sujets.

Trois hommes et une femme, tous membres de « La Volonté du Peuple », dirigent le complot. Alexandre Mikhaïlov, de naissance noble, nourri de lectures subversives, a commencé par être un théoricien de la révolution avant de reconnaître la vanité des discussions à huis clos. Peu à peu, le poète du nihilisme s'est transformé en un froid organisateur de meurtres politiques. Son attitude à l'égard du tsarisme est celle d'un professionnel chargé de faire sauter une maison qui menace ruine. Il est secondé par Nicolas Kibaltchich. D'origine ukrainienne, ce jeune chimiste s'est d'abord intéressé à un mouvement séparatiste local. Il a fait trois ans de prison, entre 1875 et 1878, pour distribution de tracts. Arrivé à Saint-Pétersbourg en 1879, il a installé un laboratoire pour la préparation de la dynamite. Lui aussi dédaigne les parlotes pour mettre ses connaissances techniques au service de la cause. Les mines, les bombes sont sa passion. Il nage dans la nitroglycérine. Le troisième conspirateur éminent du groupe est André Jeliabov. Fils et petit-fils de serfs domestiques, il a conscience d'être, par son essence même, désigné pour travailler au bonheur du peuple en appliquant les méthodes du terrorisme intégral. Pourtant il n'a pas eu à souffrir personnellement du régime. Grâce à son père, intendant d'un riche domaine de Crimée, il a pu faire des études à l'université d'Odessa. Ayant épousé la fille d'un propriétaire de la province de Kiev, il a même fini par exploiter une ferme. Ce bien-être matériel n'a pas émoussé sa haine du tsarisme. Il est de toutes les manifestations. En 1877, il se trouve parmi les accusés du grand procès des cent quatre-vingt-treize. Acquitté faute de preuves, il sort de prison, la rage au ventre. Le régicide devient son idée fixe. C'est lui qui installe une mine sous la voie ferrée, à Alexandrovsk, lui qui fournit à Khaltourine la dynamite utilisée pour l'explosion du palais d'Hiver. Ces deux échecs ne le découragent pas. Il est sûr que la troisième fois sera la bonne. Au dire de la révolutionnaire Olga Loubatovitch, « c'était un garçon brun et élancé, au visage pâle, à la barbe sombre merveilleusement plantée et aux yeux expressifs. Sa parole était pleine de flamme et de passion, sa voix agréable et forte. Il avait tout pour devenir un tribun populaire [1] ». Les compagnons de Jeliabov le respectent pour son fanatisme agressif, sa froide énergie dirigée toujours vers le même but. Il flotte autour de lui une atmosphère funèbre qui subjugue et inquiète tout ensemble. Ses affidés l'appellent entre eux « le terrible Jeliabov ». Âgé de vingt-neuf ans et depuis longtemps séparé de sa femme, il a pour maîtresse un autre membre du complot, la farouche Sophie Perovski. Fille d'un général (gouverneur militaire de Saint-Pétersbourg jusqu'à l'attentat de Karakozov), elle a connu une enfance choyée, d'abord à la campagne, puis dans la capitale, mais son caractère entier lui a vite fait entrevoir l'inanité des satisfactions mondaines. Retirée dans une petite maison de la banlieue, elle a rompu avec ses relations d'autrefois et s'est consacrée à l'activité révolutionnaire. Son camarade Kropotkine la décrit ainsi : « En voyant cette ouvrière, vêtue d'une robe de laine, chaussée de lourdes bottes, la tête simplement couverte d'un fichu de coton, nul n'aurait pu reconnaître en elle la jeune fille qui, peu d'années auparavant, brillait dans les salons les plus aristocratiques de la

1. *Quatre Femmes terroristes contre le tsar, op. cit.*

capitale... Elle était notre préférée à tous... Ferme comme l'acier, elle ne se laissait pas impressionner par l'idée de l'échafaud. Elle me disait un jour : " Nous avons entrepris une grande chose. Deux générations peut-être succomberont à la tâche, et pourtant il faut qu'elle s'accomplisse." » En rencontrant Jeliabov, Sophie Perovski a éprouvé plus qu'une révélation : un éblouissement intellectuel et physique. Son éréthisme révolutionnaire s'incarne maintenant dans un homme. C'est avec joie qu'elle partage la vie traquée de celui qu'elle a choisi pour champion. Exigeante et fière, elle l'admire tellement qu'elle ne lui pardonne aucune faiblesse. Parfois, excédé de fatigue et de soucis, il pleure à ses genoux, et elle le rabroue avec une sorte de hargne amoureuse. Leur exaltation a un goût de suicide. Est-elle consciente du tragique parallélisme qui s'établit ainsi entre la passion du tsar pour sa jeune femme et sa passion à elle pour Jeliabov, toutes deux soumises à une implacable fatalité historique ? Se doute-t-elle qu'alors que tout, dans leurs convictions politiques, semble les opposer, ils suivent, chacun à sa façon, le même chemin amoureux avec, au bout, la même menace d'une mort violente ? Non, elle est trop engagée dans la chasse à l'homme pour pouvoir se permettre une comparaison entre son destin à elle, la tueuse, et celui du tsar, le gibier. Dès qu'on parle de l'empereur devant elle, elle écume de fureur. Elle veut ignorer ses prétendues qualités de monarque, de patriote, de mari, de père de famille afin de ne pas perdre courage. Pour elle, il n'y a qu'un être au monde qui mérite une pensée à la fois ardente et charitable : Jeliabov.

Autour de ce couple infernal se groupe la « cohorte militante », une dizaine de volontaires qui, méprisant la phraséologie socialiste, se sont consacrés au « terrorisme pratique », c'est-à-dire à la fabrication des explosifs et à l'exécution des attentats. Dans leur esprit, l'assassinat d'Alexandre provoquera un tel choc que le régime tsariste tombera en morceaux. Sur les décombres de la monarchie, se dressera un gouvernement populaire. L'État sera divisé en régions autonomes, libres de quitter la fédération panrusse ; la gestion des affaires locales sera confiée aux communes rurales et citadines ; on nationalisera les terres, les usines ; et la Russie, enfin délivrée du tyran, connaîtra le bonheur d'être dirigée par les opprimés de la veille.

En observant les allées et venues du monarque, les guetteurs du groupe constatent qu'Alexandre s'absente de plus en plus rarement du palais. Cependant, il continue d'assister régulièrement, tous les dimanches, à la relève de la garde au manège Michel. C'est donc au cours de ce trajet qu'il faut chercher à l'abattre. Il existe deux itinéraires pour se rendre du palais d'Hiver au manège. L'un passe par la rue des Ingénieurs et longe le quai, toujours vide, du canal Catherine ; l'autre, que le tsar emprunte habituellement, suit la perspective Nevski et la rue de la Petite-Sadovaïa. Dès le début de décembre 1880, le terroriste Kobozev a loué, dans cette rue, le sous-sol d'une maison de rapport et y a installé, avec la jeune juive Jessia Helfmann, une crémerie. Aussitôt, Jeliabov et ses complices entreprennent de creuser un tunnel, partant du magasin et aboutissant sous la chaussée. Ce travail de taupe se poursuit pendant des semaines, malgré les éboulements et les infiltrations d'eau. En même temps, des spécialistes se livrent à des expériences chimiques, tandis que d'autres s'exercent à jeter des bombes dans des coins déserts de la banlieue. Il a été en effet prévu que, si par malchance la mine n'explosait pas, quatre lanceurs de bombes attaqueraient le tsar au passage et que, s'ils échouaient à leur tour, Jeliabov bondirait sur le marchepied de la calèche et poignarderait l'empereur de sa propre main.

Mais la police veille. Le 28 novembre 1880, elle a arrêté Alexandre Mikhaïlov, qui a eu l'imprudence de commander dans un atelier les photographies de deux camarades exécutés après jugement. D'autre part, l'ouverture d'une crémerie au numéro 4 de la Petite-Sadovaïa a suscité la méfiance des autorités. Les faux marchands paraissent singulièrement incompétents et leur choix de fromages est si restreint que peu de clients se hasardent à passer la porte. Lors d'une visite sanitaire, un haut fonctionnaire, ayant rang de général, constate une forte humidité dans les lieux. Il n'en tire aucune conclusion alarmante. Or, dans l'arrière-boutique se trouve un gros tas de terre provenant de l'excavation. On l'a masqué maladroitement avec du charbon et de la paille. Après avoir fureté dans le local, la police bat en retraite sans avoir rien découvert. Les conspirateurs l'ont échappé belle. Leur soulagement est de courte durée. Jeliabov, qui depuis l'arrestation d'Alexandre Mikhaïlov est devenu le seul chef responsable du complot, vient à son tour de tomber dans une souricière. En allant voir son camarade Trigoni, il a été appréhendé, en même temps que tous les visiteurs, à la porte de la pension de famille où habite le suspect. Sur le moment, les policiers ne se sont même pas rendu compte de l'importance de leur prise. C'est le juge d'instruction qui, lors du premier interrogatoire, a identifié le fameux terroriste. À ses questions, Jeliabov s'est contenté de répondre : « N'est-il pas trop tard pour m'arrêter, messieurs ? Je ne suis pas seul, ne l'oubliez pas ! »

En apprenant l'arrestation de son amant, Sophie Perovski connaît une crise de douleur et de rage. Alors que ses camarades seraient tentés de renoncer au projet devenu trop risqué, elle les somme, au nom de l'honneur révolutionnaire, d'aller jusqu'au bout de l'aventure. Qu'espère-t-elle au juste ? Peut-être s'imagine-t-elle que les désordres provoqués par l'assassinat d'Alexandre permettront aux terroristes de délivrer Jeliabov de sa prison ? Peut-être refuse-t-elle de rester en vie alors qu'il est déjà pratiquement condamné à mort ? Elle voudrait partager sa peine, le venger et périr avec lui. Une folie noire la possède. Véritable Euménide, elle harangue ses compagnons tremblants. Il faut faire vite. Demain, dimanche 1er mars 1881, le tsar se rendra, comme d'habitude, au manège Michel. D'ici là, on aura le temps, en travaillant la nuit, de poser la mine et de préparer les bombes. Personne ne proteste. La décision est adoptée dans un esprit de lugubre émulation.

Dans l'intervalle, au palais d'Hiver, Alexandre reçoit Loris-Mélikov, venu en hâte l'informer de la capture de Jeliabov. D'après ses renseignements, les terroristes envisagent un nouvel attentat. La plus élémentaire prudence conseille, dit-il, que Sa Majesté n'aille pas le lendemain à la relève dominicale de la garde. Alexandre refuse de l'entendre : toutes les personnalités du corps diplomatique assisteront à cette parade ; il serait malséant pour lui de ne pas s'y montrer. Et, changeant de conversation, il demande à son ministre de présenter à sa signature le manifeste annonçant la convocation des commissions, auxquelles doivent participer — innovation capitale ! — des élus des « zemstvos » et des municipalités. Loris-Mélikov dépose devant lui, sur la table, le rescrit décisif. Alexandre sourit et trempe sa plume dans l'encrier. En signant cette résolution, fruit de tant de travaux, il a conscience d'entériner le premier acte restrictif de l'autorité impériale. Une autre époque, plus libérale, commence pour la Russie. Le document sera transformé en acte législatif après approbation par le Conseil des ministres, dont la réunion est prévue pour le 4 mars 1881. Quand Loris-Mélikov a remporté le dossier, le tsar rejoint sa femme et déclare : « C'est fait. Je viens de signer le papier... Je crois qu'il produira une bonne impression. Au moins, les Russes verront que je leur ai accordé tout ce qui était possible ! »

Le soir, en dînant avec elle, il revient, dans la conversation, sur la portée du manifeste. Elle le félicite de sa décision, mais l'implore, elle aussi, de ne pas aller le lendemain à la revue. « Je ne peux pourtant pas vivre comme un prisonnier dans mon palais ! » s'écrie-t-il.

Le dimanche 1er mars 1881 [1], il commence par assister à la messe, en famille, dans la chapelle privée du palais. Puis, ayant travaillé avec Loris-Mélikov et déjeuné sobrement — on est en plein Carême —, il prend congé de sa femme pour se rendre à la

---

1. Le 13 mars 1881 d'après le calendrier grégorien.

parade. Elle le supplie d'éviter le parcours habituel de la Petite-Sadovaïa et de passer le long du canal Catherine. Il promet de suivre ses instructions. Sur le chemin du retour, il compte s'arrêter quelques instants chez sa cousine, au palais Michel. Et, à trois heures moins le quart, il sera de nouveau au palais d'Hiver. « Alors, dit-il, si cela te plaît, nous irons nous promener ensemble au jardin d'Été. » Catherine acquiesce, les yeux pleins de larmes, les lèvres plissées dans une moue enfantine. Elle est si désirable dans son inquiétude qu'il la renverse sur un canapé et la prend, séance tenante, à la hussarde [1]. Puis il se redresse, tout joyeux, se rajuste, embrasse son épouse pâmée, descend les escaliers et grimpe dans sa voiture, un coupé fermé qu'entourent six cosaques du Térek. Un septième cosaque est assis à la gauche du cocher. Trois officiers de police suivent dans deux traîneaux. Il est midi quarante-cinq.

Le trajet est couvert sans incident. La revue traditionnelle se déroule dans le vaste manège Michel, en présence des grands-ducs, des généraux aides de camp et des diplomates ayant grade militaire, parmi lesquels les ambassadeurs d'Allemagne, d'Autriche-Hongrie et de France. Après le défilé des troupes, Alexandre échange quelques mots aimables avec les principales personnalités de l'assistance et se rend au palais voisin, chez sa cousine, la grande-duchesse Catherine, fille de sa défunte tante Hélène Pavlovna. Tout le monde est frappé par son humeur allègre. Est-ce le fait d'avoir signé le manifeste qui lui donne cet air calme et dégagé ? Ayant avalé un verre de thé, il remonte, à deux heures et quart, dans sa voiture et ordonne de rentrer vite au palais d'Hiver.

Or, entre-temps, Sophie Perovski, ayant vu passer le coupé impérial sur le quai du canal Catherine, a compris qu'au retour le tsar suivrait le même itinéraire. Inutile donc de faire exploser la mine dissimulée sous la rue de la Petite-Sadovaïa. On ne peut

---

1. Cette scène a été révélée par Catherine elle-même au cours d'un entretien avec le docteur Botkine, à Biarritz, en 1887. Cf. Constantin de Grunwald, *Le Tsar Alexandre II et son temps*.

plus compter que sur les lanceurs de bombes. Ils se dirigeront
vers le canal et prendront les places qui leur ont été assignées
dès que Sophie, postée à l'angle de la rue des Ingénieurs, leur
aura fait signe avec son mouchoir. Ces volontaires sont au
nombre de quatre : Nicolas Ryssakov, dix-neuf ans, membre
des milices ouvrières, spécialiste de la propagande dans les
usines ; Ignace Grinevitski, vingt-quatre ans, de petite noblesse
lituanienne, étudiant à l'Institut technologique ; un autre
étudiant, Ivan Emilianov ; et un ouvrier, Timothée Mikhaïlov.
Tous, conscients de leurs responsabilités, s'interdisent de
réfléchir à la signification morale de l'acte que Sophie Perovski
attend d'eux. Ils savent que, pour éviter les pièges de la
sensibilité bourgeoise, ils doivent considérer leur future victime
non comme un être humain, mais comme un obstacle matériel :
une porte à défoncer, un mur à démolir. La beauté du résultat
justifie la brutalité du geste. Une vraie conviction politique
exclut le scrupule et même le remords. Pour être sûr de frapper
sans faiblir, il faut réserver sa pitié à ceux dont on défend la
cause.

Au cours de la nuit de samedi à dimanche, le chimiste Nicolas
Kibaltchich a préparé les bombes dans le « logement conspira-
tif » des terroristes Vera Finger et Issaïev. Sophie a pris
livraison des engins dans la matinée de dimanche et les a remis à
ses acolytes dans un cabaret populaire. Maintenant, tout est
prêt. Au signal convenu, les lanceurs se sont placés à dix pas
l'un de l'autre. Le quai du canal Catherine est un endroit peu
fréquenté. Les seuls passants en vue sont un petit pâtissier
portant sur sa tête une corbeille de gâteaux, quelques policiers
débonnaires, deux ou trois promeneurs. Un détachement de
cadets de la Marine, revenant de la cérémonie du manège, se
range le long du trottoir pour rendre les honneurs au souverain.
Déjà, le coupé fermé de l'empereur s'avance à vive allure,
encadré par des cosaques. Derrière, plusieurs traîneaux, dont
celui du maître de police Dvorjitski.

Soudain, une terrible explosion : Ryssakov a lancé sa bombe.

Quand le nuage de neige et de fumée s'est dissipé, Alexandre découvre la scène : deux cosaques et le petit pâtissier gisant sur le sol, dans des flaques de sang ; des chevaux éventrés ; les glaces de la voiture brisées et l'arrière-train disloqué. C'est miracle que le tsar n'ait pas une égratignure. Sauvé une fois de plus, il se précipite vers les blessés. Des gens accourent de toutes parts. Les officiers de police empoignent Ryssakov qui est tombé en essayant de fuir. Le colonel Dvorjitski supplie Sa Majesté de monter dans l'un des traîneaux et de partir au plus vite. Mais Alexandre veut voir en face l'homme qui a tenté de le tuer. Très pâle et très calme, il s'approche de Ryssakov et aperçoit un adolescent d'aspect insignifiant, de petite taille, vêtu d'un pardessus d'automne en gros drap et coiffé d'un bonnet de loutre. Le régicide, maintenu par les policiers, le regarde par en dessous avec une haine insolente. Comme s'il s'adressait à un enfant mal élevé, le tsar lui dit d'un ton sévère : « C'est toi qui as lancé la bombe ? C'est du propre ! » Quelqu'un demande : « Sire, Votre Majesté n'est pas blessée ? » Il répond : « Non, je n'ai aucun mal, grâce à Dieu. » Ryssakov relève la tête et ricane : « N'est-ce pas trop tôt pour rendre grâce à Dieu ? »

Au même instant, Grinevitski, qui se tient appuyé au parapet du canal, à deux mètres du tsar, lance la deuxième bombe. Un fracas assourdissant, une nouvelle trombe de neige et de fumée. Sous la violence du choc, Alexandre est jeté à terre. Il tente de se redresser, en s'appuyant sur les mains, mais son corps n'est qu'un brasier de douleur. Le visage meurtri, le manteau lacéré, les jambes nues et broyées, il perd son sang à flots. Son assassin, mortellement blessé lui aussi, s'est affaissé, le dos contre le parapet. Alexandre écarquille les yeux sur un monde qui se désagrège. Tout à coup, il ne voit plus rien. Ses lèvres balbutient mollement : « Portez-moi au palais... Et là, mourir... »

Les cadets de la Marine le soulèvent avec précaution et le couchent, à demi inconscient, dans le traîneau de Dvorjitski. Ils couvrent son corps frissonnant d'une capote et lui enfoncent une casquette sur la tête. Le traîneau s'élance en direction du palais d'Hiver.

Immédiatement avertie, Catherine domine son affolement, va chercher des médicaments dans son armoire à pharmacie et se précipite vers le cabinet de l'empereur. Elle y pénètre au moment où les cosaques déposent Alexandre, inerte et sanglant, sur un lit qu'on a roulé au milieu de la pièce. Avec horreur, elle découvre qu'il a le pied gauche arraché, le visage et le crâne labourés par des éclats. Un œil est fermé, l'autre dénué de toute expression. Penchée sur lui, elle frictionne ses tempes avec de l'éther, lui fait respirer de l'oxygène, aide les médecins à bander ses jambes pour arrêter l'hémorragie. En même temps, elle lui chuchote des mots d'amour qu'il ne peut plus entendre.

Dans les salles avoisinantes, c'est la bousculade, la consternation, la colère. On se montre le manteau militaire de l'empereur, déchiqueté, couvert de boue, de sang et de lambeaux de chair. Des valets de chambre passent, portant des linges souillés, des cuvettes pleines d'une eau rougie. De tous côtés, on accuse Loris-Mélikov. Le comte Valouev déclare, au milieu d'un cercle d'auditeurs : « Voici ce que nous a rapporté la dictature du cœur de l'Arménien de malheur ! » Quand Loris-Mélikov apparaît enfin, tous les visages se ferment. Un dignitaire lui lance en pleine face : « La voilà, votre constitution ! »

Cependant, autour du lit où repose Alexandre, la famille impériale s'est réunie en larmes. Dans l'assistance, un enfant de douze ans et demi écarquille les yeux. C'est le grand-duc Nicolas (le futur Nicolas II), vêtu d'un costume bleu de marin. Il est très pâle. Il revient du patinage. Sa mère tient encore ses patins à la main. De temps à autre, Catherine gémit : « Sacha ! Sacha ! » Elle pétrit les mains froides de son mari. La respiration du moribond ne se perçoit plus qu'à de longs intervalles. Ses pupilles n'accusent aucune réaction à la lumière. Profitant d'un bref retour de conscience, l'archiprêtre Rojdestvenski lui administre les derniers sacrements. Puis Alexandre retombe dans une insensibilité presque cadavérique. Le grand-duc héritier ayant demandé au docteur Botkine combien de temps durerait encore l'agonie, celui-ci répond : « Dix à quinze minutes. » À trois heures trente-cinq de l'après-midi, le médecin annonce : « Sa Majesté l'empereur n'est plus. »

Catherine pousse un cri déchirant et s'abat sur le corps qu'elle étreint comme pour le rappeler à la vie. Son négligé blanc et rose est maculé de sang. Toutes les personnes présentes s'agenouillent. Parmi elles, le fils aîné du mort, le nouvel empereur Alexandre III. Cet homme de trente-six ans, grand et large d'épaules, paraît assommé par l'événement. En se relevant, il montre un visage défait par le chagrin et l'angoisse. La tâche qui l'attend le terrifie. Son intelligence est moyenne et l'instruction tardive qu'il a reçue n'a pu élargir beaucoup son horizon. Imbu des idées ultra-monarchistes qui sont de tradition dans la famille impériale, il craint les innovations en matière de politique, de morale et de religion.

Pendant que les médecins procèdent à la toilette funèbre, Loris-Mélikov sollicite les ordres de Sa Majesté au sujet du manifeste annonçant au peuple russe la transformation du Conseil d'Empire et l'évolution de l'autocratisme vers un régime représentatif. Sans hésiter, le tsar répond : « Je respecterai toujours les volontés de mon père. » Mais, dans le courant de la nuit, ayant consulté ses amis du clan absolutiste, il décide de surseoir à la publication du document. Le fanatique Pobiedonostsev l'a convaincu de renoncer, pour le moment, à la réforme dont son père attendait miracle. De son côté, le vicomte Melchior de Vogüé note tristement : « Je pense à ce pauvre homme, simple et bon, qui vient de disparaître si tragiquement dans le sang, dans la honte de ce crime. Avoir émancipé cinquante millions d'hommes d'une parole, et mourir ainsi, comme un fauve traqué dans sa capitale : ironie de l'histoire, jugements secrets d'en haut. Quelle nuit pour celui qui va ramasser dans le sang la couronne du Monomaque ! »

Le lendemain, la dépouille de l'empereur est exposée au palais d'Hiver, dans une chapelle ardente. Il porte l'uniforme du régiment Préobrajenski. Matin et soir, des prêtres et des moines prient autour du catafalque. « Aujourd'hui, écrit Pobiedonostsev, le 6 mars, j'ai pris le service dans la chapelle ardente. Après les prières publiques et lorsque tout le monde se fut retiré, j'ai vu venir, de la chambre voisine, la veuve ! Ses jambes la portaient à peine ; sa sœur la soutenait ; Ryleïev la conduisait. Elle s'effondra devant le cercueil. Le visage du défunt est couvert d'une gaze qu'on ne doit pas soulever ; mais elle s'inclina, retira brusquement le voile, couvrit de longs baisers le front et la figure, puis, chancelante, elle sortit. J'ai eu pitié de la pauvre femme. » Quelques heures plus tard, Catherine retourne dans la chapelle ardente. Elle vient de couper ses cheveux et dispose amoureusement cette longue jonchée soyeuse sous les doigts du mort.

Le 7 mars 1881, a lieu le transfert du corps dans la cathédrale Saint-Pierre-et-Saint-Paul. Le temps est froid, le ciel sans nuages. Un rayon de soleil allume la flèche d'or de la forteresse. Trois coups de canon partent de la citadelle. Dans la ville, toutes les cloches sonnent. Le cortège funèbre s'ébranle. En tête, un escadron de chevaliers-gardes. Puis viennent, présentés par des maîtres de cérémonie, tous les insignes du souverain : sceptre, globe, étendards, glaives des différentes villes. Un dignitaire isolé porte, sur un coussin d'or, la lourde et haute couronne impériale de Russie. À sa suite, s'avancent en procession les trois ordres de l'empire : les nobles, les marchands, les paysans, groupés autour de leurs drapeaux emblématiques. Après un intervalle, c'est le tour du clergé, longue troupe majestueuse vêtue de chasubles noires brodées d'argent, coiffée de mitres scintillantes et hérissée de cierges, de crosses, de bannières saintes. Les prêtres et les chantres précèdent le char funèbre, surmonté de panaches blancs et attelé de huit chevaux noirs, drapés de crêpe. Trente pages l'entourent, avec des torches allumées. Derrière, marche l'empereur Alexan-

dre III, nu-tête, le cordon bleu de l'ordre de Saint-André en
écharpe, escorté des grands-ducs. La nouvelle impératrice
Marie Fedorovna et ses jeunes fils, les grandes-duchesses, les
dames de la cour ont pris place dans des carrosses de deuil. Le
cortège est fermé par les troupes de la Garde.

Dans la cathédrale illuminée, se presse la foule des courtisans, des fonctionnaires, des diplomates, engourdis, excédés
par une attente de plusieurs heures. À l'arrivée du convoi, un
chant lugubre s'élève, toutes les têtes se tournent vers l'entrée.
Le cercueil pénètre dans l'église, porté jusqu'au catafalque sur
les épaules de Sa Majesté et des grands-ducs. Il est ouvert, selon
l'usage. On aperçoit le profil livide du mort. La mâchoire s'est
décrochée durant le trajet. Melchior de Vogüé chuchote à
l'oreille de son voisin, Maurice Paléologue, jeune attaché
d'ambassade frais débarqué à Saint-Pétersbourg : « Regardez
bien ce martyr ! Il fut un grand tsar et méritait un destin plus
indulgent. Ce n'était pas un esprit supérieur, mais c'était une
âme très généreuse, très droite, très haute. Il avait l'amour de
son peuple, une sollicitude infinie pour les humbles, les
opprimés... Le matin même de sa mort, il travaillait à une
réforme qui eût engagé irrévocablement la Russie dans les voies
modernes : l'octroi d'une charte parlementaire. Alors, les
nihilistes l'ont tué !... L'émancipateur des nègres américains,
Lincoln, a été assassiné, lui aussi... Ah ! c'est un dangereux
métier que d'être libérateur !... »

La famille impériale a pris place à la droite du catafalque. La
liturgie funèbre déroule ses fastes archaïques, dans la fumée de
l'encens, la palpitation des flammes et le chant grave des
chœurs. Au moment où les choristes entonnent le pathétique
hymne de l' « Éternel Souvenir », quelques femmes pleurent.
Pourtant, selon Melchior de Vogüé, il y a « trop d'agitation, de
distractions, de cancans dans l'église » pendant la cérémonie.
Enfin, l'officiant récite l'absoute et applique sur le front du
mort une bande de parchemin portant une prière et l'image du
Sauveur. Il ne reste plus qu'à s'acquitter de l'adieu suprême.

Tour à tour, Alexandre III, l'impératrice, les grands-ducs, les grandes-duchesses gravissent les marches du catafalque et déposent un dernier baiser sur les mains du cadavre. Les ambassadeurs leur succèdent à pas lents. Mais soudain le grand maître de cérémonie arrête le défilé. Du fond de l'église s'avance, soutenue par le ministre de la Cour, le comte Adlerberg, une jeune femme enveloppée de longs voiles de crêpe. C'est l'épouse morganatique du défunt, la princesse Catherine Yourievski, née Dolgorouki. Elle monte péniblement les gradins du catafalque et s'effondre, la tête plongée dans le cercueil. Au bout de quelques minutes, elle se redresse avec peine, se signe, reprend le bras du comte Adlerberg et s'éloigne. « Nous sommes empoignés, cette fois, écrit Melchior de Vogüé, par la détresse inouïe de cette abandonnée qui a touché un moment aux marches du trône et retombe dans le fond de l'abîme... » Le défilé reprend. En s'inclinant devant le cercueil, Maurice Paléologue observe que la partie inférieure du corps, qui a été déchiquetée par la bombe, est dissimulée sous un manteau d'apparat.

Quelques jours plus tard, la princesse Catherine Yourievski quittera la Russie, avec ses enfants, pour n'y plus jamais revenir. Pour la troisième fois, le sort a refusé à une Dolgorouki d'être tsarine. Alexandre II avait rêvé de s'installer sur la Côte d'Azur avec elle, après avoir renoncé à la couronne. C'est là qu'elle se réfugiera, mais veuve et solitaire. En 1891, elle achètera, à Nice, la somptueuse « Villa Georges ». Elle y mourra le 15 février 1922, à l'âge de soixante-quinze ans, oubliée de tous [1].

L'assassinat du tsar a plongé le pays dans une stupéfaction

1. Les enfants d'Alexandre II et de Catherine Yourievski ne seront pas considérés comme appartenant à la famille impériale. Le prince Georges Alexandrovitch Yourievski sera enseigne au cinquième équipage de la flotte russe et mourra en 1913. Olga épousera, en 1895, le comte Georges de Merenberg (1871-1948), fils de Nathalie Pouchkine, la veuve du poète, et de Nicolas-Guillaume de Nassau-Luxembourg. Catherine, elle, se mariera en 1901 avec le prince Alexandre Bariatinski (1870-1910), puis, en 1916, avec le prince Georges Obolenski (divorcée en 1922).

inquiète. Dans tous les milieux, les gens s'abordent pour échanger des nouvelles alarmantes : arrestations sensationnelles, saisies d'armes et d'explosifs, découvertes d'imprimeries clandestines. Le jour même de l'attentat, le Comité central exécutif a lancé, sous la forme d'une lettre à Alexandre III, un appel au peuple. Or, contrairement à l'attente des révolutionnaires, le peuple ne bouge pas. Jeliabov et ses amis ont oublié dans leurs calculs que, pour la paysannerie, la personne du monarque est d'essence divine et qu'il est sacrilège d'y toucher. Malgré des conditions d'existence très dures, les moujiks ne sont nullement disposés à la révolte. Dans certaines régions, ils ne voient même, dans le meurtre du souverain, qu'un acte de vengeance de la noblesse contre celui qui les a libérés. Quant aux intellectuels, abasourdis par l'audace des terroristes, ils craignent maintenant de se compromettre en frayant avec eux. Leur seul désir est que l'œuvre réformatrice amorcée par Alexandre II soit poursuivie par Alexandre III. Ainsi le régicide a-t-il été inutile. Non seulement l'organisation révolutionnaire qui réclame l'abolition de l'autocratie est isolée et déconsidérée, mais encore elle se décompose et s'affaiblit de jour en jour. Dans l'espoir de sauver sa vie, Ryssakov fait des aveux complets et trahit ses camarades. Tous les participants à l'attentat sont arrêtés, l'un après l'autre. Sophie Perovski est la dernière à échapper aux recherches. Enfin reconnue dans la rue par un officier de police, elle rejoint ses complices en prison.

Traduits devant la Haute Cour, cinq des accusés : Jeliabov, Timothée Mikhaïlov, Kibaltchich, Ryssakov et Sophie Perovski, sont condamnés à la pendaison. Cette jeune femme sera la première à être exécutée en Russie pour crime politique. Jessia Helfmann, enceinte, évite le gibet. Les conjurés écoutent le verdict avec une sérénité hautaine et se déclarent prêts à mourir, « pour la foi socialiste ». Sur l'échafaud, devant la foule assemblée, Sophie Perovski, stoïque, embrasse ses camarades, mais tourne le dos à Ryssakov qui les a livrés. Un prêtre s'approche d'eux et leur tend un crucifix à baiser. Tous le refusent. Sauf Timothée Mikhaïlov, l'ouvrier. Lors de sa pendaison, la corde casse. Il tombe et se brise les membres. On le repend. À deux reprises. Enfin, le voici immobile, rigide, aux côtés de ses compagnons. Cinq corps parallèles retenus par des nœuds coulants. La foule se disperse.

Mais la crainte de nouveaux attentats hante encore tous les esprits. Alors que Loris-Mélikov insiste sur la nécessité d'adopter et de promulguer sans tarder le projet de réforme du tsar défunt, Alexandre III réunit un comité pour réexaminer l'affaire. Au cours de cette séance, le comte Stroganov déclare que, si ce document voyait le jour, « le pouvoir passerait des mains du souverain absolu, qui est actuellement indispensable à la Russie, aux mains de chenapans, qui ne songent nullement à l'intérêt général, mais seulement à leur intérêt personnel ». Le ministre des Postes, Makov, estime qu'il s'agit là d'une idée qui mènerait « la Russie à la ruine ». Quant à Pobiedonostsev, il s'écrie, la mine inspirée, la voix prophétique : « On veut introduire la constitution en Russie, ou faire du moins un pas dans cette voie... Or, qu'est-ce que la constitution ? L'Europe occidentale nous donne une réponse à cette question. Les constitutions qui y existent servent d'instruments à toutes les injustices, à toutes les intrigues... Et l'on prétend, pour notre malheur, pour notre perte, introduire chez nous ce trompe-l'œil d'origine étrangère, dont nous n'avons que faire ! La Russie a été puissante grâce à l'autocratie, grâce à la confiance mutuelle et illimitée, grâce aux liens étroits qui rattachent le peuple à son tsar ! »

Le grand-duc Constantin, Loris-Mélikov, Valouev, Abaza, Milioutine, Sabourov ont beau affirmer que le projet ne contient « pas même l'ombre d'une constitution », l'empereur Alexandre III, visage fermé, ne les écoute plus. Dans son for intérieur, il n'est pas loin de condamner toute l'œuvre du règne précédent. Quelques semaines plus tard, il écrit à son cher Pobiedonostsev : « Loris-Mélikov, Milioutine et Abaza poursuivent positivement la même politique et veulent, d'une manière ou d'une autre, nous amener à un gouvernement représentatif... Il est douteux que j'arrive un jour à me convaincre de l'utilité d'une pareille mesure. Je suis trop sûr qu'elle est pernicieuse... Je me persuade de plus en plus qu'il n'y a rien de bon à attendre de ces ministres. »

Réfugié dans le sombre et triste château de Gatchina, aux environs de Saint-Pétersbourg, Alexandre III disparaît aux yeux de son peuple. Son éminence grise, le fougueux procureur du Saint-Synode Pobiedonostsev, le supplie de redoubler de prudence : « En ce moment, lui écrit-il, vous ne sauriez prendre trop de précautions. Pour l'amour de Dieu, veuillez vous conformer à ce qui suit : 1) Quand vous vous préparez à vous coucher, ayez soin de fermer les portes derrière vous, et non seulement celles de votre chambre à coucher, mais celles de toutes les pièces, la porte d'entrée y comprise. Un homme sûr doit examiner attentivement les serrures et veiller à ce que le loquet intérieur des portes à deux battants soit tiré. 2) S'assurer, avant d'aller se coucher, que les cordons de sonnette sont en bon état. On pourrait facilement les couper. 3) Examiner chaque soir si tout est en ordre, regarder pour cela sous les meubles. 4) Un de vos aides de camp devra coucher non loin de vous, dans l'une de ces mêmes chambres. Tous les hommes qui approchent Votre Majesté sont-ils sûrs ? Si l'un d'eux semble tant soit peu suspect, on peut trouver un prétexte pour l'éloigner. »

Le même Pobiedonostsev pousse l'empereur à rompre, dès à présent, avec la politique libérale de son père. Le projet de réforme est définitivement enterré. Et, le 28 avril 1881, Alexandre III adresse à ses sujets un manifeste dont le ton autoritaire ne laisse aucun doute sur ses intentions : « La voix de Dieu nous ordonne de nous mettre avec assurance à la tête du pouvoir absolu. Confiant dans la Providence divine et en Sa suprême sagesse, plein d'espoir dans la justice et la force de l'autocratisme que nous sommes appelé à affirmer, nous présiderons sereinement aux destinées de notre Empire, qui ne seront plus dorénavant discutées qu'entre Dieu et nous. »

Les jours suivants, Loris-Mélikov et les autres ministres de tendance progressiste offrent leur démission à l'empereur. L'homme de la « dictature du cœur », disgracié, reprend le chemin du Caucase. De là, il se rendra sur la Côte d'Azur où il vivra jusqu'à soixante-trois ans. Le grand-duc Constantin est relevé de toutes ses fonctions et s'éloigne de la cour. Pobiedonostsev triomphe. Dressé dans l'ombre d'Alexandre III, il sait que la nation, naguère séduite par l'aventure libérale, va enfin retrouver les voies rudes et saines de la tradition. Pouvoir central renforcé, étudiants surveillés de près, journaux muselés, police en état d'alerte sur tout le territoire, c'est ainsi, pense-t-il, que se construisent la grandeur et la prospérité d'un empire. Et il est vrai que le pays ne bronche pas sous cette autorité de fer. À croire que les Russes ne veulent plus des réformes qu'ils réclamaient hier à grands cris et que seul peut les satisfaire le retour à un système de gouvernement despotique. Est-ce au temps lointain de l'occupation tatare que remonte chez eux ce besoin de sentir un joug sur leur front ? Leur destin, à travers les siècles, semble être de n'avancer qu'attelés et guidés. Toutefois ce calme, cette résignation, cet ordre ne sont qu'illusoires. Le feu couve sous la cendre. Le nouvel empereur ne se doute pas que durant son règne, en apparence stable et fructueux, se creusera, jour après jour, l'abîme séparant le peuple de son souverain et que son fils bien-aimé, le futur Nicolas II, supportera, trente-six ans plus tard, les sanglantes conséquences de sa politique.

BIBLIOGRAPHIE

Le lecteur trouvera ci-dessous la liste des principaux ouvrages que j'ai consultés. Sauf indication contraire, il s'agit de livres en russe.

APTEKMAN (O. V.) : *La Société Terre et Liberté des années 70*, Petrograd, 1924.

CANNAC (René) : *Aux sources de la révolution russe. Netchaïev, du nihilisme au terrorisme*, préface d'André Mazon, Paris, Payot, 1961 (en français).

CARDONNE (C. de) : *L'Empereur Alexandre II. Vingt-six ans de règne*, Paris, 1883 (en français).

CHARLES-ROUX (François) : *Alexandre II, Gortchakov et Napoléon III*, Paris, Plon-Nourrit, 1913 (en français).

DJANCHIEV (G. A.) : *L'Époque des grandes réformes*, Moscou, 1893.

DOLGOROUKOV (prince Pierre Vladimirovitch) : *La Vérité sur la Russie* (2 volumes), Leipzig, 1861 (en français).

— *Les Réformes en Russie*, Paris, 1862 (en français).

FARESOV (A.) : *Les Hommes des années 70*, Saint-Pétersbourg, 1905.

FAURÉ (Christine) : *Quatre Femmes terroristes contre le tsar*, Paris, François Maspero, 1978 (en français).

FLEROVSKI : *Trois Systèmes politiques : Nicolas Ier, Alexandre II, Alexandre III*, 1897.

FRÉDÉ (Pierre) : *La Russie et le nihilisme*, Paris, 1880 (en français).

GOLOVATCHEV (A. A.) : *Dix Années de réformes (1861-1871)*, Saint-Pétersbourg, 1872.

GOLOVINE (Ivan) : *La Russie depuis Alexandre le Bien-Intentionné*, Leipzig-Francfort-sur-le-Main, 1859 (en français).

GRADOVSKI (A.) : *Années difficiles (1876-1880)*, Saint-Pétersbourg, 1880.

GRUNWALD (Constantin de) : *Le Tsar Alexandre II et son temps*, Paris, Berger-Levrault, 1963 (en français).

HEPWORTH DIXON (William) : *La Russie libre*, ouvrage traduit de l'anglais par Émile Jauveaux, Paris, Hachette, 1873 (en français).

KOLOSOV (A.) : *Alexandre II, sa personnalité, sa vie intime et son gouvernement*, Londres, 1902.

KORNILOV (A. A.) : *Le Mouvement social sous Alexandre II*, Moscou, 1909.

KOTLIAREVSKI (N. A.) : *La Veille de la libération*, Petrograd, 1916.

LAFERTÉ (Victor) : *Alexandre II, détails inédits sur sa vie intime et sa mort*, Bâle, 1882 (en français).

LEMKE (M.) : *Esquisse du mouvement libérateur des années 60*, Saint-Pétersbourg, 1908.

LEROY-BEAULIEU (Anatole) : *Un homme d'État russe : Nicolas Milioutine*, Paris, Hachette, 1884 (en français).
— *La Russie et les Russes* (3 volumes), Paris, 1903 (en français).

LITVAK (B. G.) : *Le Village russe dans la réforme de 1861*, Moscou, 1972.

MILIOUKOV, SEIGNOBOS et EISENMANN : *Histoire de Russie* (3 volumes), Paris, Librairie Ernest Leroux, 1933 (en français).

MILIOUTINE (N.) : *Journal (1873-1875)*.

MORNY (duc Auguste de) : *Une ambassade en Russie, en 1856*, Paris, Ollendorff, 1892 (en français).

MOURAVIEV (N. N.) : *La Guerre au-delà du Caucase en 1855* (2 volumes), Saint-Pétersbourg, 1877.

Le Mouvement politique en Russie sous Alexandre II, Paris, 1905.

PALÉOLOGUE (Maurice) : *Le Roman tragique de l'empereur Alexandre II*, Paris, 1923 (en français).

ROMANOVITCH-SLAVATINSKI : *La Noblesse en Russie depuis le début du XVIIIe siècle jusqu'à l'abolition du servage*, Saint-Pétersbourg, 1870.

SEMENOV (N.) : *L'Émancipation des paysans sous Alexandre II* (4 volumes), Saint-Pétersbourg, 1885.

TARLÉ (E. V.) : *La Guerre de Crimée* (2 volumes), Moscou-Leningrad, 1944.

TATICHTCHEV (S. S.) : *L'Empereur Alexandre II, sa vie et son règne* (2 volumes), Saint-Pétersbourg, 1903.

TCHOULKOV (G.) : *Les Derniers Tsars autocrates*, Paris, Payot, 1928 (en français).

TIOUTCHEVA (A. F.) : *À la cour de deux empereurs*, Moscou, 1929.

VENIOUKOV (M. I.) : *Études historiques sur la Russie depuis la guerre de Crimée jusqu'au traité de Berlin (1885-1878)* (4 volumes), Leipzig et Prague, 1878-1880.

VRETOS (A. Papadopoulos) : *Les Douze Années du règne d'Alexandre II*, Paris, Amyot, 1867 (en français).

ZAKHAROVA (L. G.) : *Autocratie et abolition du servage en Russie, 1856-1861*, Moscou, 1984.

INDEX

Y

YOURIEVSKI (princesse Catherine, épouse morganatique d'Alexandre II), voir DOLGOROUKI (Catherine)

YOURIEVSKI (princesse Catherine, fille d'Alexandre II), 178, 212, 219, 239 (n. 1)

YOURIEVSKI (prince Georges, fils d'Alexandre II), 158, 211-212, 213, 216, 219, 239 (n. 1)

YOURIEVSKI (princesse Olga, fille d'Alexandre II), 159, 211, 212, 219, 239 (n. 1)

Z

ZAMIATNINE, 104, 123

ZAMOÏSKI (comte André), 85

ZAROUDNY, 102

ZASSOULITCH (Vera), 184-186

ZERNO-SOLOVIEVITCH (frères), 115

TABLE

Cet ouvrage a été composé
par l'Imprimerie BUSSIÈRE
et imprimé sur presse CAMERON
dans les ateliers de la S.E.P.C.
à Saint-Amand-Montrond (Cher)
en septembre 1990

Nº d'édition : 12819. Nº d'impression : 1592-1284.
Dépôt légal : octobre 1990.

Imprimé en France